Entre nosotros

SECOND EDITION

Ana C. Jarvis
Chandler-Gilbert Community College

Raquel Lebredo
California Baptist University

Houghton Mifflin Company ✦ Boston New York

Publisher: Rolando Hernández
Development manager: Glenn A. Wilson
Development editor: Judith Bach
Senior project editor: Carol Newman
Editorial assistant: Deborah Berkman
Senior art editor: Jill Haber
Composition buyer: Chuck Dutton
Senior photo editor: Jennifer Meyer Dare
Associate marketing manager: Claudia Martínez
Executive marketing director: Eileen Bernadette Moran

Cover Illustration: Artwork © 2005 Jaime Olaya/licensed by ArtVisions/www.artvisions.com

Photo credits: Page 2, © Bob Daemmrich/The Image Works. Page 3, Bill Jarvis. Page 10, Bill Jarvis. Page 12, Bill Jarvis. Page 14, Bill Jarvis. Page 18, Claudia Jarvis. Page 29, © Joseph Sohm; Visions of America/CORBIS. Page 36, © Jóse Miguel Gómez/Reuters/CORBIS. Page 45, © Macduff Everton/CORBIS. Page 56, © Pablo Corral V/CORBIS. Page 68 (t), © Richard Bickel/CORBIS; (b), Bill Jarvis. Page 74, Bill Jarvis. Page 78, © 2005 Ulrike Welsch. Page 85, Bill Jarvis. Page 89, Bill Jarvis. Page 104, © Beryl Goldberg. Page 111, © Corinne Malet/Getty Images. Page 114, © Tony Freeman/PhotoEdit. Page 121, © Ed Clark/Time Life Pictures/Getty Images. Page 132, © Juan Silva/Getty Images. Page 133, Bill Jarvis. Page 136, Bill Jarvis. Page 150, © Royalty-Free/CORBIS. Page 154, Bill Jarvis. Page 166, © EL DESEO/RENN/FRANCE 2/THE KOBAL COLLECTION. Page 173, © Ulrike Welsch. Page 179, © 2005 by Robert Frerck and Odyssey Productions, Inc. Page 184, © Javier Peraza/Getty Images.

Text credits appear on page 238.

Printed in the U.S.A.

Instructor's Annotated Edition:
Instructor's Annotated Edition ISBN 13: 978-0-618-65618-9
Instructor's Annotated Edition ISBN 10: 0-618-65618-9

For orders, use student text ISBNs:
Student Text ISBN 13: 978-0-618-52776-2
Student Text ISBN 10: 0-618-52776-1

Library of Congress Catalog Card Number: 2005936054

123456789—QWT—09 08 07 06 05

Lengua de Cervantes,
semilla ayer y hoy árbol gigantesco
cuya sombra nos ampara y reúne,
hermanando continentes y océanos.

Gerardo Diego

Contents

PREFACE

Entre nosotros, Second Edition is an intermediate Spanish program for two- and four-year colleges and universities. Specifically designed to be completed in a single semester or quarter, *Entre nosotros,* Second Edition offers a flexible approach that fully integrates the development of students' speaking, listening, reading, and writing skills within a cultural context. The Student's Text and other components are described in detail below.

NEW TO THIS EDITION

Six Manageable Lessons

Offers an accessible one-semester book that explores a variety of topics chosen for their cultural relevance and their success in generating student interaction.

Beginning of Lesson Vocabulary List

Para hablar del tema lists all active vocabulary at the beginning of each lesson to facilitate acquisition followed immediately by *Para practicar el vocabulario* that stresses communication with pair and group activities.

New *Un paso más*

Integrates grammar and thematic vocabulary from all previous *Pasos* and concludes with *Para escribir,* a step-by-step writing exercise where students are guided through the process of writing for different purposes such as, interview questions, emails, and newspaper articles.

NEW Online Study Center

Includes web icons and *La Red* boxes that indicate where additional grammar practice and cultural activities are available in the ONLINE STUDY CENTER. Access the ONLINE STUDY CENTER for *Entre nosotros,* Second Edition by visiting college.hmco.com/pic/entrenosotros2e.

New Video

Recycles structures and vocabulary presented in the lesson in short, humorous situational clips shot specifically for *Entre nosotros,* Second Edition.

New Four-Color Design

Presents a visually attractive and accessible design to support language acquisition and appeal to today's students.

Components

For Students

Student Activities Manual (SAM) Workbook / Lab Manual / Video Manual

Each lesson of the **Student Activities Manual** is correlated to the corresponding lesson in the student text. The ***Actividades para escribir*** **(Workbook)** practice lesson structures through an array of writing activities including question-answer exercises, sentence completion, sentence transformation, and fill-in charts; and review the lesson's cultural content. New to *Entre nosotros,* Second Edition is a separate section for vocabulary practice (***Para repasar el vocabulario***) including matching exercises and a crossword puzzle.

Coordinated with the **SAM Audio CDs,** the ***Actividades para el laboratorio*** **(Lab Manual)** feature structured grammar exercises, listening-and-speaking practice, and contextualized vocabulary review. The new ***Actividades de video*** **(Video Manual)** feature comprehension activities to accompany the new *Entre nosotros,* Second Edition video. Answer keys for workbook exercises and the laboratory and video activities are provided at the instructor's discretion.

SAM Audio CD Program

The complete audio program to accompany *Entre nosotros,* Second Edition, **Student Activities Manual** is available for student purchase. Recorded by native speakers, the audio material develops speaking and listening comprehension skills through contextualized exercises that reinforce the themes and content of the textbook lessons. Answers to all exercises are provided on the audio CDs.

Video

The new *Entre nosotros,* Second Edition video recycles structures and vocabulary presented in each lesson in a short, humorous situational clip shot specifically for the new edition. Activities accompanying the video can be found in the **Video Manual** part of the **Student Activities Manual.**

NEW *Online Study Center*

This expanded website consists of grammar and vocabulary quizzes correlated to each grammar point presented in the *Estructura* sections and to the lesson vocabulary, as well as web search activities related to the *Lecturas periodísticas,* and to *Cruzando fronteras.* Access the ONLINE STUDY CENTER for *Entre nosotros, Second Edition* by visiting college.hmco.com/pic/entrenosotros2e.

We would like to hear your comments on and reactions to *Entre nosotros,* Second Edition. Reports on your experiences using this program would be of great interest and value to us. Please write to us care of Houghton Mifflin Company, College Division, 222 Berkeley Street, Boston, MA 02116-3764 or online at college_mod_lang@hmco.com.

Acknowledgments

We wish to express our sincere appreciation to the following colleagues for the many valuable suggestions they offered in their reviews of *Entre nosotros.*

James Abrahams, *Glenndale Community College*
Antonio Cárdenas, *Mesa Community College*
Stephen J. Clark, *Northern Arizona University*
Carmen Coracides, *Scottsdale Community College*
James J. Davis, *Howard University*
Aida E. Díaz, *Valencia Community College*
John W. Griggs, *Glenndale Community College*
Carolina Ibáñez-Murphy, *Pima Community College*
Susan Janssen, *Mendocino College*
Kevin Joldersma, *Michigan State University*
Heather Kurano, *University of Hawaii at Manoa*
Jean Anne Lauer, *Arizona State University*
María Matz, *Angelo State University*
José Luis Montiel, *Louisiana State University*
Michael Morris, *Northern Illinois University*
Eva Paris, *University of Nebraska at Lincoln*
Kay E. Raymond, *Sam Houston State University*
Barry L. Richins, *Northland Pioneer College*
Sandra B. Schreffler, *University of Connecticut*

Ruth E. Smith, *Northern Louisiana University*
Vernon C. Smith, *Río Salado College*
Jonita E. Stepp-Greany, *Florida State University*
Dan Treber, *Taylor University*
Gayle Vierma, *University of Southern California*

We also extend our sincere appreciation to the World Languages staff at Houghton Mifflin Company, College Division: Rolando Hernández, *Publisher;* Glenn Wilson, *Development Manager;* Judith Bach, *Development Editor;* Carol Newman, *Senior Project Editor;* Claudia Martínez, *Associate Marketing Manager;* and Eileen Bernadette Moran, *Executive Marketing Director.*

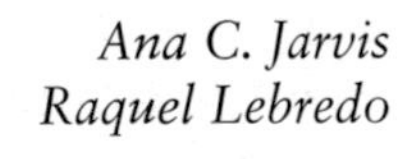

Ana C. Jarvis
Raquel Lebredo

An Overview of Entre nosotros, SECOND EDITION

LECCIÓN 2

El fútbol es el deporte favorito en la mayoría de los países latinoamericanos.

Para divertirse

Objetivos

Estructura: El pretérito contrastado con el imperfecto
- Verbos que cambian de significado en el pretérito
- Comparativos de igualdad y de desigualdad
- Algunas preposiciones

Temas para la comunicación: Los deportes
- Las actividades al aire libre
- Las diversiones
- La vida en la ciudad
- Los pasatiempos

Lecturas periodísticas: Esquiar en la inmensidad de los Andes

Cruzando fronteras: Perú ✦ Ecuador ✦ Colombia ✦ Venezuela

Ventana al mundo literario: Ricardo Palma ✦ José Antonio Campos ✦ José Asunción Silva ✦ Rufino Blanco Fombona

36

Para hablar del tema: Vocabulario

Para practicar deportes
- el bate *bat*
- la canasta *basket*
- el casco *helmet*
- el guante de pelota *baseball glove*
- el palo de golf *golf club*
- la pelota, el balón *ball*
- —de playa *beach ball*
- la raqueta *racket*
- la red *net*

Los deportes (sports)
- el (la) aficionado(a) *fan*
- el alpinismo *mountain climbing*
- el (la) árbitro *referee*
- el (la) atleta *athlete*
- el boxeo *boxing*
- el campeón, la campeona *champion*
- el campeonato *championship*
- el ciclismo *cycling*
- el deporte acuático *water sport*
- el (la) entrenador(a) *coach, trainer*
- el equipo *team*
- la gimnasia *gymnastics*
- el (la) jugador(a) *player*
- la lucha libre *wrestling*
- la natación *swimming*
- la página deportiva *sports page*
- el partido, el juego *match, game*

el mar, el océano
la ola
la arena
el patín acuático, la tabla de mar
los antejos, (las gafas, los espejuelos) de sol
el bronceador

Expresiones útiles
- esquiar en el agua *to water-ski*
- hacer surfing *to surf*
- hacer una caminata *to hike*
- hacer una fogata *to build a bonfire*
- pasarlo bien (mal) *(not) to have a good time*
- practicar deportes *to play sports*
- tomar el sol *to sunbathe*

Para divertirse
- el bote de vela, el velero *sailboat*
- la carrera de caballos *horse race*
- el club nocturno *night club*
- el concierto *concert*
- el hipódromo *race track*
- la obra teatral *play*
- el paseo en coche *ride*
- la película *movie*
- la vida nocturna *night life*

Para jugar
- el ajedrez *chess*
- las cartas, los naipes *cards*
- los dados *dice*
- las damas *checkers*
- —chinas *Chinese checkers*
- el dominó *dominoes*
- el juego de dardos *dart game*
- el Monopolio *Monopoly*

Para describir acciones
- broncearse *to get a tan*
- bucear *to scuba dive*
- cansarse *to get tired*
- cazar *to hunt*
- disfrutar (de) *to enjoy*
- divertirse (e:ie) *to have a good time*
- empatar *to tie (a score)*
- escalar *to climb*
- ganar *to win*
- jugar (u:ue) (a) *to play (a game)*

Para practicar el vocabulario

El equivalente. Dé el equivalente de lo que sigue a continuación.

1. partido
2. pelota
3. bote de vela
4. anteojos de sol
5. cartas
6. opuesto de perder
7. lo que necesitamos para broncearnos
8. lo que vemos en un hipódromo
9. lugar donde se practican deportes
10. lo que vemos en un teatro

Minidiálogos. Complete los siguientes minidiálogos.

1. — ¿Tienes el bate?
   — Sí, pero no tengo el ________ de pelota.
2. — ¿Te gusta la ________ libre?
   — No, prefiero el boxeo.
3. — ¿Te gusta montar a caballo?
   — Sí, me encanta la ________.
4. — ¿Vas a hacer surfing?
   — No, porque hoy no hay ________. Además no tengo mi patín ________.
5. — ¿A Luis le gustan los ________ de dardos?
   — No, él prefiere jugar a las ________ chinas.

Palabras. Indique la palabra o frase que no pertenece (*doesn't belong*) al grupo.

1. árbitro	atleta	mar
2. arena	ajedrez	damas
3. canoa	mochila	remar
4. esquiar en el agua	deporte acuático	hacer una fogata
5. casco	bicicleta	canasta
6. dominó	salvavidas	Monopolio

Preguntas y respuestas. Busque en la columna B, las respuestas a las preguntas de la columna A.

A	B
______ 1. ¿Qué deporte practicas?	a. La página deportiva.
______ 2. ¿Qué estás leyendo?	b. Sí, el partido terminó 2 a 2.
______ 3. ¿Van a la discoteca hoy?	c. Sí, le gusta mucho Mozart.
______ 4. ¿Empataron?	d. Sí, y se cansaron mucho.
______ 5. ¿Vas a tomar el sol?	e. El alpinismo.
______ 6. ¿Los chicos patinaron?	f. Sí, nos encanta la vida nocturna.
______ 7. ¿Te gusta cazar?	g. No, prefiero pescar.
______ 8. ¿Crees que va a disfrutar del concierto?	h. Sí, quiero broncearme.

38 ✦ Lección 2

Beginning of Lesson Vocabulary Lists

Para hablar del tema lists all active vocabulary at the beginning of each lesson to facilitate acquisition followed immediately by *Para practicar el vocabulario* that stresses communication with pair and group activities.

Pasos

The grammar of each lesson is introduced in four or five *Pasos* (steps). Each *Paso* opens with a dialogue, text, or realia that uses previously introduced active vocabulary and the grammar.

Estructura presents clear and succinct grammar explanations in English along with examples of usage. Practice exercises range from controlled drills to open-ended activities, as well as personalized and contextualized activities.

Un paso más

Integrates grammar and thematic vocabulary from all previous *Pasos* and concludes with *Para escribir,* a step-by-step writing exercise where students are guided through the process of writing for different purposes, such as interview questions, emails, and newspaper articles.

PASO 1

En la agencia de viajes "La Habana"

Sofía, una chica panameña, Magali, de la República Dominicana, y Sandra, de origen cubano, son tres amigas que estudian en la Universidad Internacional de la Florida. En este momento están en una agencia de viajes cubana, hablando con uno de los agentes. Las chicas están muy entusiasmadas porque van a ir de vacaciones a Puerto Rico.

Magali —Queremos tres pasajes de ida y vuelta a San Juan, en clase turista. ¿Qué días hay vuelos?
Agente —Todos los días, señorita. ¿Están interesadas en algún tipo de excursión? Tenemos varias en las que están incluidos los hoteles.
Sofía —¿Cuánto cobran por ese tipo de excursión? Queremos estar allí cinco noches.
Agente —Ochocientos veinte dólares. Eso incluye los impuestos y la transportación del aeropuerto al hotel. Este precio está basado en viajes hechos entre semana.
Sandra —Bueno… tenemos que pensarlo. ¿La agencia está cerrada el domingo?
Agente —Sí, pero el sábado está abierta hasta las tres de la tarde. Aquí tienen unos folletos sobre Puerto Rico, que están escritos en español.

¿Cuánto recuerda? Conteste lo siguiente con respecto al diálogo entre las tres amigas y el agente de viajes.

1. ¿Qué están haciendo las chicas en la agencia?
2. ¿Qué planes tienen las muchachas?
3. ¿Pueden salir para San Juan cualquier día? ¿Por qué?
4. ¿Qué incluye el precio de varias excursiones?
5. ¿Cuánto tiempo piensan estar las chicas en Puerto Rico?
6. ¿Las chicas toman una decisión?
7. ¿Pueden volver a la agencia el domingo?
8. ¿Qué les da el agente a las chicas?

¿Verdadero o falso? Prepare ocho afirmaciones sobre la conversación de las chicas con el agente de viajes. Vea si su compañero(a) puede indicar si son verdaderas o falsas.

Estructura

El participio pasado

A. Formas

✦ The past participle is formed by adding the following endings to the stem of the verb.

-ar verbs	-er verbs	-ir verbs
confirm -ado	aprend -ido	recib -ido

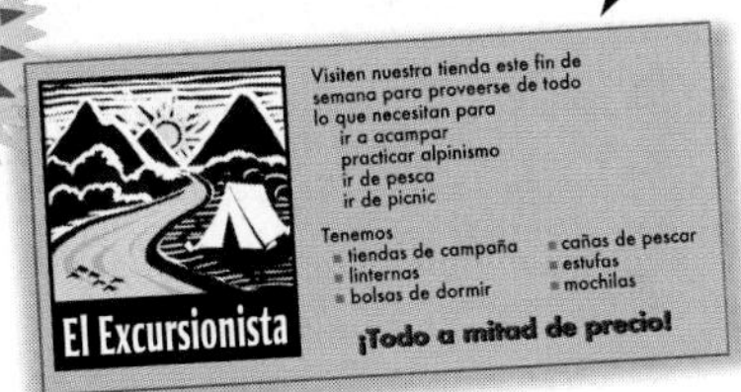

Preparativos para una excursión. En parejas, túrnense para leer el siguiente anuncio y después contesten las preguntas que aparecen a continuación.

1. ¿Qué ventaja tiene ir de compras a la tienda El Excursionista?
2. ¿Qué días debemos ir a comprar para tener esta ventaja?
3. Mis amigas y yo vamos a ir a acampar la semana próxima. ¿Qué artículos podemos comprar en la tienda?
4. Tengo un amigo que practica el alpinismo y le quiero comprar un regalo. ¿Qué me sugieres?
5. Voy a ir de pesca con mi hermano. ¿Qué podemos conseguir en la tienda a mitad de precio?

Conversaciones

Para pasarlo bien. En parejas, hablen de lo siguiente.

1. Sus deportes favoritos. En cuáles les gusta participar y en cuáles les gusta ser espectadores. ¿Por qué? Las cosas que tienen para practicar deportes y las que necesitan comprar. Los programas deportivos que miran en la televisión. ¿Cuándo?
2. Las actividades al aire libre que prefieren y por qué. La frecuencia con que participan en estas actividades. Los lugares que, según Uds., son los más apropiados para estas actividades.
3. La forma como Uds. se divierten en la ciudad. Si prefieren ir al cine, al teatro o a un concierto. El tipo de música que les gusta escuchar. Otros tipos de actividades que les interesan.
4. Sus pasatiempos favoritos. A qué juegan y con quiénes. Lo que quieren aprender a jugar.

Quiero saber… En parejas, túrnense para hacerse las siguientes preguntas.

1. ¿Qué deportes practicabas cuando estabas en la escuela secundaria? ¿Cuáles te gustaban más? ¿Tu equipo ganó un campeonato alguna vez? Cuando eras chico(a), ¿soñabas con ser un(a) jugador(a) de las Grandes Ligas?
2. ¿Ahora prefieres el alpinismo, la natación, la gimnasia o el ciclismo? De los deportes acuáticos, ¿cuál prefieres?
3. Cuando juega tu equipo favorito, ¿prefieres ir al estadio o ver el partido en la tele? ¿Por qué? ¿Cuál crees tú que es el deporte más popular de este país? ¿Cuál crees que es el más peligroso (*dangerous*)? ¿Te atreves a practicarlo?
4. Cuando vas a la playa, ¿prefieres nadar o tomar el sol en la arena? ¿Qué cosas crees que son imprescindibles para estar en la playa? Para navegar, ¿prefieres un velero o un yate? Si te ofrecen un trabajo de salvavidas, ¿lo aceptas?
5. En una tarde lluviosa, ¿prefieres jugar a los naipes, al ajedrez o a las damas chinas? ¿Te gusta jugar al dominó o prefieres un juego de dardos?
6. ¿Cuál fue la mejor película que viste el mes pasado? ¿Y la peor? ¿Viste alguna obra teatral? ¿Cuándo fue la última vez que fuiste a un club nocturno? ¿Lo pasaste bien? ¿Te gusta ir a las discotecas? ¿Por qué sí o por qué no?
7. ¿Te gustan las carreras de caballo? ¿Fuiste a un hipódromo alguna vez? ¿Apostaste (*did you bet*) a un caballo alguna vez? ¿Ganaste o perdiste?
8. ¿Dónde te encuentras con tus amigos los fines de semana? Si tú y tus amigos dan una fiesta, ¿de qué te encargas tú?

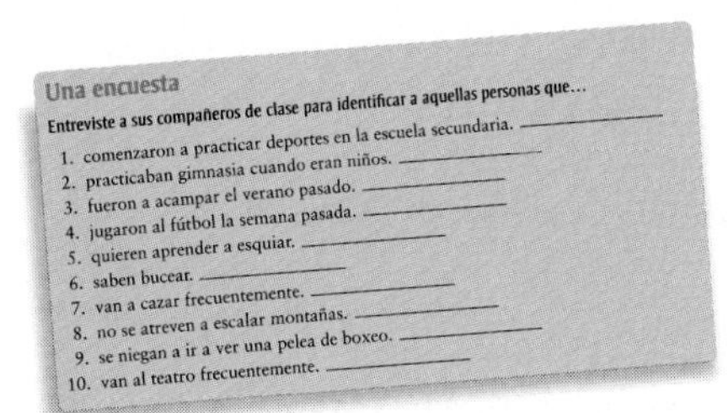

Una encuesta

Entreviste a sus compañeros de clase para identificar a aquellas personas que…

1. comenzaron a practicar deportes en la escuela secundaria. ______
2. practicaban gimnasia cuando eran niños. ______
3. fueron a acampar el verano pasado. ______
4. jugaron al fútbol la semana pasada. ______
5. quieren aprender a esquiar. ______
6. saben bucear. ______
7. van a cazar frecuentemente. ______
8. no se atreven a escalar montañas. ______
9. se niegan a ir a ver una pelea de boxeo. ______
10. van al teatro frecuentemente. ______

Para escribir

Un fin de semana. **Imagínese que Ud. acaba de pasar un fin de semana muy divertido con un par de amigos. Ahora Ud. le está escribiendo un mensaje electrónico a su hermano, que no pudo ir con Uds., contándole lo que se perdió (*what he missed*).**

Para describir. **Indique qué tiempo hacía el día que salieron, qué hora era, si había o no mucha gente en los lugares que visitaron, qué hora era cuando volvieron y cómo se sentían.**

Para contar lo que pasó. **Haga una lista de todas las cosas que hicieron y luego póngalas en orden cronológico.**

Primer borrador. **Ahora escriba el mensaje teniendo en cuenta los usos del pretérito y del imperfecto. Léalo cuidadosamente para asegurarse de que la estructura está correcta.**

Después de escribir. **Ud. y un(a) compañero(a) intercambien lo escrito y edítenlo. Luego, escriba la versión final.**

54 ✦ Lección 2

Para divertirse ✦ 55

Lecturas periodísticas

Cómo alcanzar el éxito en su carrera

(ADAPTADO)

Las virtudes que caracterizan a las personas que triunfan hoy en día son: voluntad[1], capacidad de trabajo, experiencia y un gran sentido práctico y diplomático de la vida.

¿Es posible desarrollar[2] estas cualidades para poder triunfar en la vida? Muchos piensan que sí, pero si sus planes continúan siendo imprecisos, no irán muy lejos. ¿Por qué entonces no ser prácticos y empezar desde ahora a prepararnos para una posición ejecutiva, una profesión, para ser dueños de un negocio o sencillamente para desempeñar la clase de trabajo para el cual tenemos talento?

Es importante tener una meta[3] definida y analizar cuidadosamente nuestras habilidades y preferencias; también es importante analizar los puntos básicos de la personalidad. Por ejemplo, ¿se siente bien con la gente o es tímido? ¿Le gustan los lugares tranquilos o, por el contrario, prefiere los lugares llenos de gente? ¿Tiene paciencia o no? Todas esas características son esenciales para saber qué tipo de carrera le conviene y cuáles debe evitar.

No debe creer usted que sólo con buenos deseos puede conseguir el puesto que quiere. El mundo de los negocios requiere capacidad. Debe estudiar y adquirir experiencia.

Si quiere progresar, debe escoger cuidadosamente la compañía para la que va a trabajar. Hay datos que le pueden indicar si hay futuro en ella. Como por ejemplo:

- ✦ El salario que pagan
- ✦ El plan de beneficios
- ✦ El tamaño del negocio
- ✦ La preparación que necesita
- ✦ La reputación de la compañía
- ✦ Si le gusta el ambiente

Un buen método para progresar en su trabajo o profesión es observar la conducta de las personas que tienen puestos importantes. Por lo general, comparten ciertas características.

El ejecutivo que triunfa:

- ✦ Es cortés y sincero y no pierde la calma fácilmente.
- ✦ Sabe adaptarse a los cambios.
- ✦ Escucha con atención.
- ✦ Toma decisiones.
- ✦ Es digno de confianza.
- ✦ No es déspota ni autoritario.
- ✦ Contesta las llamadas telefónicas y los mensajes electrónicos que recibe.
- ✦ Organiza su trabajo.
- ✦ Está preparado para cualquier emergencia.
- ✦ Es eficiente y puntual.
- ✦ Conoce su trabajo perfectamente.

[1]will [2]develop [3]goal

Online Study Center

La Red **El Internet es un recurso importante para quienes buscan trabajo. Vaya a *college.hmco.com/pic/entrenosotros2e* y de ahí a la página de *Entre nosotros, 2e* para aprender más sobre el mundo del trabajo en los países hispanos.**

24 ✦ Lección 1

edítenlas. Después, escriba la versión final.

Sobre el artículo. **Conteste las siguientes preguntas.**

1. Además de un gran sentido práctico y diplomático de la vida, ¿qué otras virtudes menciona el autor del artículo?
2. ¿Cuándo debemos empezar a prepararnos para triunfar en la vida?
3. ¿Qué es importante analizar cuidadosamente?
4. ¿Qué debe escoger cuidadosamente si quiere progresar?
5. ¿Qué se debe hacer para progresar en un trabajo o en una profesión?
6. Si una persona quiere tener un puesto importante, ¿cómo *no* debe ser?

Ahora. . . **En grupos de tres o cuatro, hablen de lo siguiente: los consejos que les parecen más útiles; lo que Uds. ya hacen ahora y lo que van a hacer para mejorar en su trabajo; otras sugerencias que Uds. consideran importantes y que no aparecen en el artículo.**

Preguntas

1. ¿Le gusta realizar las actividades que corresponden a su trabajo? Sí ☐ No ☐
2. ¿Hace a veces sugerencias creativas para mejorar las condiciones de trabajo? Sí ☐ No ☐
3. Cuando Ud. se equivoca, ¿lo reconoce? Sí ☐ No ☐
4. ¿Le gusta la mayoría de la gente? Sí ☐ No ☐
5. ¿Se dedica a algún pasatiempo en sus ratos libres? Sí ☐ No ☐
6. ¿Está dispuesto(a) a hacer trabajo extra? Sí ☐ No ☐
7. ¿Estudia para tratar de mejorar su posición? Sí ☐ No ☐
8. ¿Está usted interesado(a) en los problemas de sus compañeros? Sí ☐ No ☐
9. ¿Se considera eficiente? Sí ☐ No ☐
10. ¿Generalmente, ¿está usted contento(a)? Sí ☐ No ☐
11. ¿Mantiene en todo momento buenos modales? Sí ☐ No ☐
12. ¿Es usted organizado(a) y puntual? Sí ☐ No ☐

Si tiene de **diez a doce respuestas afirmativas:** Usted es una persona superior y puede tener éxito en cualquier tipo de trabajo.

Entre **siete y nueve respuestas afirmativas:** Usted tiene algunas dificultades. Debe estudiar las preguntas para saber si los problemas tienen relación con usted o con las condiciones de su trabajo.

Entre **cuatro y seis respuestas afirmativas:** Quizás usted necesita cambiar de trabajo y, al mismo tiempo, cambiar muchas actitudes.

Entre **una y tres respuestas afirmativas:** Su estado de infelicidad es completo. Quizás trasciende los límites de su trabajo.

De la revista *Vanidades* (Ciudad de Panamá)

25

Lecturas periodísticas

Feature journalistic readings supported by post-reading comprehension checks. Additional activities related to the *Lecturas periodísticas* can be found in the Online Study Center.

Cruzando fronteras

Online Study Center

De los Andes a los Pirineos... Emprendemos hoy un largo viaje, que comienza en Argentina, atraviesa toda América del Sur y Centroamérica, nos lleva a las islas del Caribe, pasa por México y parte de los Estados Unidos y termina en España, la cuna del idioma español.

Argentina Estamos en Argentina, un país que, con un área un poco menor que la cuarta parte de los Estados Unidos, ocupa el octavo lugar en el mundo por su extensión territorial. Argentina es, en su mayor parte, una inmensa llanura° (la pampa) que se extiende desde el océano Atlántico hasta los Andes, en la frontera con Chile. Allí se encuentra el Aconcagua, el pico más alto del mundo occidental. Su clima es de una variedad extraordinaria, desde el norte, subtropical, hasta el extremo sur, con las temperaturas extremadamente frías de Tierra del Fuego y de la Antártida. Su variado paisaje° incluye las maravillosas cataratas° de Iguazú[1] (mucho más altas que las del Niágara) en el norte y el Glaciar Perito Moreno en el sur.

Argentina es uno de los países más desarrollados° del mundo occidental. La agricultura es una de las bases de su economía, pero hoy en día la industria y el sector de servicios son más importantes. Argentina es uno de los países menos densamente poblados de América, y uno de los más urbanizados del mundo. En su capital, Buenos Aires, la segunda ciudad más grande del mundo hispano, se encuentran la tercera parte de su población y dos terceras partes de su producción industrial. Aunque Argentina es un país de habla hispana, el 40 por ciento de sus habitantes son descendientes de italianos y sólo el 32 por ciento, de españoles. La influencia italiana se nota en muchos aspectos de su vida diaria.

Para muchos extranjeros, Argentina es la tierra del tango, del gaucho y de "Evita". Sin embargo, su música popular incluye muchos otros ritmos folclóricos, entre ellos la *zamba* y la *chacarera*. En cuanto a los gauchos, es probable que el viajero no encuentre en Argentina otros gauchos que los de los espectáculos para turistas.

plain / landscape / falls / developed

Chile Separado de Argentina por la cordillera° de los Andes, se encuentra Chile, un país largo y estrecho° con variadas zonas climáticas —desiertos en el norte y glaciares en el sur. Algunos llaman a este país "la Suiza de América del Sur" por su espléndida belleza natural. La base de su economía está en la explotación de sus productos

mountain range
narrow

[1]palabra guaraní que significa "agua grande"

26 ✦ Lección 1

Cruzando fronteras

Provides students with rich cultural information about the countries that comprise the Spanish-speaking world.

Ventana al mundo literario

Each lesson highlights four to five Spanish-speaking countries, as well as the works of various writers for each country. Includes pre-reading activities that activate students' knowledge and post-reading activities that check students' comprehension. Composition topics follow each literary reading to help students improve their writing skills and prompt them to express their own thoughts and ideas.

Ventana al mundo literario

No podemos seguir nuestro viaje hacia otras tierras sin antes detenernos para hojear un libro que contenga algún cuento, algún poema o algún ensayo escrito por autores oriundos de estos países pues, como alguien ha dicho muy acertadamente, "La literatura es el alma de los pueblos".

Roberto J. Payró
Argentina
1867–1928

Roberto J. Payró fue periodista, traductor del naturalista francés Zola y dramaturgo de temas sociales. Sobresalió principalmente en la "costumbre criolla", cuadro corto que pinta la moral y los modales locales.

Preparación. Lea las dos primeras líneas del cuento y, teniendo en cuenta el título —"Celos"— imagine de qué va a tratar la narración. En el primer párrafo, el autor describe al hombre y a la mujer. ¿Cuál cree Ud. que es la situación entre ellos?

Celos *(Adaptado)*

Crispín es un pobre hombre: su mujer lo ha hecho cornudo y sus congéneres desgraciado. Humilde°, en su oficio de zapatero, doblado° sobre el banquillo, trabaja desde el amanecer hasta la noche para reunir centavos. Tiene tres hijos, los tres de diferentes pelajes, y casi no tiene tiempo para acariciar al primero, al auténtico... Sonríe por encima de sus anteojos y se da dos minutos para abrazar a su mujer, cuando se siente exhausto después de la cena y del vaso de vino... La gente se burla porque Ernesta es bonita, de largos cabellos rubios, presumida y relativamente joven. Y corren los meses iguales; el zapatero sigue trabajando con los ojos tristes tras° los anteojos turbios. Y pasa el tiempo. Pasa...

—Ahora que somos viejos, y que ya nada puede importarme°, ¿has sido infiel alguna vez?

Ernesta ríe con la boca desdentada.

—Don Pedro fue uno... el que más... —dice él.

—¡Aaaah! —contesta la boca vieja.

—Y Luisito...

—¡Ooooh! —se ríe otra vez la mujer.

Y no hay más, porque el martillo° que ablanda la suela rompe el cráneo, ya sin la antigua cabellera rubia, protegido sólo por la helada e insuficiente defensa de las canas°...

—Y usted la mató°... —dice el Juez°.

—Con estas manos, sí, señor.

—¿Y por qué lo hizo?

—Por celos, señor —contesta humildemente.

—Usted tiene ochenta y dos años...

—Sí, señor.

—Ella tenía ya sesenta...

—Es verdad...

—Y si es así, ¿qué temía° usted?

Crispín permanece un instante en silencio, le brillan las pupilas, levanta la cabez[a] amarga° sonrisa en su rostro arrugado°, exclama:

—Yo no temía... ¡Me acordaba°!

Humble · bent over · behind · matter to me · hammer · gray hair · killed / judge · were afraid of · bitter / wrinkled · I remembered

30 ✦ Lección 1

Compruebe cuánto sabe self-tests

After Lessons 3 and 6, *Compruebe cuánto sabe* self-tests assist students in determining how well they have mastered the material presented.

LECCIONES 1–3 Compruebe cuánto sabe

Lección 1

A. Los verbos ser y estar

Vuelva a escribir lo siguiente, usando *ser, estar* o adjetivos con *ser* o *estar*. Haga cualquier cambio necesario.

1. La universidad queda en la calle Veinte. Hoy hay una conferencia sobre Cervantes. La conferencia va a tener lugar en el aula número 234. El conferenciante es Pablo Molina, que no es muy interesante.
2. Yolanda nació en Guatemala, pero ahora reside en Costa Rica. Trabaja de secretaria.
3. El Sr. Quiroga no se encuentra en su oficina. Va a regresar a las cuatro. Su esposa padece de una enfermedad muy grave. El médico dice que necesita una operación, pero ella no comparte su opinión.
4. Esta semana yo no trabajo. Pienso ir a Córdoba a visitar a mis padres.

B. Construcciones reflexivas

Complete lo siguiente, usando el equivalente español de las palabras que aparecen entre paréntesis.

1. Yo nunca ______ de mi jefe, y ______ una buena empleada. (*complain / I consider myself*)
2. Nosotros ______ a entrevistar a ese señor. La Srta. Rojas puede ______ de eso. (*don't dare / be in charge*).
3. A veces los estudiantes tienen mucho trabajo y ______ en sus clases. Entonces ______ cuando tienen examen. (*they get behind / they worry*).
4. ¿Te gusta ______ cerca de la puerta o cerca de la pizarra? (*sit*)
5. Mi abuelo piensa ______ el año próximo. (*retire*)

C. Pronombres de complemento directo e indirecto usados juntos

Complete lo siguiente, usando los verbos que aparecen entre paréntesis, cambiando los complementos directos por pronombres de complemento directo y añadiendo el pronombre indirecto que sea necesario.

1. Cuando yo necesito dinero, mis padres... (dar)
2. Si tú quieres usar la computadora de Jorge, él puede... (prestar)
3. Si nosotros necesitamos carpetas, la secretaria siempre... (traer)
4. Si Uds. no tienen sillas para la oficina, yo puedo... (comprar)
5. Si tu hermano está en México y no tiene dinero para comprar el pasaje de vuelta, nosotros podemos... (enviar)
6. Mis empleados tienen que escribir varios informes; ______ el lunes. (entregar)

D. Usos y omisiones de los artículos definidos e indefinidos

Complete lo siguiente, usando el equivalente español de las palabras que aparecen entre paréntesis.

1. ______ va a llamar a ______ para pedirle los documentos. Ella no trabaja ______. (*Mr. Vigo / Miss Varela / on Fridays*)
2. ______ nosotros vamos a empezar a trabajar a ______. (*Next week / seven*)

98 ✦ Lecciones 1–3

SECOND EDITION

Lección 1

En la actualidad, en los países de habla hispana, las mujeres ocupan puestas importantes, tanto en el gobierno como en empresas privadas.

Buscando trabajo

Objetivos

Estructura: Los verbos **ser** y **estar** ✦ Construcciones reflexivas ✦ Pronombres de complemento directo e indirecto usados juntos ✦ Usos y omisiones de los artículos definidos e indefinidos ✦ Usos de las preposiciones **por** y **para**

Temas para la comunicación: Solicitudes de empleo ✦ Tipos de seguro ✦ Profesiones y actividades relacionadas con los negocios ✦ Inventarios de oficina ✦ Terminología de correspondencia ✦ Características de un empleado

Lecturas periodísticas: Cómo alcanzar el éxito en su carrera

Cruzando fronteras: Argentina ✦ Chile ✦ Uruguay ✦ Paraguay ✦ Bolivia

Ventana al mundo literario: Roberto J. Payró ✦ Nicanor Parra ✦ Mario Benedetti ✦ Ana Cortesi ✦ Ricardo Jaimes Freyre

Expresiones útiles

estar dispuesto(a) a *to be willing to*
hacer una llamada de larga distancia *to make a long distance call*
hacerse ilusiones *to dream*
trabajar medio día (medio tiempo) *to work part time*
trabajar por cuenta propia *to be self-employed*
trabajar tiempo completo *to work full time*
trabajar tiempo extra *to work overtime*

La oficina

el correo electrónico *e-mail*
el programa de hoja de cálculo *spreadsheet program*
el programa para la composición de textos *word-processing program*

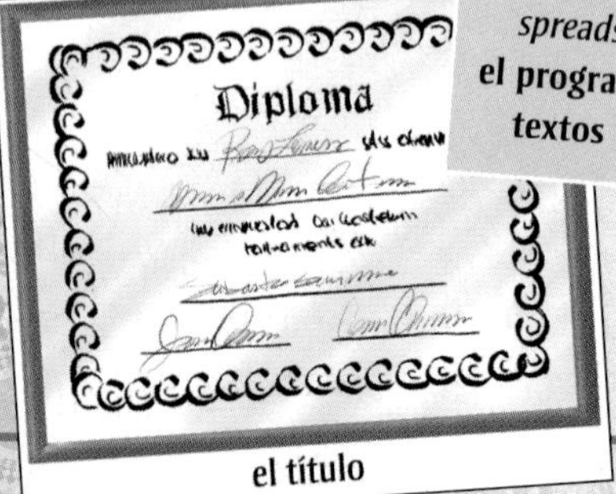

el título

Para hablar del tema: Vocabulario

La solicitud

los antecedentes académicos *academic records, transcripts*
el (la) aspirante *applicant*
la composición de textos *word processing*
los conocimientos de informática *knowledge of computers*
el (la) gerente *manager*
la hoja de cálculo *spreadsheet*
el (la) jefe(a) anterior, antiguo(a) jefe(a) *previous boss, former employer*
la letra de molde *printing*
la planilla *form*
la referencia *reference*
la solicitud *application*

Tipos de seguro

el seguro contra incendios *fire insurance*
el seguro contra inundaciones *flood insurance*
el seguro contra terremotos *earthquake insurance*
el seguro de accidentes de trabajo *worker's compensation insurance*
el seguro de automóviles *car insurance*
el seguro de la casa *homeowner's insurance*
el seguro de grupo, seguro colectivo *group insurance*
el seguro de salud *health insurance*
el seguro de vida *life insurance*

Profesiones relacionadas con los negocios

el (la) administrador(a) *administrator*
el (la) agente de relaciones públicas *public relations agent*
el (la) agente de seguros *insurance agent*
el (la) bolsista *stockbroker*
el (la) cajero(a) *cashier*
el (la) comprador(a) *buyer*
el (la) contador(a) *accountant*
el (la) economista *economist*
el (la) oficinista *office clerk*
el (la) tenedor(a) de libros *bookkeeper*
el (la) vendedor(a) *salesperson*

Frases para empezar y terminar una carta o un correo electrónico

Distinguido(a) *Distinguished*
Estimado(a) *Dear (cordial, but not affectionate)*
Muy señor(a) mío(a) *Dear Sir (Madam)*
Querido(a) *Dear (affectionate)*
Afectuosamente *Affectionately*
Atentamente *Respectfully yours*
Besos *Kisses*
Cariños *Love*
Cordialmente *Cordially*
Tu amigo(a) *Your friend*
Un abrazo *A hug*

Para describir acciones

archivar *to file*
atrasarse *to get behind (schedule)*
atreverse *to dare*
desempeñar *to hold (a position), to carry out*
dominar *to master*
encargarse (de) *to be in charge (of), to take charge (of)*
enfermarse *to get sick*
enterarse (de) *to find out (about)*
felicitar *to congratulate*
jubilarse, retirarse *to retire*
manejar *to operate (e.g., equipment)*
solicitar *to apply*

Características del empleado ideal

amable *polite, kind*
amistoso(a) *friendly*
comprensivo(a) *understanding*
cortés *courteous*
eficiente *efficient*
honesto(a) *honest*
organizado(a) *organized*
profesional *professional*
puntual *punctual*
respetuoso(a) *respectful*
responsable *responsible*
trabajador(a) *hard-working*

Para practicar el vocabulario

El equivalente. Dé el equivalente de lo que sigue a continuación.

1. soñar
2. trabajar medio día
3. persona que vende seguros
4. persona que trabaja en una oficina
5. fotocopiadora
6. presilladora
7. hacerse cargo
8. retirarse
9. cortés
10. que comprende
11. que nunca llega tarde
12. que muestra respeto

Minidiálogos. Complete los siguientes minidiálogos.

1. — ¿Tu papá es contador?
   — No, es __________ de libros. ¿Qué profesión tiene tu papá?
   — Él es agente de __________ públicas.
2. — Si él se __________ de que yo me __________ en mis clases, se va a enojar.
   — ¿Por qué no le dices que no te gusta estudiar?
   — ¡No me __________ !
3. — ¿Teresa habla bien el inglés?
   — ¡Lo __________ !
4. — La secretaria es muy trabajadora.
   — Y tiene muchos amigos, porque es muy __________.
5. — ¿Tú trabajas __________ completo y también asistes a la universidad?
   — Sí, y a veces trabajo tiempo __________.

En una oficina. En parejas, hablen de lo que necesitan para hacer lo siguiente.

1. para escribir a máquina
2. para guardar carpetas
3. para poner anuncios
4. para guardar lápices, bolígrafos, papel, etc.
5. para componer textos en la computadora
6. para calcular los gastos (*expenses*) del mes
7. para llevar a cabo (*carry out*) teleconferencias
8. para guardar cartas, documentos, etc.

En la compañía de seguros. En parejas, hagan el papel de agentes de seguro y decidan cuál es el seguro más importante para cada una de las siguientes personas.

1. Carlos Hurtado, que vive en un lugar donde hay muchos árboles
2. la familia Abad, que tiene cuatro coches
3. Rafael Cortés, que tiene un trabajo muy peligroso (*dangerous*)
4. la Sra. Paz, que es viuda y tiene cuatro hijos pequeños
5. Marcelo Rojas, que siempre está enfermo
6. Estela Viñas, que vive cerca de un río

Preguntas y respuestas. Busque, en la columna B, las respuestas a las preguntas de la columna A.

A

_____ 1. ¿Vas a hacer una llamada de larga distancia?
_____ 2. ¿Estás dispuesto a trabajar los sábados?
_____ 3. ¿Ella piensa trabajar en una compañía internacional?
_____ 4. ¿Va a comprar un seguro contra terremotos?
_____ 5. ¿Qué vas a hacer con las carpetas?
_____ 6. ¿A quién le vas a dar el dinero?
_____ 7. ¿Qué puesto desempeña?
_____ 8. ¿Ella se enferma a menudo?
_____ 9. ¿Qué tengo que llenar?
_____ 10. ¿Tiene referencias?

B

a. Sí, porque vive en California.
b. Al cajero.
c. No, porque no está dispuesta a viajar.
d. Sí, ahora tiene gripe.
e. El de administrador.
f. Esta planilla.
g. Sí, Nora vive en México.
h. Sí, de mi jefe anterior.
i. Las voy a archivar.
j. No, no trabajo los fines de semana.

¡Hablemos. . .!

La entrevista. Empleadores de varias compañías van a entrevistar solicitantes en su universidad. En parejas, practiquen para prepararse. Intercambien información con respecto a lo siguiente: apellidos (materno y paterno), estado civil, ocupación, tipo de puesto que desean desempeñar, sueldo que quieren ganar y su experiencia.

Opiniones. En grupos de dos o tres, hablen del sueldo mínimo y máximo que Uds. creen que ganan las siguientes personas.

1. el (la) administrador(a) de un hotel de lujo
2. un(a) oficinista en una universidad
3. un(a) vendedor(a) de automóviles usados
4. el (la) contador(a) de una empresa pequeña
5. el (la) tenedor(a) de libros de una tienda pequeña
6. un(a) bolsista que trabaja para Paine Webber

Un empleado nuevo. En grupos de dos o tres, imaginen que Uds. están encargados de entrevistar a un nuevo empleado. Preparen una lista de las preguntas que quieren hacerle.

Prioridades. En grupos de dos o tres, fíjense en las doce características del empleado ideal y pónganlas en orden de importancia. Expliquen sus razones.

PASO 1 La señorita Vigo Acosta llena una planilla

SOLICITUD DE EMPLEO

Compañía de Seguros "La Rioja"
Ave. 9 de Julio 1950
Buenos Aires - Cap.

Escriba a máquina o use letra de molde.

DATOS PERSONALES Fecha 20-9-06

Apellido Paterno	Apellido Materno	Nombre(s)	
Vigo	Acosta	María Inés	Estado Civil soltera

Lugar de Nacimiento	Fecha de Nacimiento	Edad	
Montevideo	13-8-86	20 años	Nacionalidad Uruguaya

Domicilio: Piedras 914 - Buenos Aires
Teléfono 352-4278
Sexo: ⊗ Femenino O Masculino

REFERENCIAS PERSONALES (No incluya parientes.)

NOMBRE COMPLETO	OCUPACIÓN	DIRECCIÓN	TELÉFONO
Paola Cortesi	Contadora	Venezuela 324	332-4170
Esteban Allende	Profesor	Lima 982	341-2856

EXPERIENCIA DE TRABAJO (Empiece por el actual o último empleo.)

DURACIÓN DESDE HASTA	NOMBRE DE LA EMPRESA	DIRECCIÓN Y TEL.	SALARIO INICIAL	SALARIO FINAL	PUESTO DESEMPEÑADO
2004-2006	Sandoval e Hijos	Ave. de Mayo 143 472-2180	$400	$550	Recepcionista

ESCOLARIDAD

	NOMBRE DE LA INSTITUCIÓN	NÚM. DE AÑOS ASISTIÓ	CERTIFICADO DIPLOMA O TÍTULO
Primaria			
Secundaria	Liceo San Martín	5 años	Bachiller
Universidad	Universidad de Buenos Aires	2 años	

Estudios de Post-Graduado/Otros: Estudios de Computación

Idiomas que domina: Inglés

Conocimientos de informática y programas que domina:
Composición de textos, hoja de cálculo, uso del Internet

DATOS GENERALES

Sírvase indicar si tiene alguna experiencia en: O Administración O Economía O Producción O Rel. Industriales O Ventas O Tiendas O Contabilidad O Inv. de Mercado O Publicidad O Rel. Públicas O Compras

¿Está dispuesto a trabajar cualquier turno? O Sí ⊠ No (Razones) Clases

¿Está dispuesto a cambiar su lugar de residencia? O Sí ⊠ No (Razones) Clases universitarias

¿Algún pariente suyo trabaja con nosotros? ⊠ Sí O No (Quién) Carlos Vigo (hermano)

¿Está Ud. dispuesto a viajar? ⊠ Sí verano O No (Razones)

¿Qué tipo de trabajo desea Ud. dasempeñar? Oficinista

¿Conoce Ud. alguna persona en nuestra compañía? ⊠ Sí O No (Quién) Carlos Vigo (hermano)

¿Qué sueldo mensual desea? $600

¿Podemos solicitar informes de Ud.? ⊠ Sí O No (Razones)

¿En qué fecha podría empezar a trabajar? Inmediatamente

Las declaraciones anteriores hechas por mí son absolutamente verdaderas

María Inés Vigo Acosta
Firma del solicitante

¿Cuánto recuerda? Al contestar estas preguntas, tenga en cuenta la información que aparece en la planilla.

1. ¿Cuál es la dirección de la compañía La Rioja? ¿En qué país está?
2. ¿Cuál es el apellido de soltera de la mamá de María Inés?
3. ¿En qué año nació María Inés?
4. ¿Quiénes escriben cartas de referencia para María Inés?
5. ¿Qué título tiene María Inés?
6. ¿Qué idiomas habla?
7. ¿Por qué no está dispuesta María Inés a trabajar cualquier (*any*) turno?
8. ¿Algún familiar de la muchacha trabaja en La Rioja? ¿Quién?

¿Verdadero o falso? Prepare ocho afirmaciones (*statements*) sobre María Inés. Vea si su compañero(a) puede indicar si son verdaderas o falsas.

Estructura

Los verbos ser y estar

The verbs **ser** and **estar** (both meaning *to be*) are not interchangeable. The following lists summarize the most important uses.

ser

1. Identifies people, places, or things.

Ése **es** el nuevo vendedor.	*That is the new salesman.*

2. Describes essential qualities, nationality, religion, and profession or trade.

Jorge **es** muy amistoso.	*Jorge is very friendly.*
Sergio y Ana **son** uruguayos.	*Sergio and Ana are Uruguayan.*
Fernando Botero **es** bolsista.	*Fernando Botero is a stockbroker.*

3. Indicates origin, possession, relationship, and the material that things are made of.

El gerente **es** de Buenos Aires.	*The manager is from Buenos Aires.*
La fotocopiadora **es** del Sr. Paz.	*The copy machine is Mr. Paz's.*
Analía **es** mi sobrina.	*Analía is my niece.*
El escritorio **es** de madera.	*The desk is (made of) wood.*

4. Is used to express the time and the date.

Hoy **es** el cuatro de abril. **Es** la una.	*Today is April 4. It's one o'clock.*

5. Used with **para**, it indicates for whom or what something is destined.

El archivo **es** para el supervisor.	*The file cabinet is for the supervisor.*

6. Indicates where an event is taking place.

La reunión **es** en la universidad.	*The meeting is at the university.*

Un dicho

Hoy es el primer día del resto de tu vida.

estar

1. Indicates location.
   Los compradores **están** en el hotel. — *The buyers are at the hotel.*
2. Indicates a current condition or state.
   La secretaria **está** enferma. — *The secretary is sick.*
3. Used with the past participle, it indicates the result of a previous action.
   Los documentos **están** firmados. — *The documents are signed.*
4. Is used in the progressive tenses.
   Eva **está llenando** la solicitud. — *Eva is filling out the application.*
5. Describes what is perceived through the senses—that is, how a person looks or feels, or how a thing looks or tastes.
   Teresa **está** muy elegante hoy. — *Teresa looks very elegant today.*
   ¡Mmm! Este pollo **está** muy sabroso. — *Mmm! This chicken tastes very good.*
6. Is also used in the following idiomatic expressions.
   estar acostumbrado(a) a *to be used to*
   Yo no **estoy acostumbrado a** manejar este equipo.
   estar de acuerdo *to agree*
   Sergio no siempre **está de acuerdo** con su jefe.
   estar de buen (mal) humor *to be in a good (bad) mood*
   Hoy **estoy de mal humor** porque tengo mucho trabajo.
   estar de vacaciones *to be on vacation*
   Ellos no trabajan este mes; **están de vacaciones.**
   estar de vuelta *to be back*
   El economista va a **estar de vuelta** a las cinco.

Un dicho

No está muerto quien pelea.

Adjetivos con ser o estar

Some adjectives change meaning, depending on whether they are used with **ser** or **estar.**

SER	ESTAR
Sergio **es** aburrido. *Sergio is boring.*	Sergio **está** aburrido. *Sergio is bored.*
Roberto **es** listo. *Roberto is smart.*	Roberto **está** listo. *Roberto is ready.*
Elsa **es** mala. *Elsa is bad (mean).*	Elsa **está** mala. *Elsa is sick.*
La manzana **es** verde. *The apple is green (in color).*	La manzana **está** verde. *The apple is green (not ripe).*

Actividades

Un día de trabajo. En parejas, completen lo siguiente, teniendo en cuenta los usos de **ser** y **estar**.

> Hoy ______ viernes; ______ las ocho de la mañana y Ángel ______ en su apartamento. ______ preparándose para ir a la oficina. Tiene que hablar con el Sr. Mercado, que ______ su nuevo jefe. El Sr. Mercado ______ muy simpático, pero Ángel ______ un poco nervioso porque no lo conoce muy bien. Sabe que ______ chileno y que su familia ______ de Valparaíso, pero eso no ______ mucho. A las cuatro todos los empleados tienen una reunión (*meeting*). La reunión ______ en el salón de conferencias.

Antes de la reunión

Ángel — ¿Con quién ______ hablando el Sr. Mercado?
Nora — No sé, pero creo que ______ de mal humor. Dicen que su esposa ______ de vacaciones y él tiene que trabajar.
Ángel — ¿Y cuándo va a ______ de vuelta ella?
Nora — No sé... Oye, ¿quieres limonada? ______ muy sabrosa.
Ángel — Sí, gracias. ¡Ah! Allí ______ Alfonso. ¿Vamos a hablar con él?
Nora — ¡Ay, no! ¡______ muy aburrido!
Ángel — ¡Qué mala ______! ¡Pobre Alfonso! Oye, creo que el Sr. Mercado ______ su tío...
Nora — ¿En serio? Vamos a hablar con él ahora mismo.

La planilla de María Inés. En parejas, fíjense en los datos que aparecen en la planilla y contesten las siguientes preguntas.

1. ¿Quién es la persona que solicita el empleo?
2. ¿En qué calle está la compañía de seguros?
3. ¿Cuál es la nacionalidad de María Inés? ¿Cuál es su estado civil?
4. ¿De dónde es ella y dónde está ahora?
5. ¿Cuál es la profesión de Paola Cortesi? ¿Y la de Esteban Allende?
6. ¿Quién es Carlos Vigo?
7. ¿En qué época del año está dispuesta a viajar María Inés?
8. ¿Qué está haciendo María Inés en este momento? ¿Está escribiendo con letra de molde o con letra cursiva?
9. María Inés va a tener la entrevista el día 23. ¿Creen Uds. que ella está un poco nerviosa?

Para conversar

¿Y Uds. . . ? En lo posible, comparen las circunstancias de Uds. con las de María Inés. Hablen de sus jefes anteriores y de los que tienen ahora, de las personas con las cuales trabajan, de lo que están haciendo, de sus preferencias, etc.

Preferencias. . . Use las expressiones idiomáticas con **estar** para hablar de sus propias circunstancias. Luego compare sus aseveraciones con las de un(a) compañero(a). Háganse preguntas para aclarar cualquier duda.

María Inés habla con Sergio, un amigo chileno

Sergio — ¡Hola, María Inés! ¡Me alegro de verte! ¿Cómo te va?
M. Inés — Bien. Acabo de solicitar un empleo en una compañía de seguros. (*Bromeando*) Ahora puedo venderte un seguro de salud...

Sergio — (*Bromeando también*) ¡Perfecto! Entonces puedo enfermarme inmediatamente. ¿Y qué puesto vas a desempeñar en la compañía?
M. Inés — Si lo consigo, el de oficinista. Pero no me atrevo a hacerme ilusiones... ¿Y tú? ¿Adónde vas?
Sergio — Voy a la universidad para matricularme. Chau. Nos vemos más tarde. ¡Buena suerte!
M. Inés — Gracias. Hasta luego.

¿Cuánto recuerda? **Conteste lo siguiente con respecto al diálogo entre Sergio y María Inés.**

1. ¿Sergio está contento de ver a María Inés?
2. ¿María Inés dice que le va bien o que le va mal?
3. ¿María Inés y Sergio bromean a veces?
4. ¿Qué le pregunta Sergio a María Inés?
5. ¿María Inés está absolutamente segura de que va a conseguir el puesto?
6. ¿Qué no se atreve a hacer la muchacha?
7. ¿Sergio está en la escuela secundaria?
8. ¿Qué le desea Sergio a María Inés?

¿Verdadero o falso? **Prepare ocho afirmaciones sobre la conversación entre María Inés y Sergio. Vea si su compañero(a) puede indicar si son verdaderas o falsas.**

Estructura

Construcciones reflexivas

A verb is reflexive when the subject performs and receives the action of the verb. In Spanish, most transitive verbs may be used as reflexive verbs. The use of the reflexive construction is much more common in Spanish than in English.

The following chart outlines the reflexive forms of **considerarse** (*to consider oneself*).

Yo **me considero** responsable.	*I consider myself responsible.*
Tú **te consideras** eficiente.	*You consider yourself efficient.*
Él **se considera** profesional.	*He considers himself professional.*
Nosotros **nos consideramos** amistosos.	*We consider ourselves friendly.*
Vosotros **os consideráis** felices.	*You consider yourselves happy.*
Ellos **se consideran** amables.	*They consider themselves polite.*

✦ When a reflexive pronoun is used with a direct object pronoun, the reflexive pronoun always precedes the direct object pronoun.

Yo **me** lavo **las manos.**	Yo **me las** lavo.
Ellos **se** ponen **los zapatos.**	Ellos **se los** ponen.

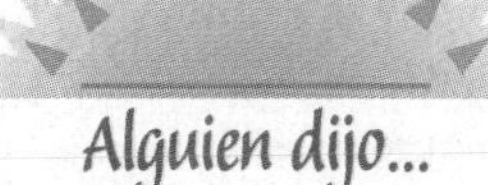

Alguien dijo...

Podemos quejarnos porque las matas de rosas tienen espinas, o regocijarnos porque las matas de espinas tienen rosas.

Actividad

Online Study Center

La rutina familiar. En parejas, comparen lo que hace Andrés con lo que hace el resto de su familia. Usen su imaginación.

1. Yo me despierto muy temprano. Mi hermana...
2. Generalmente, me baño y me visto antes de desayunar. Mi mamá prefiere...
3. Mi papá se afeita todos los días. Mi hermano y yo...
4. Mi mamá siempre se cepilla los dientes después de cada comida. Yo...
5. Mi hermana prefiere encargarse de preparar la comida. Yo...
6. Cuando hace frío, yo me pongo una chaqueta. Mi hermano mayor...
7. Mi papá a veces se duerme mirando televisión. Mis hermanos...
8. Mis padres se acuestan temprano. Mis hermanos y yo...

Para conversar

Preguntas personales. En parejas, hablen de lo siguiente, tratando de dar y obtener la mayor cantidad de información posible.

1. la hora en que se levantan y se acuestan los días entre semana
2. dónde les gusta sentarse en la clase y por qué
3. si se atrasan en sus clases o en su trabajo a veces y por qué
4. las cosas de las cuales Uds. se olvidan a veces
5. las cosas de las cuales Uds. se quejan a veces y por qué
6. la ropa que se ponen en distintas ocasiones
7. de lo que les gusta encargarse cuando dan fiestas y de lo que no les gusta encargarse
8. las cosas por las cuales se preocupan sus padres
9. las cosas por las cuales Uds. siempre (o nunca) se preocupan
10. las cosas que Uds. no se atreven a hacer y por qué
11. sobre qué no quieren hacerse ilusiones y por qué
12. la edad en que piensan jubilarse y por qué

La entrevista

M. Inés — Buenos días. ¿Se encuentra[1] el Sr. Arriola en su oficina?
Secretaria — Sí, señorita. La está esperando. Pase, por favor.

María Inés entra en la oficina del gerente y lo saluda.

Gerente — Aquí tengo su solicitud. Acaban de entregármela. Veo por su currículum que tiene experiencia en trabajos de oficina...
M. Inés — Sí, señor. Si necesita más información, puede pedírsela a la secretaria del Sr. Sandoval, y ella puede enviársela mañana mismo.
Gerente — Bien. También necesitamos la carta de la Srta. Cortesi. ¿Ud. cree que puede enviárnosla esta tarde?
M. Inés — Creo que sí, pero puede llamarla por teléfono y preguntárselo.
Gerente — Muy bien. Mi secretaria se va a poner en contacto con Ud. la semana próxima.

¿Cuánto recuerda? **Al contestar estas preguntas, tenga en cuenta la entrevista.**

1. ¿Con quién tiene María Inés una entrevista?
2. ¿Qué puesto tiene el Sr. Arriola en la compañía?
3. Si el Sr. Arriola necesita más información, ¿a quién puede pedírsela?
4. ¿Cuándo puede recibirla?
5. ¿Cuándo necesita el gerente la carta de la Srta. Cortesi?
6. ¿Cuándo va a saber María Inés si le van a dar el puesto?

¿Verdadero o falso? **Prepare ocho afirmaciones sobre la entrevista. Vea si su compañero(a) puede indicar si son verdaderas o falsas.**

Estructura

Pronombres de complemento directo e indirecto usados juntos

When a direct and an indirect object pronoun are used together, the indirect object pronoun always precedes the direct object pronoun, and they are never separated.

Cuando yo necesito la máquina de escribir, ella **me la** presta.
When I need the typewriter, she lends **it to me.**

Cuando tú necesitas referencias, tu antiguo jefe **te las** da.
When you need references, your former boss gives **them to you.**

✦ The indirect object pronouns **le** and **les** change to **se** when used with the direct object pronouns **lo, la, los,** and **las.**

Le envío la información al gerente. *I send the information to the manager.*
~~Le~~ la envío.
Se la envío. *I send it to him.*

[1]**Se encuentra** is often used as an equivalent of **está.**

✦ In the preceding examples, the meaning of **se** may be ambiguous, since it may refer to **Ud., él, ella, Uds., ellos,** or **ellas.** The following prepositional phrases may be added for clarification.

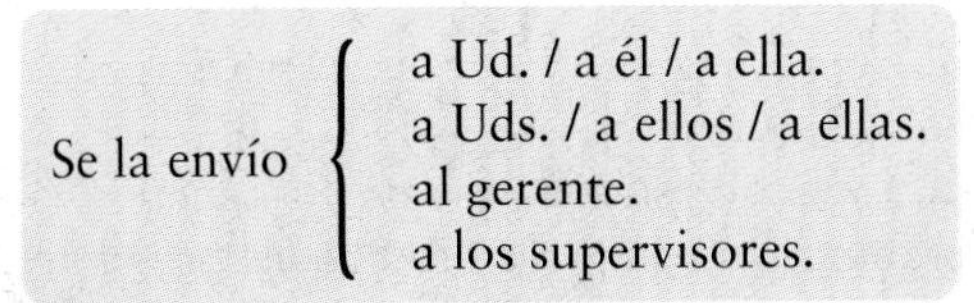
Se la envío { a Ud. / a él / a ella.
a Uds. / a ellos / a ellas.
al gerente.
a los supervisores.

✦ Both object pronouns are placed either *before* the conjugated verb or *after* the infinitive or the present participle. In the latter case, they are always attached to the infinitive or to the present participle and a written accent mark must be added on the stressed syllable.

Se la voy a enviar hoy. | **Me las** está pidiendo.
Voy a enviár**sela** hoy. | Está pidiéndo**melas.**

✦ With the verbs **decir, pedir, preguntar,** and **prometer,** the direct object pronoun **lo** is used with the indirect object pronoun to complete the idea of the sentence when a direct object noun is not present. In the example that follows, note how this information is implied rather than stated in English.

Puedo llamarla por teléfono y preguntárse**lo.** — *I can call her on the phone and ask her (about that).*

Si tú necesitas dinero, ¿a quién se **lo** pides? — *If you need money, whom do you ask (for it)?*

Actividad

Una secretaria eficiente. Complete los siguientes minidiálogos, usando el equivalente español de las palabras que aparecen entre paréntesis.

1. — El gerente necesita los documentos. ¿Quién puede ______________?
   — Mi secretaria puede ______________ en su escritorio esta tarde. (*bring them to him / leave them for him*)
2. — ¿Qué hace Ud. cuando necesita copias?
   — Mi secretaria ______________. (*makes them for me*)
3. — Yo necesito su máquina de escribir. Si Ud. ______________, yo puedo ______________ mañana.
   — Mi secretaria puede ______________ esta tarde. (*lend it to me / give it back to you / take it to you*)
4. — Nosotros queremos poner una tablilla de anuncios en la oficina. Si su secretaria ______________ esta tarde, podemos hacerlo hoy mismo. (*brings it to us*)
   — No hay problema.

Alguien dijo...

La manera más segura de tener paz y felicidad es dárselas a otros.

Para conversar

En estos casos. **Ud. y un(a) compañero(a) van a entrevistarse. Háganse las siguientes preguntas y usen siempre los pronombres de complemento directo en sus respuestas.**

1. Si alguien necesita información sobre ti, ¿a quién puede pedírsela? ¿Se la puede pedir a alguna otra persona? ¿A quién?
2. Si hay una carta para ti y tú no estás en tu casa, ¿a quién se la entregan?
3. Si yo necesito tu grapadora, ¿me la prestas? ¿Puedes prestármela hoy?
4. Si tú necesitas una carta de recomendación, ¿quién puede escribírtela?
5. Si mi amigo y yo necesitamos usar tu computadora, ¿tú puedes prestárnosla? ¿Te la tenemos que devolver mañana mismo?
6. Si yo quiero saber cómo funciona un programa de hoja de cálculo, ¿tú me lo puedes decir? ¿Qué otra persona puede decírmelo?
7. Si tú y tus compañeros necesitan un archivo para la oficina, ¿quién puede traérselo?
8. Si tú quieres saber dónde queda la oficina de correos, por ejemplo, ¿a quién se lo preguntas? Y si yo necesito saber dónde hay un banco, ¿puedo preguntártelo a ti?

Para la oficina. **En parejas, van a decidir cuál de los (las) dos se va a encargar de traerles, prestarles, darles, comprarles o entregarles las diferentes cosas a las siguientes personas. Digan cuándo lo van a hacer.**

1. El Sr. Arriola necesita cien carpetas para la oficina.
2. Yo necesito una máquina de escribir.
3. La secretaria del Sr. Arriola necesita un archivo.
4. Carlos y yo necesitamos planillas.
5. Yo necesito usar un programa para la composición de textos.
6. La recepcionista necesita una computadora.

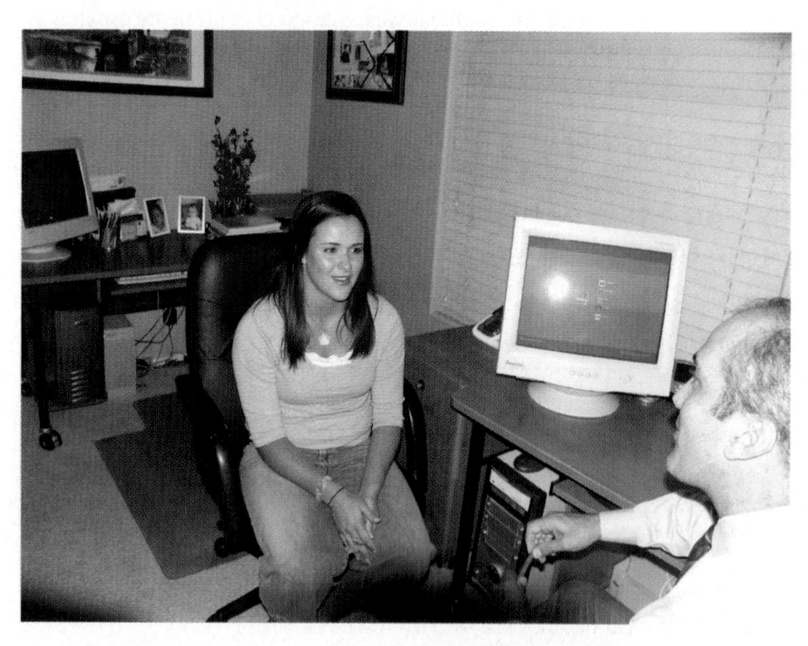

Durante la entrevista, el Sr. Arriola le hace varias preguntas a María Inés. Ella se las contesta satisfactoriamente.

María Inés le escribe a una amiga paraguaya

Borrar Enviar Responder Reenviar Prender

A: Adri11l@paraxm.pa
Fecha: 30.09.2006
Asunto: Buenas noticias

30 de septiembre de 2006

Querida Adriana:

¡Buenas noticias! ¡Acabo de enterarme de que el puesto en la compañía La Rioja es mío! Voy a trabajar de oficinista y el sueldo es bastante bueno. Empiezo a trabajar la semana que viene. El trabajo es de medio tiempo porque, como sabes, tengo que estudiar. Tengo los viernes libres y los demás días termino a la una.

El Sr. Arriola, que va a ser mi jefe, parece muy amable. Me va a pagar extra por traducir cartas del inglés al español. ¡Ah! Tiene un hijo que también trabaja para la compañía; es contador y es muy simpático. Creo que no tiene novia...

Bueno, te dejo porque me duele un poco la cabeza y voy a acostarme media hora.

Un abrazo,
María Inés

P.D. En cuanto a tu novio, no importa si es pobre, porque el amor es más importante que el dinero. ¡No sólo de pan vive el hombre!

¿Cuánto recuerda? Conteste lo siguiente con respecto al correo electrónico de María Inés.

1. ¿Cuál es la nacionalidad de Adriana?
2. ¿Consigue María Inés el puesto?
3. ¿Está contenta con el sueldo?
4. ¿Cuándo comienza a trabajar?
5. ¿Va a tener un buen horario María Inés?
6. ¿Qué opinión tiene María Inés de su futuro jefe?
7. ¿Va a hacer María Inés algún trabajo extra? ¿Cuál?
8. ¿Qué noticia le da María Inés a su amiga, que puede tener influencia en su vida social?
9. ¿Qué problema tiene María Inés y qué va a hacer para tratar de resolverlo?
10. ¿Qué sabemos sobre la situación económica del novio de Adriana?

¿Verdadero o falso? Prepare ocho afirmaciones sobre el correo electrónico de María Inés. Vea si su compañero(a) puede indicar si son verdaderas o falsas.

Estructura

Usos y omisiones de los artículos definidos e indefinidos

A. Usos y omisiones del artículo definido

The definite article is used more often in Spanish than it is in English.

The definite article *is used:*	The definite article *is not used:*
1. With abstract nouns. **El amor** es muy importante.	
2. With nouns used in a general sense. No sólo de pan vive **el hombre.**	
3. With parts of the body and articles of clothing instead of the possessive adjective. Me duele **la cabeza.** Me pongo **los zapatos.**	When possession is emphasized to avoid ambiguity, the possessive adjective is used instead. **Sus ojos** son verdes. **Tus zapatos** son muy elegantes.
4. With the adjectives **pasado** and **próximo.** Empiezo **la** semana **próxima.**	
5. With titles such as **señor, doctora,** etc., when talking about a third person. **El señor** Arriola es mi jefe.	In direct address. Buenos días, **señor** Arriola.
6. With names of languages. Traduzco **del inglés al español.**	Directly after the verb **hablar** and the prepositions **en** and **de.** **Hablo inglés.** Escribo **en español.**
7. With seasons of the year, days of the week, dates of the month, and time of day. Tengo **los viernes** libres.	With the days of the week, after the verb **ser** in the expressions **hoy es, mañana es,** etc. **Hoy es** lunes; **mañana es** martes.
8. To avoid repeating a noun. Las carpetas de Ana y **las** de Nora están aquí.	
9. With the words **iglesia** (*church*), **escuela,** and **cárcel** (*jail*). Mi esposo está en **la iglesia** y mis hijos están en **la escuela.**	

Alguien dijo...

Ningún triunfo en la vida puede compensar el fracaso en el hogar.

B. Usos y omisiones del artículo indefinido

The indefinite article is used less frequently in Spanish than it is in English.

The indefinite article *is not used:*	The indefinite article *is used:*
1. Before unmodified nouns of profession, religion, nationality, or political party. Su hijo **es contador.** Él **es republicano** y ella **es demócrata.**	When the noun is modified by an adjective. Su hijo es **un buen contador.** Ella es **una demócrata fanática.**
2. With nouns in general, when the idea of quantity is not emphasized. No tiene novia. Ella nunca usa sombrero.	When the idea of quantity or a particular object is emphasized. Yo tengo **un** sombrero azul.
3. With the adjectives **cien(to), mil, otro, medio, tal,** and **cierto.** Voy a acostarme **media** hora. Necesitamos **otro** coche.	
4. After the words **de** and **como,** when they mean *as.* Voy a trabajar **de (como)** recepcionista.	

Actividad

Online Study Center

Minidiálogos. Complete los siguientes minidiálogos, agregando el artículo sólo cuando haga falta. Después, actúe (*enact*) los diálogos con un(a) compañero(a).

1. — ¿Tú trabajas __________ sábados?
   — Sí, pero tengo __________ domingos libres. __________ demás días, trabajo hasta __________ seis.
2. — Buenos días, __________ Srta. Cortesi. ¿Sabe Ud. dónde se encuentra __________ Sr. Villalba?
   — No está aquí. Está de vacaciones. Regresa __________ semana próxima.
3. — Yo creo que __________ mujeres somos más eficientes y más organizadas que __________ hombres.
   — Eso es lo que creen __________ mujeres...
4. — ¿Tu jefe es __________ paraguayo? ¿Habla __________ guaraní?
   — Sí, y además habla __________ inglés y __________ francés.
5. — ¿Qué es más importante para ti? ¿__________ amor o __________ dinero?
   — __________ amor, naturalmente, pero __________ dinero ayuda...
6. — ¿Qué profesión tiene Claudio? ¿Es __________ médico?
   — Sí, es __________ médico excelente.
   — Gana mucho dinero, ¿verdad?
   — __________ mil dólares al día, más o menos...

7. — ¿Te duelen __los__ pies?
   — Sí, me voy a quitar __los__ zapatos.
8. — ¿Mauricio está en __la__ cárcel?
   — Sí, nosotros lo visitamos todos __los__ domingos.

Para conversar

Gustos y preferencias. En parejas, hagan comentarios sobre lo siguiente.

1. el tipo de comida que les gusta comer (italiana, mexicana, china, etc.)
2. las frutas y las verduras que les gustan
3. lo que hacen cuando les duele la cabeza
4. lo que piensan hacer la semana próxima
5. lo que hacen los viernes por la noche, generalmente (¿y los sábados?)
6. su estación del año favorita y por qué les gusta esa estación
7. si tienen coche o no y qué tipo de coche prefieren

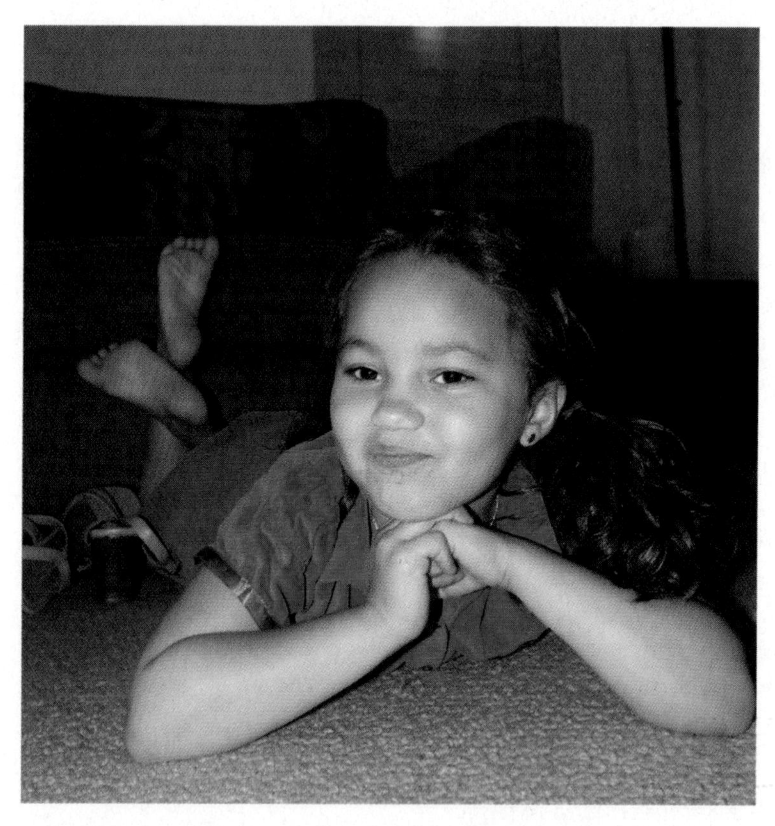

¿Tú también te quitas los zapatos cuando te duelen los pies?

La respuesta de Adriana

Borrar Enviar Responder Reenviar Prender

A: ChicaMaria@conosur.ar
Fecha: 15.10.2006
Asunto: Buenas noticias

15 de octubre de 2006

Querida María Inés:

Te escribo para felicitarte por el nuevo trabajo y también para decirte que mi familia y yo salimos para La Paz la semana que viene. Tengo una prima allí que se casa con un muchacho boliviano. Fernando es guapo, inteligente, y es realmente un buen partido. Trabaja por cuenta propia y gana mucho dinero. ¡Por desgracia, no tiene un hermano para mí...!

Mi hermana está trabajando para una compañía americana. Gana bastante, especialmente cuando trabaja tiempo extra. Además, tiene muchos beneficios adicionales.

Bueno, te dejo por hoy. Una amiga me va a llevar a una fiesta y viene por mí en unos minutos. Otra vez, ¡felicitaciones y buena suerte!

Cariños,
Adriana

P.D. En cuanto a mi novio... por desgracia, acabamos de romper.

¿Cuánto recuerda? Al contestar estas preguntas, tenga en cuenta la información que aparece en el correo electrónico de Adriana.

1. ¿A qué país van a viajar Adriana y su familia? ¿Cuándo salen para La Paz?
2. ¿Cómo es Fernando? ¿Con quién se va a casar?
3. ¿Fernando trabaja para alguna compañía?
4. ¿La hermana de Adriana tiene un buen sueldo?
5. ¿Adónde va a ir Adriana dentro de unos minutos? ¿Con quién va?
6. ¿Con quién acaba de romper Adriana?

¿Verdadero o falso? Prepare ocho afirmaciones sobre la respuesta de Adriana. Vea si su compañero(a) puede indicar si son verdaderas o falsas.

Alguien dijo...

Lo que el sol es para las flores, las sonrisas lo son para la humanidad.

Estructura

Usos de las preposiciones por y para

1. The prepositions **por** and **para** are used to express the following.

POR

- Period of time during which an action takes place (*during, in, for*).
  Van a estar allí **por** tres días.
- Means, manner, and unit of measure (*by, for, per*).
  Vamos **por** avión.
- Cause or motive of an action (*because of, on account of, on behalf of*).
  Llegamos tarde **por** el tráfico.
- *In search of, for,* or *to get.*
  Vengo **por** ti a las cinco.
- *In exchange for.*
  Voy a pagar 1,000 dólares **por** el sistema telefónico.
- Motion or approximate location.
  Caminamos **por** el parque.
- With an infinitive, to refer to an unfinished state (*yet*).
  Tu trabajo está **por** hacer.
- The passive voice (*by*).
  Los empleados son entrevistados **por** el gerente.

PARA

- Destination.
  Mañana salgo **para** Bolivia.
- Direction in time, often meaning *by* or *for* a certain time or date.
  Necesito el dinero **para** hoy.
- Whom or what something is for.
  Las carpetas son **para** Carmen.
- *In order to.*
  Vienen **para** trabajar.
- Comparison (*by the standard of, considering*).
  Es muy alta **para** su edad.
- Objective or goal.
  Estudia **para** contador.

2. **Por** and **para** are also used in these common idiomatic expressions.

POR

por aquí *around here*
por completo *completely*
por desgracia *unfortunately*
por eso *for that reason, that's why*
por lo menos *at least*
por suerte *luckily, fortunately*
por supuesto *of course*

PARA

no ser para tanto *not to be that important*
para eso *for that (used sarcastically or contemptuously)*
¿para qué? *what for?*
para siempre *forever*

Actividad

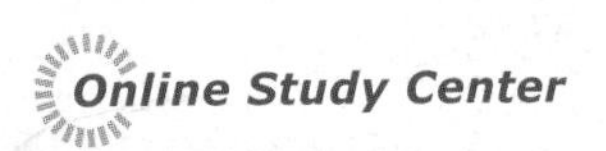

Un día en la vida de Elba. Complete, usando por o para.

A las siete de la mañana, Elba empieza a prepararse ______ ir a la entrevista que tiene con la Sra. Fuentes. A las ocho ya está lista, y sale ______ la oficina de la Sra. Fuentes. ______ suerte, encuentra un taxi libre en seguida.

______ desgracia, Elba llega un poco tarde ______ el tráfico, pero la Sra. Fuentes la recibe inmediatamente. Le va muy bien en la entrevista y Elba consigue el puesto.

La muchacha está muy contenta, y decide llamar ______ teléfono a Sandra, su compañera de cuarto, ______ darle la buena noticia y decirle que va a pasar ______ ella ______ almorzar juntas.

Las chicas se quedan en el restaurante ______ dos horas, charlando y riéndose. ______ la tarde, las chicas van a una agencia de viajes porque Sandra necesita comprar un pasaje ______ Asunción ______ visitar a sus padres. Va a viajar ______ avión y va a estar allí ______ dos semanas. Después van a la tienda y compran regalos ______ la familia de Sandra.

______ la noche, las chicas miran la tele ______ un rato y después se acuestan.

Para conversar

Un viaje. En grupos de tres, planeen un viaje. Usen por o para, según sea necesario para hablar de lo que van a hacer con respecto a lo siguiente.

1. lugar que van a visitar y medio de transporte que van a usar
2. razones del viaje
3. tiempo que van a estar allí
4. lo que Uds. van a pagar
5. fecha en que tienen que estar de vuelta

Para ser independiente... trabaje por cuenta propia.

Su página de Internet puede ser su mejor negocio.
Para más información, contáctenos por Internet en *www.negocioswebe.com,* o llámenos por teléfono al
1-800-555-6767.

Dos idiomas son mejores que uno. En parejas, lean el siguiente anuncio y contesten las preguntas.

1. ¿Puede una persona monolingüe conseguir uno de los empleos anunciados? ¿Por qué o por qué no?
2. ¿Qué información se puede obtener sin ir a la agencia de empleos?
3. ¿Para qué se debe ir a la agencia?
4. ¿Está abierta la oficina los fines de semana?
5. ¿Para cuáles de los empleos se necesita un título universitario?
6. ¿Cuáles de los empleos pueden Uds. desempeñar actualmente?

Conversaciones

El mundo de los negocios. Estas personas se encuentran en las siguientes situaciones. ¿Qué dicen? Ud. y un(a) compañero(a), decidan.

1. La Srta. Fuentes entrevista a Pablo Casas, que viene a solicitar un puesto de secretario. Pablo obtiene el puesto.
2. La Sra. Carreras y el Sr. Godoy están hablando del empleado (de la empleada) ideal para presentarle las recomendaciones a la directora de recursos humanos.
3. El Sr. Ulloa y el Sr. Dávalos van a abrir una oficina y están hablando de todo lo que necesitan, para presentarles a los inversionistas (*investors*) una lista de las necesidades básicas.
4. El Sr. Díaz es agente de seguros y está tratando de venderle todo tipo de seguros a la Sra. Alcalá. La Sra. Alcalá le compra dos pólizas.

Quiero saber... En parejas, túrnense para hacerse las siguientes preguntas.

1. ¿Tú te consideras una persona eficiente y trabajadora? ¿Eres puntual? ¿Qué otras cualidades tienes?
2. ¿Trabajas por cuenta propia o para alguna compañía? ¿Trabajas medio tiempo o tiempo completo? ¿Trabajas horas extra a veces?
3. ¿Te gusta más la idea de ser agente de relaciones públicas o agente de seguros? ¿Prefieres ser vendedor(a) o comprador(a)? ¿Para cuál de estas profesiones tienes más aptitud: economista, profesor(a) o actor (actriz) de cine?
4. Si tú necesitas una recomendación, ¿quién puede dártela? ¿Puedes pedírsela a algunos de tus profesores? ¿Qué crees que pueden decir de ti?
5. ¿En qué quieres especializarte? ¿Qué sueldo esperas ganar? ¿A qué edad piensas jubilarte?
6. ¿Qué útiles de oficina (*office items*) usas con más frecuencia? ¿Cuáles necesitas comprar?
7. ¿Tienes un teléfono celular? ¿Con qué compañía? ¿Cuánto pagas por el servicio? ¿Haces muchas llamadas de larga distancia? ¿A quiénes?
8. ¿Qué tipos de seguros consideras más necesarios? ¿Cuáles necesitas comprar?

Una encuesta.

Entreviste a sus compañeros de clase y a su profesor(a), para identificar a aquellas personas que...

1. tienen conocimientos de informática. ________
2. saben usar un programa para la composición de textos. ________
3. quieren especializarse en administración de empresas. ________
4. se atrasan en sus clases a veces. ________
5. piensan solicitar un empleo. ________
6. no se enferman frecuentemente. ________
7. están siempre de buen humor. ________
8. son muy comprensivas. ________

Para escribir

Ud. está encargado(a) de preparar las preguntas que se les van a hacer a los candidatos para un puesto de oficinista. Escriba de diez a doce preguntas que Ud. considera apropiadas para obtener la información necesaria.

Lluvia de ideas. Piense en todas las cosas que hace una persona que trabaja en una oficina y haga una lista de ellas. Escríbalas en orden de importancia.

Para preguntar. Al escribir las preguntas, incluya frases como
¿Tiene Ud. conocimiento de...?
¿Tiene experiencia en...?
Trate de obtener toda la información posible.

Primer borrador. Incluya preguntas que pueden ser contestadas afirmativa o negativamente y preguntas que tienen palabras interrogativas como por ejemplo ¿cuándo?, ¿qué?, ¿dónde?, ¿quién?, etc. Lea cuidadosamente lo que escribió para asegurarse de que no tiene errores gramaticales.

Después de escribir. Ud. y un(a) compañero(a), intercambien la lista de preguntas y edítenlas. Después, escriba la versión final.

Lecturas periodísticas

Cómo alcanzar el éxito en su carrera

(ADAPTADO)

Las virtudes que caracterizan a las personas que triunfan hoy en día son: voluntad[1], capacidad de trabajo, experiencia y un gran sentido práctico y diplomático de la vida.

¿Es posible desarrollar[2] estas cualidades para poder triunfar en la vida? Muchos piensan que sí, pero si sus planes continúan siendo imprecisos, no irán muy lejos. ¿Por qué entonces no ser prácticos y empezar desde ahora a prepararnos para una posición ejecutiva, una profesión, para ser dueños de un negocio o sencillamente para desempeñar la clase de trabajo para el cual tenemos talento?

Es importante tener una meta[3] definida y analizar cuidadosamente nuestras habilidades y preferencias; también es importante analizar los puntos básicos de la personalidad. Por ejemplo, ¿se siente bien con la gente o es tímido? ¿Le gustan los lugares tranquilos o, por el contrario, prefiere los lugares llenos de gente? ¿Tiene paciencia o no? Todas esas características son esenciales para saber qué tipo de carrera le conviene y cuáles debe evitar.

No debe creer usted que sólo con buenos deseos puede conseguir el puesto que quiere. El mundo de los negocios requiere capacidad. Debe estudiar y adquirir experiencia.

Si quiere progresar, debe escoger cuidadosamente la compañía para la que va a trabajar. Hay datos que le pueden indicar si hay futuro en ella. Como por ejemplo:

- ✦ El salario que pagan
- ✦ El plan de beneficios
- ✦ El tamaño del negocio
- ✦ La preparación que necesita
- ✦ La reputación de la compañía
- ✦ Si le gusta el ambiente

Un buen método para progresar en su trabajo o profesión es observar la conducta de las personas que tienen puestos importantes. Por lo general, comparten ciertas características.

El ejecutivo que triunfa:

- ✦ Es cortés y sincero y no pierde la calma fácilmente.
- ✦ Sabe adaptarse a los cambios.
- ✦ Escucha con atención.
- ✦ Toma decisiones.
- ✦ Es digno de confianza.
- ✦ No es déspota ni autoritario.
- ✦ Contesta las llamadas telefónicas y los mensajes electrónicos que recibe.
- ✦ Organiza su trabajo.
- ✦ Está preparado para cualquier emergencia.
- ✦ Es eficiente y puntual.
- ✦ Conoce su trabajo perfectamente.

[1]will [2]develop [3]goal

Online Study Center

La Red El Internet es un recurso importante para quienes buscan trabajo. Vaya a *college.hmco.com/pic/entrenosotros2e* y de ahí a la página de ***Entre nosotros*, 2e** para aprender más sobre el mundo del trabajo en los países hispanos.

Sobre el artículo. **Conteste las siguientes preguntas.**

1. Además de un gran sentido práctico y diplomático de la vida, ¿qué otras virtudes menciona el autor del artículo?
2. ¿Cuándo debemos empezar a prepararnos para triunfar en la vida?
3. ¿Qué es importante analizar cuidadosamente?
4. ¿Qué debe escoger cuidadosamente si quiere progresar?
5. ¿Qué se debe hacer para progresar en un trabajo o en una profesión?
6. Si una persona quiere tener un puesto importante, ¿cómo *no* debe ser?

Ahora. . . **En grupos de tres o cuatro, hablen de lo siguiente: los consejos que les parecen más útiles; lo que Uds. ya hacen ahora y lo que van a hacer para mejorar en su trabajo; otras sugerencias que Uds. consideran importantes y que no aparecen en el artículo.**

Preguntas

1. ¿Le gusta realizar las actividades que corresponden a su trabajo? Sí ☐ No ☐
2. ¿Hace a veces sugerencias creativas para mejorar las condiciones de trabajo? Sí ☐ No ☐
3. Cuando Ud. se equivoca, ¿lo reconoce? Sí ☐ No ☐
4. ¿Le gusta la mayoría de la gente? Sí ☐ No ☐
5. ¿Se dedica a algún pasatiempo en sus ratos libres? Sí ☐ No ☐
6. ¿Está dispuesto(a) a hacer trabajo extra? Sí ☐ No ☐
7. ¿Estudia para tratar de mejorar su posición? Sí ☐ No ☐
8. ¿Está usted interesado(a) en los problemas de sus compañeros? Sí ☐ No ☐
9. ¿Se considera eficiente? Sí ☐ No ☐
10. ¿Generalmente, ¿está usted contento(a)? Sí ☐ No ☐
11. ¿Mantiene en todo momento buenos modales? Sí ☐ No ☐
12. ¿Es usted organizado(a) y puntual? Sí ☐ No ☐

Si tiene de **diez a doce respuestas afirmativas:** Usted es una persona superior y puede tener éxito en cualquier tipo de trabajo.

Entre **siete y nueve respuestas afirmativas:** Usted tiene algunas dificultades. Debe estudiar las preguntas para saber si los problemas tienen relación con usted o con las condiciones de su trabajo.

Entre **cuatro y seis respuestas afirmativas:** Quizás usted necesita cambiar de trabajo y, al mismo tiempo, cambiar muchas actitudes.

Entre **una y tres respuestas afirmativas:** Su estado de infelicidad es completo. Quizás trasciende los límites de su trabajo.

De la revista *Vanidades* (Ciudad de Panamá)

Cruzando fronteras

Online Study Center

De los Andes a los Pirineos...

Emprendemos hoy un largo viaje, que comienza en Argentina, atraviesa toda América del Sur y Centroamérica, nos lleva a las islas del Caribe, pasa por México y parte de los Estados Unidos y termina en España, la cuna del idioma español.

Argentina

Estamos en Argentina, un país que, con un área un poco menor que la cuarta parte de los Estados Unidos, ocupa el octavo lugar en el mundo por su extensión territorial. Argentina es, en su mayor parte, una inmensa llanura° (la pampa) que se extiende desde el océano Atlántico hasta los Andes, en la frontera con Chile. Allí se encuentra el Aconcagua, el pico más alto del mundo occidental. Su clima es de una variedad extraordinaria, desde el norte, subtropical, hasta el extremo sur, con las temperaturas extremadamente frías de Tierra del Fuego y de la Antártida. Su variado paisaje° incluye las maravillosas cataratas° de Iguazú[1] (mucho más altas que las del Niágara) en el norte y el Glaciar Perito Moreno en el sur.

Argentina es uno de los países más desarrollados° del mundo occidental. La agricultura es una de las bases de su economía, pero hoy en día la industria y el sector de servicios son más importantes. Argentina es uno de los países menos densamente poblados de América, y uno de los más urbanizados del mundo. En su capital, Buenos Aires, la segunda ciudad más grande del mundo hispano, se encuentran la tercera parte de su población y dos terceras partes de su producción industrial. Aunque Argentina es un país de habla hispana, el 40 por ciento de sus habitantes son descendientes de italianos y sólo el 32 por ciento, de españoles. La influencia italiana se nota en muchos aspectos de su vida diaria.

Para muchos extranjeros, Argentina es la tierra del tango, del gaucho y de "Evita". Sin embargo, su música popular incluye muchos otros ritmos folclóricos, entre ellos la *zamba* y la *chacarera*. En cuanto a los gauchos, es probable que el viajero no encuentre en Argentina otros gauchos que los de los espectáculos para turistas.

plain / landscape / falls / developed

Chile

Separado de Argentina por la cordillera° de los Andes, se encuentra Chile, un país largo y estrecho° con variadas zonas climáticas —desiertos en el norte y glaciares en el sur. Algunos llaman a este país "la Suiza de América del Sur" por su espléndida belleza natural. La base de su economía está en la explotación de sus productos

mountain range
narrow

[1]palabra guaraní que significa "agua grande"

minerales y en la exportación de sus productos agrícolas. Exporta tantas° frutas a los países industriales del norte, que se le considera "la frutería del mundo". Chile es también uno de los más importantes productores de cobre del mundo.

so many

En cuanto a la educación, este país está muy adelantado°, pues casi el 95 por ciento de los chilenos saben leer y escribir. Su capital, Santiago, tiene ocho universidades, y está hoy día en un constante estado de expansión y de desarrollo°.

advanced

development

Las hermosas playas de Chile —como la de Viña del Mar, un centro turístico internacional— son visitadas anualmente por miles de turistas, que quedan encantados con esta tierra del vino y de la chicha, dos de sus bebidas más populares, y de la cueca, su danza nacional. El territorio de Chile incluye también varias islas en el océano Pacífico, entre ellas, la isla de Pascua. En total, su superficie es un poco mayor que la de Texas.

Uruguay

Llegamos a Uruguay, el país de habla hispana° más pequeño de América del Sur. Su superficie total es casi igual a la del estado de Washington. El país está prácticamente rodeado° de agua, y sus aguas y su tierra son sus mejores recursos naturales. En los ríos se han construido numerosas plantas hidroeléctricas. El estuario del Río de la Plata, junto a la capital, Montevideo, es el centro estratégico de un intercambio comercial creciente. Sus playas, en el Atlántico, dan motivo a grandes centros turísticos, entre los que sobresale° la ciudad balnearia de Punta del Este.

de... Spanish speaking

surrounded

stands out

Más del 80 por ciento de la tierra se usa para la agricultura y la ganadería°. Sin embargo, en las últimas décadas Uruguay ha dejado de depender casi totalmente de la ganadería y la agricultura. El país todavía exporta lana y cueros, pero casi la mitad de su fuerza laboral° trabaja en la industria de servicios, y poco más de su tercera parte en la industria manufacturera. El país se ha industrializado rápidamente gracias a la electricidad a bajo costo que producen sus plantas hidroeléctricas.

cattle raising

fuerza... workforce

En Montevideo, la capital, se concentra casi la mitad de la población, así como la mayor parte de las actividades culturales, económicas y administrativas del país.

Paraguay

Aterrizamos° ahora en el aeropuerto de Asunción, la cap ital del legendario Paraguay. La palabra "paraguay" viene de la lengua guaraní, y quiere decir "lugar con un gran río". Y eso es Paraguay, un territorio un poco menor que California, dividido por el gran río Paraguay en dos regiones bastante distintas: Paraguay y el Gran Chaco.

We land

Paraguay es un país agrícola. Sus principales recursos naturales son la fertilidad de sus tierras y sus grandes bosques° maderables. Sin embargo, desde la construcción de la mayor planta hidroeléctrica del mundo en su frontera con Brasil y Argentina, el país ha comenzado a industrializarse rápidamente.

forests

Una característica que distingue a Paraguay de otros países es la presencia de la cultura guaraní, mezclada° con la española. El idioma oficial es el español, pero los paraguayos hablan también el guaraní, que también se enseña en las escuelas. Su cultura es una pintoresca mezcla de las culturas española y guaraní, con otras influencias europeas. En su música popular, por ejemplo, se mezclan la guitarra y el arpa, introducidas por los europeos, con instrumentos de percusión y flautas, que proceden de la cultura guaraní. Asimismo, el ñandutí[1], un fino tejido artesanal confeccionado por las mujeres del pequeño pueblo de Itaguá, emplea hoy, a veces, hilos y diseños de la cultura occidental.

mixed

Debido a su espléndida belleza, Paraguay fue escogido como escenario de la película *La misión*, filmada en las ruinas jesuíticas que datan del siglo XVII.

[1]*ñandutí*: tipo de encaje (*lace*) que se hace en Paraguay

Bolivia

Hasta la llegada de los españoles, el territorio de lo que es hoy Bolivia fue parte del imperio inca. Pronto los españoles descubrieron la gran riqueza mineral que ha sido hasta hoy su mayor fuente de ingresos°. En pocos años su mayor centro minero, Potosí, llegó a ser posiblemente la mayor ciudad del hemisferio occidental. Al terminar la época colonial, el nuevo país tomó el nombre de Bolivia, en honor al Libertador Simón Bolívar. Se ha dicho que Bolivia es un país de superlativos. Tiene el lago navegable más alto del mundo: el Titicaca; el aeropuerto más alto; la capital más alta; una de las ruinas más antiguas; y la mayor concentración de rayos cósmicos que existe en la Tierra°. Aunque Bolivia está considerada como una nación andina° casi las dos terceras partes del país están situadas en las tierras bajas° tropicales. Una característica que diferencia a Bolivia de otros países es el hecho° de tener dos capitales: La Paz, que es la capital administrativa, y Sucre, que es la capital política. Aunque el país tiene muchas riquezas naturales°, es difícil explotarlas debido° a la dificultad en las comunicaciones, y al hecho de que no tiene salida al mar°.

fuente... source of income
Earth / Andean
tierras... lowlands
fact
riquezas... resources / due
no... is land-locked

Aproximadamente el 50 por ciento de los bolivianos son descendientes de los indios *quechua y aymará*, por lo que en el país, además del español, se hablan las lenguas quechua y aymará.

Aun después de perder partes de su territorio en guerras° con sus vecinos, la superficie actual de Bolivia es tan grande como California y Texas unidos.

wars

La música boliviana es una muestra del carácter desigual° de las tres grandes regiones del país: los ritmos rápidos caracterizan la música del este y del noroeste; los lentos y melancólicos marcan la región andina, y los alegres° ritmos de los valles centrales marcan la vida de esta región. Un instrumento muy popular en toda Bolivia es el *charango*, una especie de° guitarra de 12 cuerdas°, hecha del caparazón° de un armadillo.

different
happy
una... a type of / strings / shell

¿Cuánto hemos aprendido?

¿Cierto o no... ? Con otro(a) estudiante, túrnense para indicar si la información que sigue es correcta (C) o incorrecta (I).

______ 1. El pico más alto del mundo occidental está en Argentina.
______ 2. La mayoría de los argentinos son descendientes de los españoles.
______ 3. La zamba y la chacarera son ejemplos de la música folclórica argentina.
______ 4. Los Pirineos separan Argentina de Chile.
______ 5. Chile es más pequeño que Texas.
______ 6. Viña del Mar es un centro turístico muy importante.
______ 7. La capital de Uruguay es Montevideo.
______ 8. Uruguay importa lana y cueros.
______ 9. Uruguay es el país más grande de América del Sur.
______ 10. El río Paraguay divide Paraguay en dos regiones.
______ 11. Itaipú es la mayor planta hidroeléctrica del mundo.
______ 12. Los paraguayos solamente hablan español.
______ 13. Bolivia es el único país nombrado en honor a Simón Bolívar.
______ 14. Bolivia no tiene salida al mar.
______ 15. El charango es un ritmo muy popular en Bolivia.

Preguntas y respuestas. La clase se dividirá en cinco grupos. Cada grupo preparará unas cinco preguntas para hacérselas al resto de la clase.

Comentarios. En parejas, hagan comentarios sobre cada país, comenzando con frases como las siguientes.

1. Lo que más me gusta de...
2. Una cosa que me encanta...
3. Nunca voy a olvidar...
4. Lo más interesante de...
5. Algo que me llama la atención sobre...
6. Algo que acabo de aprender es...
7. Una cosa que me sorprende...
8. Quiero ir a... porque...

Las cataratas de Iguazú estan situadas entre Argentina, Brasil, y Paraguay.

Ventana al mundo literario

No podemos seguir nuestro viaje hacia otras tierras sin antes detenernos para hojear un libro que contenga algún cuento, algún poema o algún ensayo escrito por autores oriundos de estos países pues, como alguien ha dicho muy acertadamente, "La literatura es el alma de los pueblos".

Roberto J. Payró
Argentina
1867–1928

Roberto J. Payró fue periodista, traductor del naturalista francés Zola y dramaturgo de temas sociales. Sobresalió principalmente en la "costumbre criolla", cuadro corto que pinta la moral y los modales locales.

Preparación. **Lea las dos primeras líneas del cuento y, teniendo en cuenta el título —"Celos"— imagine de qué va a tratar la narración. En el primer párrafo, el autor describe al hombre y a la mujer. ¿Cuál cree Ud. que es la situación entre ellos?**

Celos *(Adaptado)*

Crispín es un pobre hombre: su mujer lo ha hecho cornudo y sus congéneres desgraciado. Humilde°, en su oficio de zapatero, doblado° sobre el banquillo, trabaja desde el amanecer hasta la noche para reunir centavos. Tiene tres hijos, los tres de diferentes pelajes, y casi no tiene tiempo para acariciar al primero, al auténtico... Sonríe por encima de sus anteojos y se da dos minutos para abrazar a su mujer, cuando se siente exhausto después de la cena y del vaso de vino... La gente se burla porque Ernesta es bonita, de largos cabellos rubios, presumida y relativamente joven. Y corren los meses iguales; el zapatero sigue trabajando con los ojos tristes tras° los anteojos turbios. Y pasa el tiempo. Pasa...

—Ahora que somos viejos, y que ya nada puede importarme°, ¿has sido infiel alguna vez?

Ernesta ríe con la boca desdentada.

—Don Pedro fue uno... el que más... —dice él.

—¡Aaaah! —contesta la boca vieja.

—Y Luisito...

—¡Ooooh! —se ríe otra vez la mujer.

Y no hay más, porque el martillo° que ablanda la suela rompe el cráneo, ya sin la antigua cabellera rubia, protegido sólo por la helada e insuficiente defensa de las canas°...

—Y usted la mató°... —dice el Juez°.

—Con estas manos, sí, señor.

—¿Y por qué lo hizo?

—Por celos, señor —contesta humildemente.

—Usted tiene ochenta y dos años...

—Sí, señor.

—Ella tenía ya sesenta...

—Es verdad...

—Y si es así, ¿qué temía° usted?

Crispín permanece un instante en silencio, le brillan las pupilas, levanta la cabeza y con una amarga° sonrisa en su rostro arrugado°, exclama:

—Yo no temía... ¡Me acordaba°!

Humilde: Humble
doblado: bent over
tras: behind
importarme: matter to me
martillo: hammer
canas: gray hair
mató / Juez: killed / Judge
temía: were afraid of
amarga / arrugado: bitter / wrinkled
me acordaba: I remembered

Díganos...

1. ¿Cómo es Crispín? ¿Cuál es su oficio?
2. ¿Cuántos hijos tiene? ¿Cuál es el único que es de Crispín?
3. ¿Por qué se burla de él la gente?
4. Cuando ya son viejos, ¿qué le pregunta Crispín a Ernesta?
5. ¿Con quiénes traicionó (*betrayed*) Ernesta a Crispín?
6. ¿Cómo mata Crispín a Ernesta?
7. ¿Por qué la mata?
8. Cuando el juez le pregunta a Crispín qué temía, ¿qué le responde él?

Desde su mundo. En esta narración, los celos son el motivo de un crimen. En grupos de tres o cuatro, hablen de los problemas que tienen los matrimonios en este país. ¿Cuáles son algunas de las causas del divorcio? ¿Figuran los celos entre ellas?

Para escribir. Escriba uno o dos párrafos sobre uno de los siguientes temas.

1. ¿Cómo es el esposo (la esposa) ideal?
2. Yo siempre (a veces, nunca) me pongo celoso(a) cuando...

Nicanor Parra
Chile
1914–

Nicanor Parra es uno de los poetas de mayor interés en Hispanoamérica. Cultivó con gran acierto la poesía de acento popular en obras como Cancionero sin nombre *y* La cueca larga, *pero su contribución más original son sus "antipoemas", en los que expresa su radical sinceridad con gran ironía. En* Canciones rusas *vuelve a un tono mas íntimo.*

Preparación. Fíjese en el título del poema y piense en lo siguiente: ¿Cuál es la diferencia entre las palabras inglesas "*solitude*" y "*loneliness*"? ¿Cuál de estas palabras expresa el sentimiento del poeta?

Solo

Poco
a
poco
me
fui
quedando
solo.

Imperceptiblemente:
Poco
a
poco.

Triste es la situación
Del que gozó de buena compañía
Y la perdió por un motivo u otro.

No me quejo de nada: tuve todo.
Pero
sin
darme
cuenta
Como un árbol que pierde una a una sus hojas
Me fui
quedando
solo
poco
a
poco.

Díganos...

1. ¿Cómo se va quedando solo el poeta?
2. Según el poeta, ¿cuál es la situación de una persona que se queda sola?
3. ¿El poeta se queja de su situación? ¿Por qué?
4. ¿Con qué se compara el poeta?
5. ¿Qué representa el autor al poner las primeras y las últimas palabras en la forma en que lo hace?

Desde su mundo. Ud. y un(a) compañero(a), hablen de los momentos en su vida en que Uds. se sienten solos y de los momentos en que *quieren* estar solos.

Para escribir. Escriba uno o dos párrafos sobre uno de los siguientes temas.

1. Momentos en los que prefiero estar solo(a)
2. Los amigos cuya compañía prefiero

Mario Benedetti
Uruguay
1920–

Este famoso escritor uruguayo es conocido internacionalmente a través de° sus novelas, cuentos, poemas y crónicas periodísticas°. En su primer libro de cuentos, titulado Esta mañana *(1949) ya presenta el tema que aparecerá en toda su obra literaria: el de los conflictos sociales de su país y de otros países de Latinoamérica. Un libro de este autor que ha tenido mucho éxito ha sido* El país de la cola de paja.

a... through/journalistic

Preparación. Lea Ud. el primer párrafo del cuento "Los bomberos°" y trate de determinar cuál es la personalidad de Olegario y lo que sienten° sus amigos hacia él. Tenga esto en cuenta al leer el final de la narración para apreciar la ironía del desenlace°.

firefighters / feel / ending

Los bomberos *(Adaptado)*

Olegario no sólo fue un as° del presentimiento° sino que además siempre estuvo muy orgulloso° de su poder°. A veces se quedaba absorto por un instante y luego decía: "Mañana va a llover". Y llovía. Otras veces anunciaba: "El martes saldrá el 57 a la cabeza."[1] Y el martes salía el 57 a la cabeza. Entre sus amigos gozaba° de una admiración sin límites.

Algunos de ellos recuerdan el más famoso de sus aciertos°. Caminaban con él frente a la Universidad, cuando de pronto el aire matutino° fue atravesado por el sonido y la furia de los bomberos. Olegario sonrió de modo casi imperceptible, y dijo: "Es posible que mi casa se esté quemando°."

Llamaron un taxi y encargaron al chofer que siguiera de cerca a los bomberos. Éstos tomaron por Rivera°, y Olegario dijo: "Es casi seguro que mi casa se está quemando." Los amigos guardaron un respetuoso y afable silencio; tanto lo admiraban.

Los bomberos siguieron por Pereyra y la nerviosidad llegó a su colmo°. Cuando doblaron por la calle en que vivía Olegario, los amigos se pusieron tiesos° de expectativa. Por fin, frente mismo a la llameante° casa de Olegario, el carro de bomberos se detuvo y los bomberos comenzaron rápida y serenamente los preparativos de rigor. De vez en cuando°, desde las ventanas de la planta alta, alguna astilla° volaba por los aires.

Con toda parsimonia°, Olegario bajó del taxi. Se acomodó° el nudo de la corbata, y luego, con un aire de humilde vencedor°, se aprestó° a recibir las felicitaciones y los abrazos de sus buenos amigos.

ace / hunch / proud / power / he enjoyed / guesses / morning / burning / Rivera St. / utmost / stiff / flaming / *De...* Once in a while / splinter / calmness / *Se...* He fixed / winner / *se...* got ready

[1] This refers to a type of lottery played in Uruguay.

Díganos...

1. ¿Qué sabe Ud. de la personalidad de Olegario?
2. ¿Qué pensaban sus amigos de él?
3. ¿Qué pasó un día, cuando Olegario y sus amigos caminaban frente a la Universidad?
4. ¿Qué dijo Olegario?
5. ¿Qué hicieron Olegario y sus amigos?
6. ¿Cómo se sentían Olegario y sus amigos mientras iban a la casa de Olegario?
7. ¿Qué hicieron los bomberos al llegar a la casa de Olegario?
8. ¿Qué pasó al final?

Desde su mundo. En grupos de dos o tres, hagan una lista de las cosas que Uds. deben y no deben hacer en caso de incendio.

Para escribir. Escriba uno o dos párrafos sobre uno de los siguientes temas.

1. Los presentimientos que tengo a veces
2. ¿Cuáles son mis temores?

Ana Cortesi
Paraguay
1936–

Ana Cortesi es autora de varios libros de texto para la enseñanza del español a nivel universitario. Ha publicado también varios cuentos, entre ellos "La ciudad caníbal" y "La cicatriz", así como varios poemas de tono intimista en los que expresa su nostalgia por su patria.

Preparación. En este cuento, la edad y el aspecto de la señorita Julia y la belleza de la muchacha del cuadro tienen gran importancia. Tenga esto en cuenta al leer cuidadosamente la narración, sobre todo en las últimas líneas.

La señorita Julia

Alberto Aguirre necesita ganar algún dinero para poder asistir a la universidad. Solicita y obtiene un trabajo en casa de la señorita Julia Ocampos, anciana° de ochenta años, que tiene muchísimo dinero y vive sola, con una criada.

El trabajo de Alberto consiste en hacer un inventario completo de todas las posesiones de la señorita Julia.

Un día, Alberto sube a un cuarto pequeño, con cortinas de encaje° blanco y olor a jazmines. Es entonces que nota el cuadro enorme colgado en la pared. Es el retrato de una muchacha de belleza° espléndida, sentada bajo un árbol grande, con margaritas en el regazo°.

Alberto pasa horas en el cuarto, contemplando el cuadro. Allí trabaja, come, sueña°, vive...

Un día oye los pasos° de la señorita Julia, que viene hacia el cuarto.

—¿Quién es? —pregunta Alberto, señalando el cuadro con una mezcla de admiración, respeto y delirio.

—Soy yo... —responde la señorita Julia—, yo a los dieciocho años.

Alberto mira el cuadro y mira a la señorita Julia, alternativamente. En su corazón nace un profundo odio° por la señorita Julia, que es vieja y arrugada° y tiene el pelo blanco.

Cada día que pasa, Alberto está más pálido y nervioso. Casi no trabaja. Cada día está más enamorado de la muchacha del cuadro, y cada día odia más a la señorita Julia.

Una noche, cuando está listo para regresar a su casa, oye pasos que vienen hacia el cuarto. Es la señorita Julia.

anciana: old lady
encaje: lace
belleza: beauty
regazo: lap
sueña: dreams
pasos: steps
odio / arrugada: hatred / wrinkled

—Su trabajo está terminado —dice—; no necesita regresar mañana...

Alberto mata a la señorita Julia y pone el cadáver de la anciana a los pies de la muchacha.

Pasan dos días. La criada llama a la policía cuando descubre el cuerpo de la señorita Julia en el cuarto de arriba.

—Estoy segura de que fue un ladrón —solloza° la criada.

—¿Falta algo de valor?° —pregunta uno de los policías mirando a su alrededor.

La criada tiene una idea. Va a buscar el inventario detallado, escrito por Alberto con su letra pequeña y apretada°. Los dos policías leen el inventario y van por toda la casa y ven que no falta nada.

Regresan al cuarto.

Parados al lado de la ventana con cortinas de encaje blanco y olor a jazmines, leen la descripción del cuadro que tienen frente a ellos: «retrato de una muchacha de belleza espléndida, sentada bajo un árbol grande, con margaritas en el regazo».

—¡Qué raro! —exclama uno de los policías, frunciendo el ceño°. —Según este inventario, es el retrato de una muchacha, no de una pareja°...

weeps
value
minute, tiny
frunciendo...frowning
couple

Díganos. . .

1. ¿Qué problema tiene Alberto y cómo lo soluciona?
2. ¿Cómo es el cuarto donde está el cuadro?
3. ¿Cómo es el cuadro que Alberto contempla durante horas?
4. ¿Qué diferencia hay entre la muchacha del cuadro y la señorita Julia que ve Alberto?
5. ¿Qué sentimientos inspira cada una de ellas en Alberto?
6. ¿Por qué mata Alberto a la señorita Julia?
7. ¿Cómo pueden estar seguros los policías de que no falta nada en la casa?
8. ¿Qué diferencia hay entre el cuadro que describe el inventario y el que ven los policías?

Desde su mundo. **Con otro(a) estudiante, hablen de cómo muchos adolescentes se enamoran de un imposible y de las consecuencias que esto trae.**

Para escribir. **Escriba uno o dos párrafos sobre uno de los siguientes temas.**

1. La importancia del aspecto físico y la de la personalidad en una relación amorosa
2. Imagine Ud. lo que sucede (*happens*) si Alberto puede retroceder (*go back*) en el tiempo y conocer a la señorita Julia cuando ella es joven.

Ricardo Jaimes Freyre

Bolivia

1868–1933

El boliviano Ricardo Jaimes Freyre fue catedrático°, periodista° y famoso escritor. Este autor mostró° siempre un gran interés por las leyendas griegas y nórdicas, sobre todo° por éstas últimas. Junto a Rubén Darío y a Leopoldo Lugones fue fundador de La revista de América.

La fama de su obra poética se debe a dos colecciones de versos: Castalia bárbara *(1899) y* Los sueños son vida *(1917). Ambas° obras reflejan las dos etapas de su evolución como poeta, ya que en la primera el tono de sus poemas es frío e indiferente, mientras que en la segunda etapa sus versos están llenos de emoción, calor y un tono muy propio.*

professor / journalist   showed   *sobre...* above all   Both

Preparación. El título del poema es "Lo fugaz" (*The Fleeting Thing*). Teniendo esto en cuenta, lea el primer verso del poema y piense cómo se relaciona una flor con algo fugaz.

Lo fugaz

La rosa temblorosa°
se desprendió° del tallo°,
y la arrastró° la brisa
sobre las aguas turbias° del pantano°.

Una onda° fugitiva
le abrió su seno° amargo°,
y estrechando° a la rosa temblorosa
la deshizo° en sus brazos.

Flotaron sobre el agua
las hojas° como miembros mutilados,
y confundidas con el lodo° negro,
negras, aún más que el lodo, se tornaron°.

Pero en las noches puras y serenas
se sentía vagar° por el espacio
un leve° olor° de rosas
sobre las aguas turbias del pantano.

trembling
se... fell off / stem
carried away
cloudy / swamp
wave
bosom / bitter
embracing
tore up
petals
mud
se.... they became
wander
slight / aroma

Díganos...

1. ¿Qué le pasó a la rosa?
2. ¿Adónde la arrastró la brisa?
3. ¿Qué le pasó a la rosa en el pantano?
4. ¿Con qué compara el poeta las hojas (los pétalos) de la rosa?
5. ¿De qué color se tornaron los pétalos?
6. En las noches serenas, ¿qué vaga sobre el pantano?

Desde su mundo. En el poema "Lo fugaz" la rosa puede simbolizar la bondad (*kindness*) y el perdón (*forgiveness*). En parejas, hablen de cómo muchas personas perdonan a sus enemigos y, a veces, devuelven bien por mal. Den ejemplos.

Para escribir. Escriba uno o dos párrafos sobre uno de los siguientes temas.

1. Las cosas de la vida que son fugaces
2. En la vida, ¿qué cosas son permanentes?

LECCIÓN 2

El fútbol es el deporte favorito en la mayoría de los países latinoamericanos.

Para divertirse

Objetivos

Estructura: El pretérito contrastado con el imperfecto
- Verbos que cambian de significado en el pretérito
- Comparativos de igualdad y de desigualdad
- Algunas preposiciones

Temas para la comunicación: Los deportes
- Las actividades al aire libre ✦ Las diversiones
- La vida en la ciudad ✦ Los pasatiempos

Lecturas periodísticas: Esquiar en la inmensidad de los Andes

Cruzando fronteras: Perú ✦ Ecuador ✦ Colombia
- Venezuela

Ventana al mundo literario: Ricardo Palma ✦ José Antonio Campos ✦ José Asunción Silva ✦ Rufino Blanco Fombona

Para divertirse

el bote de vela, el velero *sailboat*
la carrera de caballos *horse race*
el club nocturno *night club*
el concierto *concert*
el hipódromo *race track*
la obra teatral *play*
el paseo en coche *ride*
la película *movie*
la vida nocturna *night life*

Para jugar

el ajedrez *chess*
las cartas, los naipes *cards*
los dados *dice*
las damas *checkers*
—chinas *Chinese checkers*
el dominó *dominoes*
el juego de dardos *dart game*
el Monopolio *Monopoly*

Para hablar del tema: Vocabulario

Para practicar deportes

el bate *bat*
la canasta *basket*
el casco *helmet*
el guante de pelota *baseball glove*
el palo de golf *golf club*
la pelota, el balón *ball*
—de playa *beach ball*
la raqueta *racket*
la red *net*

Los deportes (*sports*)

el (la) aficionado(a) *fan*
el alpinismo *mountain climbing*
el (la) árbitro *referee*
el (la) atleta *athlete*
el boxeo *boxing*
el campeón, la campeona *champion*
el campeonato *championship*
el ciclismo *cycling*
el deporte acuático *water sport*
el (la) entrenador(a) *coach, trainer*
el equipo *team*
la gimnasia *gymnastics*
el (la) jugador(a) *player*
la lucha libre *wrestling*
la natación *swimming*
la página deportiva *sports page*
el partido, el juego *match, game*

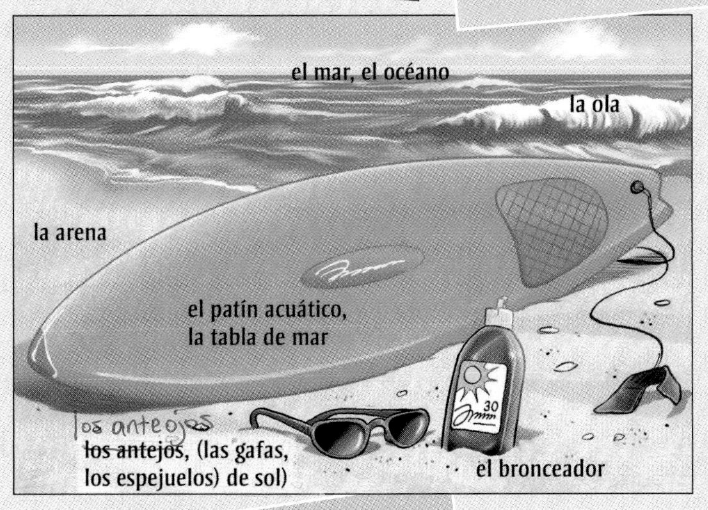

Expresiones útiles

esquiar en el agua *to water-ski*
hacer surfing *to surf*
hacer una caminata *to hike*
hacer una fogata *to build a bonfire*
pasarlo bien (mal) *(not) to have a good time*
practicar deportes *to play sports*
tomar el sol *to sunbathe*

Para describir acciones

broncearse *to get a tan*
bucear *to scuba dive*
cansarse *to get tired*
cazar *to hunt*
disfrutar (de) *to enjoy*
divertirse (e:ie) *to have a good time*
empatar *to tie (a score)*
escalar *to climb*
ganar *to win*
jugar (u:ue) (a) *to play (a game)*
navegar *to sail*
patinar *to skate*
pescar *to fish*
remar *to row*

Para practicar el vocabulario

El equivalente. Dé el equivalente de lo que sigue a continuación.

1. partido
2. pelota
3. bote de vela
4. anteojos de sol
5. cartas
6. opuesto de perder
7. lo que necesitamos para broncearnos
8. lo que vemos en un hipódromo
9. lugar donde se practican deportes
10. lo que vemos en un teatro

Minidiálogos. Complete los siguientes minidiálogos.

1. — ¿Tienes el bate?
   — Sí, pero no tengo el __________ de pelota.
2. — ¿Te gusta la __________ libre?
   — No, prefiero el boxeo.
3. — ¿Te gusta montar a caballo?
   — Sí, me encanta la __________.
4. — ¿Vas a hacer surfing?
   — No, porque hoy no hay __________. Además no tengo mi patín __________.
5. — ¿A Luis le gustan los __________ de dardos?
   — No, él prefiere jugar a las __________ chinas.

Palabras. Indique la palabra o frase que no pertenece (*doesn't belong*) al grupo.

1. árbitro	atleta	mar
2. arena	ajedrez	damas
3. canoa	mochila	remar
4. esquiar en el agua	deporte acuático	hacer una fogata
5. casco	bicicleta	canasta
6. dominó	salvavidas	Monopolio

Preguntas y respuestas. Busque en la columna B, las respuestas a las preguntas de la columna A.

A	B
______ 1. ¿Qué deporte practicas?	a. La página deportiva.
______ 2. ¿Qué estás leyendo?	b. Sí, el partido terminó 2 a 2.
______ 3. ¿Van a la discoteca hoy?	c. Sí, le gusta mucho Mozart.
______ 4. ¿Empataron?	d. Sí, y se cansaron mucho.
______ 5. ¿Vas a tomar el sol?	e. El alpinismo.
______ 6. ¿Los chicos patinaron?	f. Sí, nos encanta la vida nocturna.
______ 7. ¿Te gusta cazar?	g. No, prefiero pescar.
______ 8. ¿Crees que va a disfrutar del concierto?	h. Sí, quiero broncearme.

¡Hablemos. . . !

Los aficionados. Formen grupos de tres o cuatro estudiantes y:

1. hablen de los deportes que son más populares en los Estados Unidos.
2. hablen de los mejores atletas y de los mejores equipos.
3. hagan comentarios sobre lo que ocurrió la semana pasada en el mundo de los deportes: ¿Qué equipos ganaron? ¿Cuáles empataron y cuáles perdieron? Den detalles.

Planes y más planes. En parejas, conversen sobre lo siguiente.

1. Uds. van a llevar a un grupo de estudiantes extranjeros a la playa. Por la mañana, piensan acampar, pescar y hacer una caminata, y por la tarde, montar en bicicleta y hacer surfing. No se olviden de hacer una lista de las cosas que Uds. necesitan tener para poder hacer todo esto.
2. El próximo fin de semana piensan ir a la montaña y acampar cerca de un lago (*lake*). Hagan planes sobre lo que van a hacer y decidan qué es lo que van a necesitar para hacerlo.

En el campamento de verano. Este fin de semana Ud. y un(a) compañero(a) están encargados(as) de entretener a un grupo de niños, y para eso van a tener las siguientes actividades.

Túrnense (*Take turns*) para decirse las cosas que necesitan llevar. Empiecen diciendo: "Trae (*Bring*)...", "No te olvides de (*Don't forget*)...", "Pon (*Put*)... en el coche", "Necesitamos..."

Visitas... visitas. Ud. y un(a) compañero(a) tienen visitas que vienen de otro estado. Según las preferencias de sus amigos, digan adónde los van a llevar.

1. A Elisa le gusta ver una buena película o una obra teatral.
2. A Marisa y a Luis les gusta bailar, y escuchar música y navegar.
3. Rosaura y Ada quieren conocer la ciudad.

Para pasar el tiempo. Con uno(a) o dos compañeros(as), hablen de lo que hacen con sus familiares y amigos para pasar el rato cuando están en su casa. ¿Juegan a los naipes o a los dados? ¿Al ajedrez o a las damas? ¿O prefieren un juego de dominó o de Monopolio? Hablen de las ocasiones en las que juegan y de quiénes ganan generalmente.

PASO 1

Entrevistas

Hoy Jorge Andrade, que escribe para la página deportiva de un periódico universitario colombiano, entrevista a tres estudiantes extranjeros: Elba Araújo, de Perú; Luis Valmaseda, de Ecuador, y Amelia Quintero, de Venezuela.

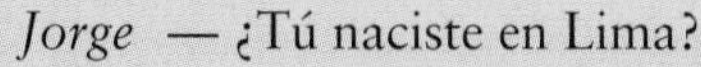

Jorge — ¿Tú naciste en Lima?
Elba — No, nací en Cuzco, pero cuando tenía quince años mi familia y yo vinimos a vivir a Bogotá.
Jorge — ¿Y hace mucho que juegas al tenis?
Elba — No, empecé a jugar el año pasado.
Jorge — ¿Practicas algún otro deporte?
Elba — Sí, el ciclismo y la natación. Cuando yo vivía en Cuzco mis hermanos y yo siempre íbamos a todas partes en bicicleta.
Jorge — Pues, buena suerte en el partido del sábado.

Elba Araújo (Perú)

Jorge — Ayer te vi cuando ibas al estadio para practicar. ¡Ibas con muchas admiradoras!
Luis — (*se ríe*) No, esas chicas eran mis amigas. Son aficionadas al básquetbol.
Jorge — Tú no jugaste el sábado pasado. ¿Por qué?
Luis — Porque me dolía mucho la rodilla. Me la lastimé durante el último partido.
Jorge — Me dijeron que te gustaba el alpinismo.
Luis — Sí, el mes pasado fui a escalar una montaña con unos amigos.
Jorge — La próxima vez voy con Uds.

Luis Valmaseda (Ecuador)

Jorge — Anoche no pude quedarme hasta el final del partido y por eso no tuve la oportunidad de hablar contigo.
Amelia — No me sorprende. Eran las diez de la noche cuando terminamos de jugar.
Jorge — ¿Cuántos años tenías cuando empezaste a jugar al vólibol?
Amelia — Tenía dieciséis años. Cuando vivía en Caracas pertenecía al mejor equipo de la ciudad.
Jorge — Con razón[1] eres tan buena jugadora.

Amelia Quintero (Venezuela)

[1]No wonder

¿Cuánto recuerda? Conteste lo siguiente con respecto a las entrevistas.

1. ¿Cuál es la profesión de Jorge Andrade?
2. ¿De qué sección está encargado?
3. ¿Elba Araújo es colombiana?
4. ¿Cuánto tiempo hace que ella empezó a jugar al tenis?
5. ¿Practica ella otros deportes? ¿Cuáles?
6. ¿En que país nació Luis Valmaseda?
7. ¿Qué le pasó el sábado pasado y por qué?
8. ¿De dónde es Amelia Quintero y qué deporte practica?
9. ¿A qué edad empezó a practicarlo?
10. ¿Qué dice Jorge Andrade de Amelia?

¿Verdadero o falso? Prepare ocho afirmaciones sobre las entrevistas. Vea si su compañero(a) puede indicar si son verdaderas o falsas.

Estructura

El pretérito contrastado con el imperfecto

Spanish has two past tenses: the preterit and the imperfect. The following table summarizes some of the most important uses of both tenses.

Preterit	Imperfect
1. Reports past actions or events that the speaker views as finished and completed, regardless of how long they lasted. **Empecé** a jugar el año pasado. 2. Sums up a condition or a physical or mental state, viewed as completed. Me **dolió** la rodilla todo el día.	1. Describes past actions in the process of happening, with no reference to their beginning or end. Ayer te vi cuando **ibas** al estadio. 2. Describes a physical, mental, or emotional condition or characteristic in the past. No jugué porque me **dolía** mucho la rodilla. 3. Refers to repeated or habitual actions in the past. Siempre **íbamos** en bicicleta. 4. Describes or sets the stage in the past. **Hacía** frío y **llovía.** 5. Expresses time in the past. **Eran** las diez cuando terminamos. 6. Is used in indirect discourse. Me dijeron que te **gustaba** el alpinismo. 7. Describes age in the past. **Tenía** dieciséis años.

Online Study Center **Actividad**

Lo que pasó ayer. Complete la siguiente narración usando los verbos dados en el pretérito o en el imperfecto, según corresponda.

Ayer Elba, Luis y Amelia _______ (estar) en la universidad toda la tarde porque _______ (tener) que hablar con Jorge Andrade y también _______ (tener) que ver a su consejero. Cuando Luis _______ (ir) para el estadio _______ (encontrarse) con unos amigos que le _______ (decir) que _______ (necesitar) hablar con él. _______ (ser) las cuatro cuando Luis _______ (llegar) al estadio. Amelia _______ (ir) a la biblioteca y _______ (leer) hasta muy tarde. Cuando ella _______ (salir) de allí _______ (ser) las ocho de la noche y _______ (llover) a cántaros (*cats and dogs*).

Para conversar

Elba, Luis y Amelia. Vuelvan a leer las tres entrevistas y luego en parejas, háganse preguntas sobre la vida de los tres estudiantes. Usen el pretérito y el imperfecto.

Personalidades actuales del deporte. En parejas, escojan una figura del deporte y preparen unas diez preguntas para entrevistarlo(la). Usen el pretérito y el imperfecto en sus preguntas.

Un dicho

Todo tiempo pasado
fue mejor.[1]

[1]Those were the good old days.

Después de la fiesta

Elba — ¿Por qué no fue Luis a la fiesta anoche?
Amelia — No pudo ir porque tuvo que estudiar para un examen.
Elba — ¿No pudo o no quiso... ?
Ah, ¿conociste al nuevo entrenador de básquetbol?
Amelia — Yo ya lo conocía. Es muy simpático.
Elba — Oye, ¿vas a acampar con nosotras este fin de semana? Tenemos dos tiendas de campaña.
Amelia — Yo no tengo bolsa de dormir.
Elba — ¿No se la pediste prestada a Laura?
Amelia — No, porque no sabía que íbamos a ir a acampar.
Elba — ¿Por qué no te compras una?
La mía no me costó mucho.
Amelia — Porque no tengo dinero.

¿Cuánto recuerda? **Al contestar estas preguntas tenga en cuenta lo que dicen Elba y Amelia.**

1. ¿Por qué no pudo Luis ir anoche a la fiesta?
2. ¿Amelia ya conocía al nuevo entrenador o lo conoció anoche?
3. ¿Qué va a hacer Elba este fin de semana?
4. ¿Qué necesita Amelia para ir a acampar?
5. ¿Qué es lo que no sabía Amelia?
6. ¿Le costó mucho dinero a Elba la bolsa de dormir que compró?
7. ¿Por qué no puede Amelia comprar una?

¿Verdadero o falso? **Prepare ocho afirmaciones sobre la conversación entre Amelia y Elba. Vea si su compañero(a) puede indicar si son verdaderas o falsas.**

Estructura

Verbos que cambian de significado en el pretérito

Certain Spanish verbs have special English equivalents when used in the preterit tense. Contrast the English equivalents of **conocer, costar, poder, querer,** and **saber** when these verbs are used in the imperfect and preterit tenses.

Imperfect	Preterit
yo **conocía** *I knew* Yo ya **conocía** al entrenador.	yo **conocí** *I met* ¿**Conociste** al entrenador ayer?
costaba *it was priced at, it cost* No lo compré porque **costaba** mucho.	me **costó** *I paid* La bolsa de dormir me **costó** mucho.
yo **podía** *I was able (capable)* Al principio él no **podía** entenderlo.	yo **pude** *I managed, succeeded* Él **pudo** ir a la fiesta.
yo **no quería** *I didn't want to* Él **no quería** ir, pero fue.	yo **no quise** *I refused* Él **no quiso** ir. Se quedó en casa.
yo **sabía** *I knew* Ella **sabía** que yo iba.	yo **supe** *I found out, learned* Anoche **supe** que él venía hoy.

Online Study Center

Actividad

Actividades al aire libre. **Complete los siguientes minidiálogos usando el pretérito o el imperfecto de los verbos estudiados. Luego actúelos con un(a) compañero(a).**

1. — ¿Cuánto te _______ la tienda de campaña que compraste, Anita?
   — Me _______ setenta dólares. No _______ comprar la que me gustaba porque _______ cien dólares.
2. — ¿Fue Ernesto a acampar con Uds.?
   — Sí, él no _______ ir, pero cuando _______ que Maribel iba a estar con nosotros, decidió ir.
3. — ¿Tú _______ al entrenador?
   — No, lo _______ ayer.
4. — ¿Le pediste prestada la bolsa de dormir a Gustavo?
   — Sí, pero no _______ prestármela. ¡Es un antipático!
5. — ¿Tú _______ que Raúl llegaba esta mañana?
   — No, lo _______ ayer, cuando me llamó por teléfono.
6. — Lo llevamos a pescar, pero el pobre no _______ pescar nada en todo el día.
   — ¡Pobre chico!
7. — Cuando John vino a Bogotá, ¿ya _______ entender español?
   — No, no entendía nada, pero aprendió muy pronto.

Para conversar

La vida de los estudiantes. **Con uno o dos compañeros(as) hablen de las personas que Uds. conocen. Digan si las conocieron recientemente o si ya las conocían desde la escuela secundaria. Hablen también de lo que Uds. no pudieron o no quisieron hacer la semana pasada.**

De compras. **En parejas hablen de las cosas que Uds. compraron el mes pasado incluyendo lo que les costaron y de lo que no pudieron comprar porque costaba demasiado (*too much*).**

De la sección de viajes de El Heraldo

El fabuloso Hotel del Lago

Por Roberto Llanes

El mes pasado tuve la oportunidad de hospedarme en el Hotel del Lago que, en mi opinión, es el mejor de la región y no es tan caro como otros del mismo tipo. Las habitaciones son grandes y cómodas, y el hotel tiene tres restaurantes excelentes y una cafetería. La comida de la cafetería es más barata que la de los restaurantes, y es buena.

Cientos de excursionistas visitan el hotel cada año y disfrutan de todas las actividades que ofrece el lugar: esquí acuático, pesca y paseos en canoa y en botes de vela.

No hay tanta vida nocturna como en las ciudades más grandes, pero hay dos discotecas y un casino donde las personas mayores de 21 años pueden probar su suerte. Muy cerca del hotel hay un buen hipódromo para los amantes de las carreras de caballos.

Por todo esto, creo que deben visitar el Hotel del Lago en sus próximas vacaciones.

¿Cuánto recuerda? **Conteste lo siguiente con respecto a la información que aparece en la sección de viajes.**

1. ¿Para qué periódico escribe Roberto Llanes?
2. ¿Dónde se hospedó Roberto Llanes el mes pasado?
3. ¿Qué opina él del hotel?
4. ¿Cómo son las habitaciones del hotel?
5. ¿Se puede comer en el hotel? ¿Por qué?
6. ¿Qué actividades se ofrecen en el hotel?
7. ¿Los que visitan el hotel pueden ir a bailar? ¿Por qué?
8. ¿Qué pueden hacer en la ciudad las personas mayores de veintiún años?
9. ¿Adónde pueden ir los amantes de las carreras de caballos?
10. ¿Qué recomienda hacer Roberto Llanes?

¿Verdadero o falso? **Prepare ocho afirmaciones sobre el artículo de Roberto Llanes. Vea si su compañero(a) puede indicar si son verdaderas o falsas.**

Estructura

Comparativos de igualdad y de desigualdad

A. Comparativos de igualdad

✦ Comparisons of equality of nouns, adjectives, adverbs, and verbs in Spanish use the adjectives **tanto(-a, -os, -as)** or the adverbs **tan, tanto + como.**

When comparing nouns		When comparing adjectives or adverbs		When comparing verbs	
tanto (dinero) tanta (plata) (*as much*) tantos (libros) tantas (plumas) (*as many*)	+ como	tan (*as*) bonita / tarde	+ como	bebo tanto (*as much*)	+ como

La cafetería no es **tan cara como** el restaurante.
The cafeteria is not as expensive as the restaurant.

Aquí no hay **tanta vida** nocturna **como** en las ciudades grandes.
There is not as much night life here as in the big cities.

B. Comparativos de desigualdad

✦ In Spanish, comparisons of inequality of most adjectives, adverbs, and nouns are formed by placing **más** or **menos** before the adjective, adverb, or noun. *Than* is expressed by **que.** Use the following formula.

más (*more*) o **menos** (*less*)	+	adjetivo adverbio nombre	+	**que** (*than*)

La comida de la cafetería es **más barata que** la de los restaurantes.
Cafeteria food is cheaper than that of restaurants.

✦ When a comparison of inequality includes a numerical expression, the preposition **de** is used as the equivalent of *than.*

El cuarto cuesta **más de cien** dólares por noche.
The room costs more than a hundred dollars per night.

¡ATENCIÓN! **Más que** (*only*) is used in negative sentences when referring to an exact or maximum amount.

No tengo **más que una semana** de vacaciones.
I have only one week of vacation.

C. El superlativo

✦ The superlative of adjectives is formed by placing the definite article before the person or thing being compared.

el		más (*most*)		
la	+	o	+	adjetivo (de)
los		menos (*least*)		
las				

El restaurante El Cid es **el más caro de** la ciudad.
El Cid Restaurant is the most expensive in the city.

¡ATENCIÓN! In the example above, note that the Spanish equivalent of *in* is **de**.

✦ The Spanish absolute superlative is equivalent to *extremely* or *very* before an adjective in English. This superlative may be expressed by modifying the adjective with an adverb (**muy, sumamente, extremadamente**) or by adding the suffix **-ísimo(-a, -os, -as)** to the adjective. If the word ends in a vowel, the vowel is dropped before adding the suffix **-ísimo**(**a**).

muy caro	car**ísimo**
sumamente grande	grand**ísima**
extremadamente rico[1]	riqu**ísimo**

D. Formas irregulares para el comparativo y el superlativo

✦ The following adjectives and adverbs have irregular comparative and superlative forms in Spanish.

Adjectives	Adverbs	Comparative	Superlative
bueno	bien	**mejor**	**el (la) mejor**
malo	mal	**peor**	**el (la) peor**
grande		**mayor**	**el (la) mayor**
pequeño		**menor**	**el (la) menor**

✦ When the adjectives **grande** and **pequeño** refer to size, the regular forms are generally used.

El Hotel del Lago es **más grande que** el Hotel Miramar.
Hotel del Lago is bigger than Hotel Miramar.

However, when these adjectives refer to age, the irregular forms are used.

Elba es **mayor** que yo; yo soy tres años **menor** que ella.
Elba is older than I; I'm three years younger than she is.

[1]Words ending in **-ca** or **-co** change **c** to **qu** before adding the suffix **-ísimo**(**a**) to maintain the hard **c** sound.

Online Study Center

Actividades

Isabel y ustedes. Amelia tiene una amiga ecuatoriana que se llama Isabel. Éstas son algunas de las cosas que sabemos de ella. En parejas, hagan comparaciones entre Uds. e Isabel.

Isabel...

1. mide cinco pies seis pulgadas.
2. tiene diecinueve años.
3. es sumamente inteligente.
4. vive en una ciudad que tiene casi dos millones de habitantes.
5. habla muy bien el español.
6. trabaja veinte horas por semana.
7. gana unos mil dólares al mes.
8. baila muy bien.
9. bebe por lo menos cuatro tazas de café al día.
10. visita a sus abuelos dos o tres veces por semana.

¡Superlativos! En parejas, usen superlativos absolutos para describir a las personas o los lugares que se mencionan a continuación.

1. El monte Everest
2. París
3. El río Amazonas
4. Texas
5. Rhode Island
6. Ricky Martin
7. Oprah Winfrey
8. Albert Einstein
9. Julia Roberts
10. Danny DeVito

Para conversar

Entre Uds. En parejas, hablen de otros estudiantes de la clase y establezcan comparaciones entre ellos y Uds.

Hoteles y restaurantes. En grupos de dos o tres hablen de los hoteles y de los restaurantes de esta ciudad. Compárenlos en cuanto a calidad y a precios.

Un dicho

Es mejor prevenir que curar.[1]

[1]An ounce of prevention is worth a pound of cure.

PASO 4

Planes para un fin de semana

Ariel Peña, un muchacho venezolano, habla con Elba. Están tratando de decidir qué van a hacer este fin de semana.

Elba — Yo quiero aprender a hacer surfing. Ya me compré un patín acuático.
Ariel — ¿Sí? A mí no me gustan los deportes acuáticos. Yo tenía una novia que siempre insistía en ir a la playa a bucear. Por eso no me casé con ella.
Elba — (*Se ríe.*) Bueno, si te niegas a ir a la playa, podemos ir a jugar al tenis.
Ariel — O podemos encontrarnos con Ana y Luis en un restaurante.
Elba — ¡Perfecto! Y por la noche vamos al concierto que hay en el Teatro Nacional.
Ariel — ¿Por qué no vamos a casa de Nora y jugamos al ajedrez o a las damas?
Elba — No, a las cartas. El ajedrez es muy difícil.

¿Cuánto recuerda? **Conteste lo siguiente con respecto a los planes de Elba y Ariel.**

1. ¿Cuál es la nacionalidad de Ariel?
2. ¿Qué están tratando de decidir Ariel y Elba?
3. ¿Elba sabe hacer surfing?
4. ¿Qué no le gusta a Ariel?
5. ¿Por qué no se casó Ariel con su ex novia?
6. ¿Dónde quiere encontrarse Ariel con Ana y Luis?
7. ¿Qué quiere hacer Elba por la noche?
8. ¿Dónde es el concierto?
9. ¿Adónde prefiere ir Ariel?
10. ¿Por qué no le gusta el ajedrez a Elba?

¿Verdadero o falso? **Prepare ocho afirmaciones sobre los planes de Elba y Ariel. Vea si su compañero(a) puede indicar si son verdaderas o falsas.**

Estructura

Algunas preposiciones

A. Usos de las preposiciones a, de y en

✦ The preposition **a** (*to, at, in*) can express direction toward a point in space or a moment in time. It is used in the following instances.

1. To refer to time of day.

   El concierto empieza **a** las ocho.

2. After a verb of motion, when it precedes an infinitive, a noun, or a pronoun.

   Siempre vengo **a** jugar aquí.

3. Before a direct object noun that refers to a specific person[1]. It may also be used to personify an animal or a thing.

   Llevamos **a** Luis con nosotros.
   Voy a bañar **a** mi perro.

4. With **alguien** and **nadie**.

   Ella necesita **a alguien**, pero yo no necesito **a nadie**.

5. After the verbs **aprender, enseñar, empezar,** and **comenzar** when they are followed by an infinitive.

   Yo quiero **aprender a** hacer surfing.
   Nosotros **comenzamos a** pescar a las ocho de la mañana.

6. After the verb **llegar**.

   Llegó a Bogotá ayer.

✦ The preposition **de** (*of, from, about, with, in*) indicates possession, material, and origin. It is also used in the following instances.

1. After the superlative, to express *of* or *in*.

   El restaurante San Remo es el mejor **de** la ciudad.

2. With time of day, to refer to a specific period of the day or night.

   El partido empezó a las ocho **de** la noche.

3. As a synonym for **sobre** or **acerca de** (*about*).

   Fernando nos habló **de** Caracas.

4. To describe personal characteristics and clothing.

   Mónica es rubia **de** ojos azules.
   La chica **del** vestido verde es mi prima.

✦ The preposition **en** (*at, in, on, inside, over*) generally refers to something within an area of time or space. It is used in the following instances.

1. To indicate means of transportation.

   Fuimos a Lima **en** avión.

2. To refer to a definite place.

   El concierto es **en** el Teatro Nacional.

[1]Remember that if the direct object is not a specific person, the personal **a** is not used: **Buscamos una secretaria bilingüe.**

3. As a synonym of **sobre** (*on*).

   Las entradas para el concierto están **en** la mesa.

4. To refer to the way something is said.

   No lo dijiste **en** broma; lo dijiste **en** serio.

B. Usos especiales de algunas preposiciones

✦ Expressions with **a**

acostumbrarse a to get used to
Yo ya **me acostumbré a** vivir en Quito.

asistir a to attend
María Elena **asistió al** juego de vólibol.

atreverse a to dare
No me **atreví a** decirle que no podía ir.

ayudar a to help
Ella me va a **ayudar a** terminar el trabajo.

negarse a to refuse
Juan Carlos **se negó a** ir a bucear.

✦ Expressions with **con**

bastar con to be enough
Para comprar las bolsas de dormir no **basta con** $50 dólares.

casarse con to marry
Esmeralda se va a **casar con** José Armando.

comprometerse con to get engaged
Yo **me comprometí con** Álvaro.

contar con to count on
Nunca podía **contar con** él.

encontrarse con to meet (encounter)
Puedes **encontrarte con** nosotras en el restaurante.

soñar con to dream about
María Elena **soñaba con** volver a Guayaquil.

✦ Expressions with **de**

acabar de + *infinítivo* to have just done something
Acabo de enterarme de que el viernes hay un juego de fútbol.

acordarse de to remember
¿**Te acordaste de** llamar a Mónica?

alegrarse de to be glad
Ella **se alegró de** ir con nosotros.

darse cuenta de to realize
Yo no **me di cuenta de** que el entrenador estaba aquí.

enamorarse de to fall in love with
Aurora se **enamoró de** Daniel.

encargarse de to take charge of
¿Tú **te encargaste de** conseguir la tienda de campaña?

enterarse de to find out
Me enteré de que el juego de fútbol era el viernes.

olvidarse de to forget
Me olvidé de llamar a Ariel.

salir de to leave (*a place*)
María Elena **salió de** su casa a las seis.

tratar de to try
Voy a **tratar de** comprar una caña de pescar.

✦ Expressions with **en**

confiar en to trust
Nosotros **confiamos en** ti.

convenir en to agree
Convinimos en cenar juntos.

fijarse en to notice
¿**Te fijaste en** los jugadores? ¡Son guapísimos!

insistir en to insist on
Ellos **insistieron en** ir al hipódromo.

pensar en to think about
¿Estabas **pensando en** tus padres?

Un dicho

Mente sana
en cuerpo sano.[1]

[1]A healthy mind in a healthy body.

Actividad

Online Study Center

Expresiones. Complete los siguientes diálogos, usando el equivalente español de lo que aparece entre paréntesis. Después, represéntelos con un(a) compañero(a).

1. — ¿Cómo es la chica que te _______________ bailar? (*is teaching*)
   — Es morena, _______________ y es muy simpática. (*with green eyes*)
2. — ¿Me puedes _______________ las entradas para el concierto? (*help to get*)
   — Sí, cómo no. ¿Vas a _______________ o vas solo? (*take anybody*)
   — Voy con Verónica.
3. — ¿_______________, Anita? (*What are you thinking about*)
   — _______________ a Costa Rica. (*About my trip*)
   — ¿Cuándo te vas?
   — _______________ salir a fines de mes. (*I'm going to try*)
4. — ¿Tú puedes _______________ traer los bates y los guantes de pelota? (*take charge of*)
   — Sí, puedes _______________. (*count on me*)
5. — ¿Claudia _______________ Sergio? (*got engaged to*)
   — Sí, pero _______________ él. (*didn't marry*)
   — ¿_______________ otro? (*Did she fall in love with*)
   — Sí, pero después _______________ que era casado. (*found out*)
   — No... ¿me lo estás diciendo _______________? (*jokingly*)
   — No, al contrario, te lo digo _______________. (*seriously*)

Para conversar

 **Su vida.** En parejas, hablen de lo siguiente.

1. la hora en que Uds. salen de su casa por la mañana y la hora en que regresan
2. la hora en que llegan a la universidad
3. el lugar donde generalmente almuerzan
4. las personas a quienes invitan cuando dan fiestas
5. lo que quieren aprender a hacer
6. de lo que les gusta hablar con sus amigos
7. de las personas en quienes confían
8. de las cosas que no se atreven a hacer
9. de las cosas que se niegan a hacer
10. de cómo prefieren viajar

Preparativos para una excursión. En parejas, túrnense para leer el siguiente anuncio y después contesten las preguntas que aparecen a continuación.

1. ¿Qué ventaja tiene ir de compras a la tienda El Excursionista?
2. ¿Qué días debemos ir a comprar para tener esta ventaja?
3. Mis amigas y yo vamos a ir a acampar la semana próxima. ¿Qué artículos podemos comprar en la tienda?
4. Tengo un amigo que practica el alpinismo y le quiero comprar un regalo. ¿Qué me sugieres?
5. Voy a ir de pesca con mi hermano. ¿Qué podemos conseguir en la tienda a mitad de precio?

Conversaciones

Para pasarlo bien. En parejas, hablen de lo siguiente.

1. Sus deportes favoritos. En cuáles les gusta participar y en cuáles les gusta ser espectadores. ¿Por qué? Las cosas que tienen para practicar deportes y las que necesitan comprar. Los programas deportivos que miran en la televisión. ¿Cuándo?
2. Las actividades al aire libre que prefieren y por qué. La frecuencia con que participan en estas actividades. Los lugares que, según Uds., son los más apropiados para estas actividades.
3. La forma como Uds. se divierten en la ciudad. Si prefieren ir al cine, al teatro o a un concierto. El tipo de música que les gusta escuchar. Otros tipos de actividades que les interesan.
4. Sus pasatiempos favoritos. A qué juegan y con quiénes. Lo que quieren aprender a jugar.

Quiero saber... En parejas, túrnense para hacerse las siguientes preguntas.

1. ¿Qué deportes practicabas cuando estabas en la escuela secundaria? ¿Cuáles te gustaban más? ¿Tu equipo ganó un campeonato alguna vez? Cuando eras chico(a), ¿soñabas con ser un(a) jugador(a) de las Grandes Ligas?
2. ¿Ahora prefieres el alpinismo, la natación, la gimnasia o el ciclismo? De los deportes acuáticos, ¿cuál prefieres?
3. Cuando juega tu equipo favorito, ¿prefieres ir al estadio o ver el partido en la tele? ¿Por qué? ¿Cuál crees tú que es el deporte más popular de este país? ¿Cuál crees que es el más peligroso (*dangerous*)? ¿Te atreves a practicarlo?

4. Cuando vas a la playa, ¿prefieres nadar o tomar el sol en la arena? ¿Qué cosas crees que son imprescindibles para estar en la playa? Para navegar, ¿prefieres un velero o un yate? Si te ofrecen un trabajo de salvavidas, ¿lo aceptas?
5. En una tarde lluviosa, ¿prefieres jugar a los naipes, al ajedrez o a las damas chinas? ¿Te gusta jugar al dominó o prefieres un juego de dardos?
6. ¿Cuál fue la mejor película que viste el mes pasado? ¿Y la peor? ¿Viste alguna obra teatral? ¿Cuándo fue la última vez que fuiste a un club nocturno? ¿Lo pasaste bien? ¿Te gusta ir a las discotecas? ¿Por qué sí o por qué no?
7. ¿Te gustan las carreras de caballo? ¿Fuiste a un hipódromo alguna vez? ¿Apostaste (*did you bet*) a un caballo alguna vez? ¿Ganaste o perdiste?
8. ¿Dónde te encuentras con tus amigos los fines de semana? Si tú y tus amigos dan una fiesta, ¿de qué te encargas tú?

Una encuesta

Entreviste a sus compañeros de clase para identificar a aquellas personas que…

1. comenzaron a practicar deportes en la escuela secundaria. ______
2. practicaban gimnasia cuando eran niños. ______
3. fueron a acampar el verano pasado. ______
4. jugaron al fútbol la semana pasada. ______
5. quieren aprender a esquiar. ______
6. saben bucear. ______
7. van a cazar frecuentemente. ______
8. no se atreven a escalar montañas. ______
9. se niegan a ir a ver una pelea de boxeo. ______
10. van al teatro frecuentemente. ______

Para escribir

Un fin de semana. Imagínese que Ud. acaba de pasar un fin de semana muy divertido con un par de amigos. Ahora Ud. le está escribiendo un mensaje electrónico a su hermano, que no pudo ir con Uds., contándole lo que se perdió (*what he missed*).

Para describir. Indique qué tiempo hacía el día que salieron, qué hora era, si había o no mucha gente en los lugares que visitaron, qué hora era cuando volvieron y cómo se sentían.

Para contar lo que pasó. Haga una lista de todas las cosas que hicieron y luego póngalas en orden cronológico.

Primer borrador. Ahora escriba el mensaje teniendo en cuenta los usos del pretérito y del imperfecto. Léalo cuidadosamente para asegurarse de que la estructura está correcta.

Después de escribir. Ud. y un(a) compañero(a) intercambien lo escrito y edítenlo. Luego, escriba la versión final.

Lecturas periodísticas

Esquiar en la inmensidad de los Andes

POR MANENA FABRES (ADAPTADO)

Casi en la cima[1], inmensos murallones[2] de nieve a ambos costados del camino dan la bienvenida. A 2.890 metros de altura, majestuosa, sorprende la cordillera de los Andes. En este lugar está situado el centro de esquí Portillo, el más tradicional de Chile y, hasta hace pocos años, el único complejo[3] internacional del continente. Su ubicación incomparable junto a la laguna[4] del Inca, sus excelentes canchas[5] y gran parte de la temporada con sol, atraen a los mejores esquiadores del mundo y a cientos de aficionados que también buscan un lugar entretenido y acogedor[6]. Porque en Portillo se puede combinar el deporte, la vida social y la belleza escénica de un modo simple, familiar, con todas las comodidades y, además, con la temporada asegurada, ya que es el único centro de Sudamérica que puede fabricar[7] nieve en sus canchas.

La vista desde la laguna es espectacular. A uno y otro lado, los deportistas suben y bajan las montañas. El primer alto del día coincide con el aperitivo. La terraza del hotel es el punto de encuentro para descansar y disfrutar de la espléndida vista. Luego un buen almuerzo o una parrillada[8] en Tío Bob's, en la cumbre[9] del Plateau. A este restaurante sólo se puede llegar en esquíes o en helicóptero. Cada esquiador escoge sus pistas[10] favoritas. Por la mañana, Juncalillo, larga y silenciosa, lo hace sentirse dueño de la inmensidad de los Andes; la Roca Jack, para quienes buscan el verdadero desafío[11], es un salto al abismo... ya que es una de las canchas con más pendiente del mundo. Y el Plateau, a toda hora, es la más concurrida[12]. Pero el deporte no sólo es nieve: se extiende a la espléndida piscina del hotel, a las multicanchas o a los ejercicios en la recién[13] inaugurada sala de acondicionamiento físico. Y como complemento está el sauna.

Los niños también son muy bien recibidos en Portillo. Actividades en las "escuelas de esquí" durante el día, y caminatas con antorchas en la tarde, son la fascinación. Películas, juegos y una animada guardería infantil, les aseguran el entretenimiento, especialmente en los días que nieva.

Por la tarde comienza nuevamente el ajetreo[14] en el hotel. El bar es lo más concurrido y, luego, en el restaurante, los huéspedes[15] disfrutan de un delicioso surtido[16] de mariscos[17] y exquisitos panqueques.

Esta variada rutina se repite al estilo relajado y familiar que buscan los que van a Portillo. Por algo el 80 por cierto de los turistas vuelve a este lugar año tras año. Desde lo alto, una vuelta[18] en helicóptero permite grabar para siempre en la retina esta inolvidable experiencia en la cima de los Andes.

De la revista *Ladeco AMÉRICA* (Chile)

[1]top [2]walls [3]resort [4]lake [5]ski slopes [6]inviting [7]make [8]barbecued steak and sausage [9]summit [10]trails [11]challenge [12]*la...* the busiest [13]recently [14]busy/hectic time [15]guests [16]selection [17]seafood [18]ride

La Red Vaya a *college.hmco.com/pic/entrenosostros2e* y de ahí a la página de ***Entre nosotros*, 2e** para conocer otros lugares turísticos en Suramérica.

Sobre el artículo. Conteste las siguientes preguntas, basándose en la información que aparece en la lectura periodística.

1. ¿Dónde está situado el centro de esquí Portillo?
2. ¿Junto a qué laguna está ubicado?
3. ¿Quiénes visitan este centro?
4. ¿Qué puede fabricar el centro Portillo en sus canchas?
5. ¿Qué pueden hacer los esquiadores en la terraza del hotel?
6. ¿Cómo se puede llegar al restaurante Tío Bob's?
7. ¿Dónde pueden aprender a esquiar los niños?
8. ¿Qué por ciento de los turistas vuelve a Portillo cada año?

Ahora. . . En grupos de tres o cuatro, imaginen que Uds. van a pasar un par de días en Portillo. Planeen todas las actividades que van a tener desde la mañana hasta la noche. ¿Están todos de acuerdo? Den las razones generales por las que acordaron este plan de actividades.

Hotel Portillo, Chile

Cruzando fronteras

Online Study Center

Conocemos nuevos países

Elba, Luis y Amelia nos invitan a conocer algo de sus respectivos países: Perú, Ecuador y Venezuela, la tierra de Simón Bolívar. También quieren darnos a conocer el país que los tres consideran su segunda patria: Colombia.

Perú

Perú es una tierra° de contrastes: junto° a las altas montañas y a las espesas° junglas se encuentran áridos desiertos. Es el tercer país más grande de Suramérica; su territorio es casi tan extenso como el de Alaska. La capital de Perú es Lima, que es la ciudad más grande del país, y su centro urbano más importante. Allí se encuentra la Universidad Nacional de San Marcos, la más antigua de América del Sur.

Además del español, en el país se hablan quechua, aymará y otras lenguas indígenas.

En la cordillera° de los Andes, que atraviesa° Perú, vivían ya civilizaciones muy avanzadas antes de la llegada de los españoles. En muchos museos del mundo se exhiben textiles, objetos de alfarería° y otros artefactos de estas culturas precolombinas.

Dos grandes atracciones turísticas de Perú son Cuzco, capital del imperio inca, y las ruinas de Machu Picchu, descubiertas en 1911. En realidad, la civilización inca todavía marca, en cierto grado, la cultura peruana actual.

Las riquezas naturales de Perú incluyen el cobre°, la plata°, el oro, el petróleo, la industria maderera° y la industria pesquera°, que es una de las más importantes del mundo, aunque en las últimas décadas se ha visto muy afectada por "el Niño".

land / next / dense / mountain range / goes through / pottery / copper / silver / timber / fishing

Ecuador

Ecuador, un país un poco más pequeño que el estado de Nevada, está dividido en cuatro regiones geográficas: la costa, donde se encuentra la mayor riqueza agrícola del país; la sierra, con altas montañas cubiertas de nieve; el oriente, donde están los bosques tropicales°; y las islas Galápagos que están a unas 600 millas de las costas del Ecuador continental. Estas islas deben° su nombre a las enormes tortugas que allí viven, y están consideradas, por su fauna y flora —únicas en el mundo— como un centro ecológico de primer orden°. Charles Darwin hizo la mayor parte de sus estudios sobre la evolución de las especies en estas islas. En total, en el país hay más de 20.000 especies de plantas y unas 1.500 de pájaros, mientras que en toda América del Norte, las especies de plantas son unas 17.000, y las de pájaros unas 8.000.

bosques... rain forests
owe
de... first class

A pesar de encontrarse justamente en el ecuador, el clima del país varía con la altura de cada región. En la costa el clima es caliente y húmedo, pero en la sierra la temperatura varía de los 45 a los 70°F. Como en otros países cuyo territorio formó parte del imperio inca, en Ecuador se habla, además del español, el quechua, lengua original de los incas. La influencia de esta cultura se nota además en las costumbres y tradiciones populares, y especialmente en las prácticas religiosas. En realidad, los indígenas del este del país practican todavía sus antiguas religiones.

Quito, la capital del país, es una de las ciudades más antiguas del hemisferio occidental. Está situada a más de una milla sobre el nivel del mar°, y casi directamente en la línea del ecuador. La ciudad más grande y más activa del país es Guayaquil, conocida como la "Perla del Pacífico".

nivel... sea level

Colombia

La única nación nombrada en honor de Cristóbal Colón es el cuarto país suramericano en tamaño°, el único que tiene costas en el Pacífico y en el mar Caribe. Su superficie es algo mayor que las de California y Texas juntas.

size

La herencia cultural de la colonia española se nota más en Colombia que en cualquier otro país de América. Algunos afirman que en Colombia se habla el español más castizo° de toda América. Colombia es la patria de Andrés Bello, autor de una de las principales gramáticas de la lengua española. Colombia es también la patria de Gabriel García Márquez, premio Nobel de Literatura, y del famoso escultor y pintor Fernando Botero. Bogotá, la capital, es conocida como la "Atenas de América" debido a sus muchas instituciones culturales.

pure, genuine

La música de Colombia incluye ritmos autóctonos populares como *la cumbia* y *el ballenato*, pero otros ritmos latinoamericanos, como *la salsa* y *el merengue*, gozan también de° gran popularidad en el país.

gozan... also enjoy

Como en la mayoría de los países latinoamericanos, el deporte favorito es el fútbol, pero también son populares las corridas de toros°.

corridas... bullfights

La agricultura tiene un papel° muy importante en la economía colombiana. Entre° los principales productos agrícolas de exportación están el café, las flores y las bananas. El café colombiano es uno de los mejores del mundo.

role / Among

Colombia exporta también petróleo, gas natural, textiles y metales, como oro, plata y cobre. Más del 90 por ciento de las esmeraldas del mundo provienen° de las minas de este país.

come

Venezuela

El nombre de este país significa "pequeña Venecia", y fue llamado así porque a los conquistadores españoles, las construcciones indígenas, casas sobre pilotes°, que existían a orillas° del lago Maracaibo les recordaban las de Venecia. Venezuela es un país tropical, situado al norte de Suramérica. Su territorio, tan grande como los de Texas y Utah juntos, está dividido en cuatro regiones geográficas: el oeste, dominado por la cordillera de los Andes; la zona norteña, donde se encuentran las ciudades más grandes; el este, que es una gran llanura°; y el sur, con altas mesetas° y selvas. En esta última región se encuentran las cataratas del Ángel, que son las más altas del mundo (3.212 pies), y la mayor atracción turística del país. El territorio venezolano también incluye unas 70 islas, de las cuales la mayor es la Isla de Margarita, famoso centro de veraneo.

stakes / shores

plain / plateaus

El principal producto de exportación de Venezuela es el petróleo, que representa el 70 por ciento de todos los ingresos° del país. Estos ingresos le han permitido a Venezuela desarrollar° una moderna infraestructura, en la que sobresale° su magnífica red de autopistas y carreteras.

revenues

develop / stands out

Su capital, Caracas, es una ciudad de contrastes, donde se mezclan lo ultramoderno con lo antiguo y el lujo° con la pobreza°.

luxury / poverty

Venezuela tiene el orgullo de ser la patria de Simón Bolívar, el Libertador de cinco países de Suramérica.

¿Cuánto hemos aprendido?

¿Cierto o no? Con otro(a) estudiante, túrnense para indicar si la información que sigue es correcta (C) o incorrecta (I).

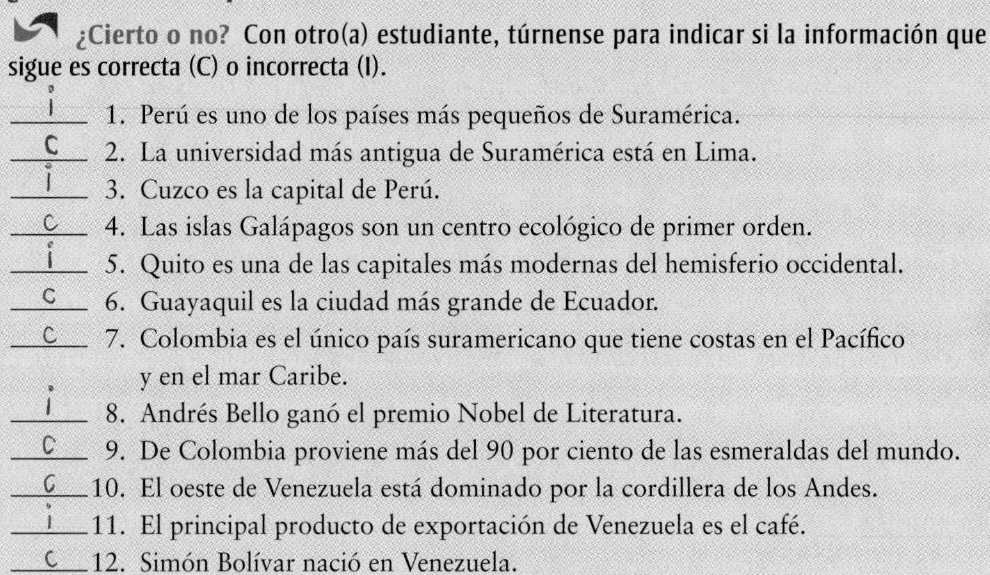

__i__ 1. Perú es uno de los países más pequeños de Suramérica.
__C__ 2. La universidad más antigua de Suramérica está en Lima.
__i__ 3. Cuzco es la capital de Perú.
__C__ 4. Las islas Galápagos son un centro ecológico de primer orden.
__i__ 5. Quito es una de las capitales más modernas del hemisferio occidental.
__C__ 6. Guayaquil es la ciudad más grande de Ecuador.
__C__ 7. Colombia es el único país suramericano que tiene costas en el Pacífico y en el mar Caribe.
__i__ 8. Andrés Bello ganó el premio Nobel de Literatura.
__C__ 9. De Colombia proviene más del 90 por ciento de las esmeraldas del mundo.
__C__ 10. El oeste de Venezuela está dominado por la cordillera de los Andes.
__i__ 11. El principal producto de exportación de Venezuela es el café.
__C__ 12. Simón Bolívar nació en Venezuela.

Preguntas y respuestas. La clase se dividirá en cuatro grupos. Cada grupo preparará unas cinco preguntas sobre uno de los países visitados para hacérselas al resto de la clase.

Comentarios. En parejas, hablen sobre lo siguiente.

1. los lugares de cada país que les interesa conocer, y por qué
2. las semejanzas (*similarities*) entre los Estados Unidos y cada uno de estos países
3. las tres cosas que más les llaman la atención
4. tres cosas que Uds. ya sabían
5. las cosas que creen Uds. que los Estados Unidos importan de estos países

¿Adónde vamos. . . ? Ahora decidan a cuál de los países les gustaría viajar y expliquen por qué.

Ventana al mundo literario

Ricardo Palma
Perú
1833–1919

Ricardo Palma nació en Lima y comenzó su carrera literaria escribiendo obras de teatro y poesía, pero es conocido principalmente por sus "tradiciones". Este género, creado e introducido por Palma en plena época del romanticismo[1], no tiene equivalente exacto en la literatura europea.

Aunque es difícil clasificar y definir las "tradiciones", se puede decir que, en general, están dentro de la línea del costumbrismo[2]. Son relatos más o menos breves en los que se mezcla lo real con lo imaginario y en los cuales encontramos humorismo y un poco de ironía.

Preparación. En esta tradición, el personaje principal es un joven que continuamente está haciendo apuestas que siempre gana, pero en la narración surge la duda sobre su suerte como ganador. Como hemos visto en su biografía, Palma utiliza la ironía con gran frecuencia. Tenga en cuenta estos dos elementos al hacer su lectura y trate de predecir lo que va a pasar.

La pantorrilla del comandante *(Selección adaptada)*

I. Fragmento de carta de Juan Echerry a su amigo Domingo Echizarraga

Cuzco, 3 de diciembre de 1822

Mi querido amigo:

Aprovecho para escribirte la oportunidad de ir el capitán don Pedro Uriondo con cartas del virrey° para el general Valdés.

Uriondo es un español simpatiquísimo y te lo recomiendo mucho. Tiene la manía de proponer apuestas° sobre todo, y lo extraño° es que siempre las gana. Te ruego, hermano, que no le aceptes ninguna apuesta y que les digas lo mismo° a tus amigos. Uriondo afirma que nunca pierde ninguna apuesta, y dice la verdad. Debes abrir los ojos y tener mucho cuidado°...

Saludos,
Juan Echerry

virrey° viceroy
apuestas° bets / *lo...* the strange thing
lo... the same thing
tener... be very careful

II. Carta de Domingo Echizarraga a su amigo Juan Echerry

28 de diciembre de 1822

Mi estimado camarada°:

Gracias por la amistad del capitán Uriondo. Es un muchacho que vale mucho y ya es el favorito de la oficialidad. ¡Y cómo toca la guitarra!

Mañana sale de regreso para Cuzco con cartas del general para el virrey.

En cuanto a sus laureles° como ganador de apuestas... van marchitos°. Dijo esta mañana que mi cojera° sierna se debía a un lunar° que, según él, tenía yo en la pierna izquierda. Yo que conozco mi cuerpo y sé que no tengo lunares, me empecé a reir°. Uriondo apostó seis onzas° a que me convencía de la existencia del lunar. Aceptarle era robarle el dinero, y dije que no; pero insistiendo él en su afirmación, intervinieron varios oficiales, diciéndome todos:

comrade
laurels / *van...* they have faded / limp
mole / *me...* began to laugh / gold coins

[1]Romanticismo: Movimiento literario de la primera mitad del siglo XIX, extremadamente individualista y que no seguía las reglas establecidas por los escritores clásicos
[2]Costumbrismo: Tipo de literatura que pertenece al período romántico, en el cual se presentan costumbres y tipos propios de la región en que vive el autor

—¡Vamos, comandante, gánese ese dinero! ¡Me convencieron! Enseñé la pierna y todos vieron que en ella no había ningún lunar. Uriondo se puso rojo, confesó que se había equivocado° y me dio las seis onzas, que yo no quería aceptar pero que al fin tuve que guardar°.

Contra tu consejo tuve la debilidad° de aceptarle una apuesta a tu amigo, pero vencí al que tú considerabas invencible. Que Dios te guarde.°

Domingo Echizarraga

se... he had been wrong
keep
weakness
Que... May God keep you.

III. Carta de Juan Echerry a Domingo Echizarraga

Cuzco, 10 de enero de 1823

Compañero:

¡Me arruinaste!°

El capitán Uriondo había apostado conmigo treinta onzas a que te hacía enseñar la pantorrilla° el Día de los Inocentes[1].

Desde ayer, por tu culpa, hay treinta onzas menos en el bolsillo de tu amigo, que te perdona la desobediencia a mi consejo.

Juan Echerry

Me... You ruined me!
calf

Díganos. . . **Basándose en la información que aparece en la tradición, conteste las siguientes preguntas.**

1. ¿Para quién llevaba cartas Pedro Uriondo?
2. ¿Qué manía tiene el capitán Uriondo?
3. ¿Qué no debían hacer Domingo Echizarraga y sus amigos?
4. ¿Qué instrumento toca el capitán Uriondo?
5. ¿A qué dijo Uriondo que se debía la cojera de Echizarraga?
6. ¿A qué apostó Uriondo? ¿Cuánto apostó?
7. ¿Qué vieron todos cuando Echizarraga mostró la pierna?
8. Al final, ¿Uriondo ganó o perdió dinero? ¿Cuánto?

Desde su mundo. **En grupos de dos o tres hablen de las bromas (*practical jokes*) que Uds. les hacen a sus parientes y amigos, y de las que ellos les hacen a Uds. el primero de abril.**

Para escribir. **Escriba uno o dos párrafos sobre uno de los siguientes temas.**

1. Las apuestas que hacen algunas personas
2. Una broma memorable (real o imaginaria)

José Antonio Campos
Ecuador
1868–1939

El ecuatoriano José Antonio Campos, además de ser famoso como escritor, fue periodista y desempeñó el cargo de Ministro de Educación de su país. Campos, que escribía con el seudónimo de "El destripador°" fue llamado el Mark Twain de Ecuador. Sus escritos no son muy numerosos, son de tipo humorístico y en ellos presenta cuadros de la vida y costumbres° de su país. En "Los tres cuervos", su obra maestra°, hace una sátira de la tendencia a la exageración, defecto muy común en la mayoría de los seres humanos°.

El... Jack the Ripper *costumbres...* customs *obra...* masterpiece *seres...* human beings

[1]El Día de los Inocentes se celebra el 28 de diciembre y es similar a *April Fool's Day.*

Preparación. **En el siguiente cuento humorístico, el autor reflexiona sobre la comunicación de sucesos (*events*).**

1. La clase entera va a formar un círculo para hacer el siguiente experimento: el (la) profesor(a) va a comunicarle algo al oído al primer estudiante y éste(a) al (a la) próximo(a), y así sucesivamente. Después de recibir el secreto el (la) último(a) estudiante de la clase, comparen entre todos la información que cada cual recibió.
2. ¿Qué nos dice el experimento sobre la comunicación de los mensajes? ¿Permanecen éstos sin cambiar? Por ejemplo: ¿se exageró la información original del experimento?

Los tres cuervos° *(Adaptado)*

crows

—¡Mi general! Es mi deber° comunicarle que ocurren cosas muy particulares en el campamento.

duty

—Diga usted, coronel.

—Uno de nuestros soldados° se sintió un poco enfermo y, más tarde, experimentó un terrible dolor en el estómago y vomitó tres cuervos vivos°.

soldiers / live

—¿Vomitó qué?

—Tres cuervos, mi general. ¿No es éste un caso muy particular?

—¡Ya lo creo!°

¡Ya… ! I'll say

—¿Y qué opina usted de ello?

—No sé, pero voy a comunicarlo en seguida al Ministerio. ¿Usted los vio?

—No, mi general; pero son tres cuervos.

—¡No lo entiendo! ¿Quién le informó a usted?

—El comandante° Epaminondas.

Major

—Que venga en seguida, mientras yo transmito la noticia°.

news

***

—¡Comandante Epaminondas! ¿Qué historia es aquélla de los tres cuervos que vomitó uno de nuestros soldados enfermos?

—Yo sé de dos, nada más, mi general; pero no de tres.

—Bueno, dos o tres, no importa°. Lo importante es averiguar° si en realidad los cuervos son verdaderos.

no… it doesn't matter / to find out

—Pues sí, mi general. El soldado Pantaleón dejó una novia en su pueblo, que según dicen, es una muchacha morena muy bonita y muy simpática. ¡Qué ojos aquéllos, mi general!

—Sea usted breve y omita todo detalle inútil. ¿Qué pasó con los cuervos?

—Pues bien, el muchacho estaba triste por la ausencia de su novia, y no quería comer nada, hasta que cayó enfermo del estómago y... ¡puf!... dos cuervos.

—¿Usted los vio?

—No, mi general; sólo oí hablar de ellos.

—¿Y quién le dio a usted la noticia?

—El capitán Aristófanes.

—Dígale usted que venga inmediatamente.

***

—¡Capitán Aristófanes! ¿Cuántos cuervos vomitó el soldado Pantaleón?

—Uno, mi general.

—¿No eran dos?

—No, mi general, no es más que uno, afortunadamente; pero me parece que basta uno para considerar el caso como un fenómeno extraordinario...

—Pienso lo mismo, capitán.

—Un cuervo, mi general, nada tiene de particular, si lo consideramos desde el punto de vista° zoológico.

punto… point of *view!*

Vamos… Let's get to the point!

—¡No estamos en una clase de Historia Natural! ¡Vamos al grano!° ¿Qué pasó con el cuervo que vomitó el soldado Pantaleón? ¿Usted lo vio?

witness

—No, mi general; pero lo supe por el teniente Pitágoras que fue testigo° de lo que pasó.

—Está bien. Quiero ver en seguida al teniente Pitágoras.

***

—¡Teniente Pitágoras! ¿Qué sabe usted del cuervo?

—El caso es raro en verdad; pero ha sido muy exagerado.

¿Cómo… ? How is that?

—¿Cómo así?°

wing

pasó… spread the word

—Porque no es un cuervo entero sino parte de un cuervo, nada más. Lo que vomitó el enfermo fue un ala° de cuervo. Yo corrí a informar a mi capitán Aristófanes; pero él no oyó la palabra *ala* y creyó que era un cuervo entero, y llevó el dato a mi comandante Epaminondas, quien entendió que eran dos cuervos y pasó la voz° al coronel Anaximandro, quien creyó que eran tres.

—Pero... ¿y esa ala?

—Yo no la vi, sino el sargento Esopo. A él se debe la noticia.

—¡Ah, diablos! ¡Que venga ahora mismo el sargento Esopo!

***

—¡Sargento Esopo! ¿Qué tiene el soldado Pantaleón?

—Está enfermo, mi general. Está vomitando desde anoche.

—¿A qué hora vomitó el ala del cuervo?

—No vomitó ningún ala, mi general.

—Entonces, ¿por qué dijiste que el soldado Pantaleón había vomitado un ala de cuervo?

—Con perdón, mi general, yo desde chico sé un versito que dice:

Yo tengo una muchachita
Que tiene los ojos negros
Y negra la cabellera°
Como las alas del cuervo.

hair

fool

—¡Basta, majadero°!

—Bueno, mi general, lo que pasó fue que cuando vi a mi compañero que estaba vomitando una cosa oscura, me acordé del versito y dije que había vomitado negro *como el ala del cuervo,* y de ahí corrió la historia.

—¡Diablos! ¡Yo creo que puse cinco o seis cuervos en mi información!

Díganos. . .

1. ¿Qué le pasó a uno de los soldados del campamento, según el coronel?
2. ¿Qué va a hacer el general?
3. Según el comandante Epaminondas, ¿cuántos cuervos vomitó el soldado?
4. ¿A quién dejó el soldado Pantaleón en su pueblo? ¿Cómo es ella?
5. ¿Cómo se sentía el muchacho?
6. ¿Qué dice el capitán Aristófanes de los cuervos?
7. Según el teniente Pitágoras, ¿qué fue lo que en realidad vomitó el soldado?
8. ¿Qué fue lo que en realidad sucedió, según el sargento Esopo?

Desde su mundo. **Se dice que los hispanos tienen tendencia a exagerar. ¿Y los norteamericanos? En parejas, hablen sobre las situaciones en las que Uds. dicen cosas como *Te he dicho un millón de veces…, No tengo un centavo…, Hace horas que…* ¿Qué otras frases usan para exagerar?**

Para escribir. **Escriba uno o dos párrafos sobre uno de los siguientes temas.**

1. Cómo exageramos a veces
2. ¿Qué problemas puede traer una mala comunicación?

José Asunción Silva

Colombia

1865–1896

Silva es un poeta de gran vida interior cuya poesía tiene casi siempre un tono subjetivo y pesimista. En muchos de sus poemas se vuelve hacia su juventud y a otras épocas en que fue feliz. En otros, hace sátira social con un estilo irónico, amargo° y a la vez elegante. Otros temas de sus versos son su propia angustia existencial y el amor como pasión. Dejó un solo libro de versos: Poesía *(1886).*

En su obra se ve la influencia de autores franceses, españoles y, especialmente, del escritor norteamericano Edgar Allan Poe. En 1896, después de vivir una existencia llena de infortunios°, se suicidó a los treinta y un años de edad.

bitter misfortunes

Preparación. En el primer verso el autor nos dice lo que sentían los personajes. Teniendo en cuenta el significado de los verbos que usa el poeta, ¿cree Ud. que el poema va a tener un tono serio o irónico?

Idilio

Ella lo idolatraba°, y él la adoraba.
—¿Se casaron al fin?
—No, señor. Ella se casó con otro.
—Y ¿murió de sufrir?
—No, señor. De un aborto°.
—Y el pobre aquel infeliz,
¿le puso a la vida fin?
—No, señor. Se casó seis meses antes
del matrimonio de ella, y es feliz.

lo... she worshipped him

miscarriage

Díganos. . .

1. ¿Se querían mucho ella y él?
2. ¿Qué hizo ella?
3. ¿De qué murió?
4. ¿Qué hizo él? ¿Cómo se siente ahora?

Desde su mundo. En parejas, hablen de las personas que, en algún momento, fueron muy importantes en su vida, pero que ahora ya no son parte de ella.

Para escribir. Escriba uno o dos párrafos sobre uno de los siguientes temas.

1. Mi primer amor
2. ¿Se puede amar más de una vez?

Rufino Blanco-Fombona

Venezuela

1874–1944

Rufino Blanco-Fombona fue uno de los escritores venezolanos más importantes de su generación. En sus escritos combatió la corrupción política y fue un gran observador de la sociedad de su país. Desde muy joven luchó contra los enemigos de la democracia y de la justicia. Ocupó importantes cargos° políticos y diplomáticos y, en España, fundó la Editorial América, que contribuyó a difundir la obra° de los escritores hispanoamericanos.

Escribió poesías, crónicas, novelas, cuentos y ensayos de diversos tipos: políticos, sociológicos, críticos, culturales e históricos. Su mejor ensayo se titula "El conquistador español del Siglo XVI". Sus memorias, publicadas en 1933 con el título de Camino de imperfección, *figuran entre sus obras más importantes.*

positions work

Preparación. En el fragmento que Ud. va a leer, el autor describe la necrología (*obituary*) que él quiere inspirar. A través de la lectura conocemos su personalidad, sus gustos y lo que para él era importante. Imagine que Ud. está escribiendo su propia necrología. Haga una lista de sus virtudes y de sus defectos, así como de las cosas que admira y de las cosas que detesta.

Camino de imperfección: Diario de mi vida (Fragmento adaptado)

1906, Caracas

2 de abril. Quisiera, al morir, poder inspirar una pequeña necrología por el estilo de la siguiente:

Este hombre, como amado de los dioses, murió joven. Supo querer y odiar con todo su corazón. Amó campos, ríos, fuentes; amó el buen vino, el mármol°, el acero°, el oro; amó las mujeres y los bellos versos. Despreció° a los timoratos°, a los presuntuosos y a los mediocres. Odió a los pérfidos°, a los hipócritas, a los calumniadores y a los serviles. Se contentó con jamás leer a los fabricantes de literatura tonta.° En medio de su injusticia, era justo. Prodigó aplausos a quien creyó que los merecía°; admiraba a los que reconoció por superiores a él, y tuvo en estima a sus pares°. No atacó sino a los fuertes. Tuvo ideales y luchó y se sacrificó por ellos. Llevó el desinterés hasta el ridículo. Sólo una cosa nunca dio: consejos°. Ni en sus horas más tristes le faltaron de cerca o de lejos la voz amiga y el corazón de alguna mujer. No se sabe si fue moral o inmoral o amoral. Pero él se tuvo por moralista, a su modo. Puso la verdad y la belleza° —su belleza y su verdad— por encima de todo°. Gozó y sufrió mucho espiritual y físicamente. Pensaba que la inteligencia y la tolerancia debían gobernar los pueblos; y que debía ejercerse un máximum de justicia social, sin privilegio de clases ni de personas. En cuanto al° arte, creyó siempre que se podía y se debía ser original, sin olvidarse del "*nihil novum sub sole*[1]". Su vivir fue ilógico. Su pensar fue contradictorio. Lo único perenne° que tuvo parece ser la sinceridad en la emoción y en el juicio. Jamás la mentira mancilló° ni sus labios ni su pluma. No le temió nunca a la verdad ni a sus consecuencias. Por eso afrontó puñales° homicidas; por eso sufrió cárceles largas y larguísimos destierros°. Predicó° la libertad con el ejemplo: fue libre. Era un alma° del siglo XVI y un hombre del siglo XX. Descanse en paz, por la primera vez. La tierra, que amó, le sea propicia.

marble / steel
He scorned / fearful / evil
stupid
deserved
peers
advice
beauty
por... above all
En... As for
constant / stained
daggers
exiles / He preached
soul

[1] Expresión en latín que quiere decir: *No hay nada nuevo bajo el sol.*

Díganos. . .

1. ¿A qué edad murió el autor?
2. ¿Qué defectos le parecieron los peores?
3. ¿A quiénes admiraba y a quiénes atacó?
4. ¿Qué es lo que nunca dio?
5. ¿Qué puso por encima de todo?
6. Según el autor, ¿cómo se debía gobernar?
7. ¿Qué pensaba sobre el arte?
8. ¿Cómo fueron su vivir y su pensar?
9. ¿Por qué sufrió cárceles y destierros?
10. ¿Cómo se describe a sí mismo al final del ensayo?

Desde su mundo. En grupos de tres o cuatro, hablen de las cualidades que Uds. creen que deben poseer las personas que gobiernan un país.

Para escribir. Escriba uno o dos párrafos sobre uno de los siguientes temas.

1. Cómo quiero ser recordado(a)
2. ¿Qué cosas serán siempre importantes en mi vida?

LECCIÓN 3

Miles de cubanos han abandonado su país después de la Revolución de Fidel Castro.

De viaje

Objetivos

Estructura: El participio pasado ✦ El pretérito perfecto y el pluscuamperfecto ✦ El futuro y el condicional ✦ El futuro y el condicional para expresar probabilidad o conjetura

Temas para la comunicación: Viajes ✦ En el avión ✦ En el hotel ✦ Excursiones

Lecturas periodísticas: El encanto de Guadalajara

Cruzando fronteras: Cuba ✦ República Dominicana ✦ Puerto Rico ✦ Panamá

Ventana al mundo literario: José Martí ✦ Manuel del Cabral ✦ María Teresa Babín ✦ Bertalicia Peralta

En la agencia de viajes

la clase turista *tourist class*
la excursión *excursion, tour*
el folleto *brochure*
el pasaje, el billete *ticket*
—de ida *one-way ticket*
—de ida y vuelta *round-trip ticket*
la primera clase *first class*
el vuelo *flight*
—directo (sin escalas) *direct (nonstop) flight*

Para describir acciones

aterrizar *to land*
cancelar *to cancel*
confirmar *to confirm*
despegar *to take off (a plane)*
fumar *to smoke*
hospedarse *to stay (e.g., at a hotel)*
registrarse *to check in (e.g., at a hotel)*
reservar *to reserve*

Para hablar del tema: Vocabulario

El alojamiento (*Lodging*)

el botones *bellhop*
la caja de seguridad *safe, safe deposit box*
el cuarto libre *vacant room*
la estrella *star*
el (la) gerente *manager*
la habitación doble *double room*
la habitación sencilla *single room*
la lista de espera *waiting list*
el servicio de habitación (de cuarto) *room service*
el vestíbulo, la recepción *lobby*
la zona de estacionamiento *parking lot*

En el extranjero (*Abroad*)

el consulado *consulate*
la embajada *embassy*
en tránsito *in transit*
el pasaporte *passport*
la tarjeta de turista *tourist card*
la visa *visa*

Expresiones útiles

abordar el avión *to board the plane*
abrocharse el cinturón de seguridad *to fasten the seatbelt*
con vista al mar *with an ocean view*
dar una propina *to give a tip*
desocupar el cuarto *to vacate the room*
facturar el equipaje *to check the luggage*
hacer escala *to make a stopover*
pagar derechos de aduana *to pay customs duty*
pagar por adelantado *to pay in advance*
pesar las maletas *to weigh the suitcases*
ponerse en la cola *to stand in line*
tener retraso (atraso) *to be behind schedule*

En el avión

el (la) auxiliar (asistente) de vuelo, la azafata *flight attendant*
el chaleco salvavidas *life jacket*
el compartimiento de equipaje *luggage compartment*
la fila *row*
la máscara de oxígeno *oxygen mask*
la mesita *tray table*
el piloto *pilot*
la salida de emergencia *emergency exit*

La excursión

el castillo *castle*
la catedral *cathedral*
el (la) guía *tour guide*
los lugares históricos *historic sites*
el monumento *monument*

En el aeropuerto

la aduana *customs*
el exceso de equipaje *excess luggage*
la llegada *arrival*
la tarjeta de embarque (embarco) *boarding pass*

Para practicar el vocabulario

El equivalente. **Dé el equivalente de lo que sigue a continuación.**

1. pasaje
2. sin escalas
3. azafata
4. vestíbulo
5. opuesto de *salida*
6. opuesto de *aterrizar*
7. opuesto de *cancelar*
8. subir al avión
9. servicio de habitación
10. lugar donde se estacionan los coches
11. documento que se necesita para viajar al extranjero
12. maletas y bolsos de mano
13. en un avión, lugar donde se pone el equipaje
14. quedarse (en un hotel)
15. retraso

Minidiálogos. **Complete los siguientes minidiálogos.**

1. — ¿Tú viajas en ________ clase?
   — No, en clase ________.
   — ¿Vas a comprar un __________ de ida?
   — No, de ida y __________.
2. — ¿Quiere un __________ de ventanilla?
   — No, de __________.
3. — ¿Tienen _______________ libres?
   — Sí. ¿Quiere una habitación doble o _______________?
   — Doble. Mi nombre está en la lista de _______________. ¡Ah! Quiero una habitación con _______________ al mar.
4. — ¿Qué lugar _______________ vamos a visitar?
   — El ________ dice que nos va a llevar a ver el __________ a Lincoln.
5. — ¿Van a _______________ tus maletas?
   — Sí, y estoy seguro de que tengo que pagar exceso de _______________.
   — Bueno, vamos a ponernos en la _______________.
6. — ¿El avión va a despegar?
   — Sí, tenemos que _______________ el cinturón de seguridad.
   — ¿Dónde está sentada mamá?
   — Cerca de la _______________ de emergencia.

Palabras. **Indique la palabra o frase que no pertenece al grupo.**

1. visa	tarjeta de turista	castillo
2. gerente	chaleco salvavidas	máscara de oxígeno
3. iglesia	catedral	mostrador
4. mesita	guardia de seguridad	detector de metales
5. estrella	tarjeta de embarque	puerta de salida
6. piloto	aerolínea	aduana
7. reservar	fumar	registrarse
8. pagar	facturar el equipaje	dar una propina

Preguntas y respuestas. Busque en la columna B las respuestas a las preguntas de la columna A.

	A	B
______	1. ¿Quién lleva las maletas al cuarto?	a. No, a la embajada.
______	2. ¿Dónde dejaste el dinero?	b. Los sábados.
______	3. ¿Es un buen hotel?	c. No, están en tránsito.
______	4. ¿Fuiste al consulado?	d. No, yo no fumo.
______	5. ¿Van a quedarse aquí?	e. En la "F".
______	6. ¿Qué se describe en ese folleto?	f. El botones.
______	7. ¿Cuándo hay vuelos a La Habana?	g. Al mediodía.
______	8. ¿En qué fila están?	h. Sí, es de cuatro estrellas.
______	9. ¿Quieres un cigarrillo?	i. Una excursión a Panamá.
______	10. ¿A qué hora debo desocupar el cuarto?	j. En la caja de seguridad.

¡Hablemos. . .!

Preferencias. En parejas, hablen de sus preferencias al viajar en avión: tipo de billete, clase, tipo de vuelo, asiento y sección. Hablen también de la época del año en que tienen vacaciones y adónde van generalmente.

¿Un cuarto o dos? Ud. y un(a) compañero(a) se están preparando para hacer un viaje de negocios y tiene que darle instrucciones a su secretario(a) sobre los arreglos (*arrangements*) que debe hacer en cuanto al hotel. Uds. no tienen reservación. Díganle qué tipo de cuarto(s) desean y pídanle que obtenga información sobre los servicios que ofrece el hotel. Sean lo más específicos posible.

Un viaje al extranjero. En grupos de dos o tres, planeen un viaje a un país extranjero. ¿Qué arreglos necesitan hacer antes de salir del país? Hablen de los lugares turísticos que desean visitar.

Paso a paso. En grupos de dos o tres, hablen de lo que los pasajeros deben hacer desde que llegan al aeropuerto hasta el momento de abordar el avión. Sigan un orden lógico y traten de no omitir ningún paso.

Instrucciones. En parejas, hablen sobre las instrucciones que un(a) auxiliar de vuelo debe darles a los pasajeros en diferentes circunstancias.

1. para encontrar su asiento
2. en caso de emergencia
3. cuando el avión despega y aterriza
4. cuando van a servir la comida

En la agencia de viajes "La Habana"

Sofía, una chica panameña, Magali, de la República Dominicana, y Sandra, de origen cubano, son tres amigas que estudian en la Universidad Internacional de la Florida. En este momento están en una agencia de viajes cubana, hablando con uno de los agentes. Las chicas están muy entusiasmadas porque van a ir de vacaciones a Puerto Rico.

Magali —Queremos tres pasajes de ida y vuelta a San Juan, en clase turista. ¿Qué días hay vuelos?

Agente —Todos los días, señorita. ¿Están interesadas en algún tipo de excursión? Tenemos varias en las que están incluidos los hoteles.

Sofía —¿Cuánto cobran por ese tipo de excursión? Queremos estar allí cinco noches.

Agente —Ochocientos veinte dólares. Eso incluye los impuestos y la transportación del aeropuerto al hotel. Este precio está basado en viajes hechos entre semana.

Sandra —Bueno… tenemos que pensarlo. ¿La agencia está cerrada el domingo?

Agente —Sí, pero el sábado está abierta hasta las tres de la tarde. Aquí tienen unos folletos sobre Puerto Rico, que están escritos en español.

¿Cuánto recuerda? **Conteste lo siguiente con respecto al diálogo entre las tres amigas y el agente de viajes.**

1. ¿Qué están haciendo las chicas en la agencia?
2. ¿Qué planes tienen las muchachas?
3. ¿Pueden salir para San Juan cualquier día? ¿Por qué?
4. ¿Qué incluye el precio de varias excursiones?
5. ¿Cuánto tiempo piensan estar las chicas en Puerto Rico?
6. ¿Las chicas toman una decisión?
7. ¿Pueden volver a la agencia el domingo?
8. ¿Qué les da el agente a las chicas?

¿Verdadero o falso? **Prepare ocho afirmaciones sobre la conversación de las chicas con el agente de viajes. Vea si su compañero(a) puede indicar si son verdaderas o falsas.**

Estructura

El participio pasado

A. Formas

✦ The past participle is formed by adding the following endings to the stem of the verb.

-ar verbs	-er verbs	-ir verbs
confirm -ado	aprend -ido	recib -ido

✦ Verbs ending in **-er** have a written accent mark over the **-i** of the **-ido** ending when the stem ends in **-a, -e,** or **-o.**

caer: **caído** leer: **leído** roer: **roído**

✦ The past participles of verbs ending in **-uir** do not have a written accent mark.

huir: **huido** instruir: **instruido**

✦ The past participle of the verb **ir** is **ido.**

✦ The following verbs have irregular past participles.

abrir **abierto**
cubrir **cubierto**
descubrir **descubierto**
escribir **escrito**
romper **roto**
ver **visto**

volver **vuelto**
devolver **devuelto**
envolver **envuelto**
morir **muerto**
poner **puesto**

decir **dicho**
hacer **hecho**

Alguien dijo...
El amor está basado en el respeto.

B. El participio pasado usado como adjetivo

✦ In Spanish, most past participles may be used as adjectives. As such, they must agree in gender and number with the nouns they modify.

Los folletos están **escritos** en español. *The brochures are written in Spanish.*
Las ventanas están **rotas.** *The windows are broken.*

✦ A few verbs have two forms for the past participle. The regular form is used in forming compound tenses, and the irregular form is used as an adjective. The most common ones are:

Infinitive	Regular form	Irregular form
confundir	confundido	confuso
despertar	despertado	despierto
elegir	elegido	electo
prender (*to arrest*)	prendido	preso
soltar	soltado	suelto
sustituir	sustituido	sustituto

Las chicas ya están **despiertas.** Yo las **he despertado.**
The girls are already awake. I have awakened them.

Los perros están **sueltos.** Ella los **ha soltado.**
The dogs are loose. She has let them loose.

Online Study Center

Actividad

Preparativos. **Complete lo siguiente, usando el participio pasado de los verbos entre paréntesis.**

MODELO: Los folletos están __________ en inglés. (escribir)
Los folletos están **escritos** en inglés.

1. La agencia de viajes está __________ los domingos. (cerrar)
2. El precio del hotel está __________ en la excursión. (incluir)
3. Las reservaciones ya están __________. (hacer)
4. Los asientos están __________. (reservar)
5. La fecha del viaje está __________. (confirmar)
6. Los pasajes están __________. (pagar)
7. El banco no está __________ hoy. (abrir)
8. Tenemos que salir para el aeropuerto y las chicas todavía no están __________. (despertar)
9. Tengo miedo, porque los perros están __________. (soltar)
10. El informe no está claro; está muy __________. (confundir)
11. El presidente __________ habló sobre el seguro social. (elegir)
12. La profesora __________ dio una buena clase. (sustituir)

Para conversar

 **Dime una cosa. . .** **Ud. y un(a) compañero(a), háganse las siguientes preguntas.**

1. A las once de la noche, ¿ya estás acostado(a)?
2. ¿Estás despierto(a) a las cinco de la mañana?
3. ¿Tú sabes hasta qué hora están abiertos los bancos?
4. Si una carta está escrita en español, ¿tú entiendes todo lo que dice?
5. En tus otras clases, ¿tienen a veces profesores sustitutos?
6. En tu barrio, ¿los perros andan sueltos?
7. ¿De qué color está pintada tu casa?
8. ¿Donde está estacionado tu coche?

PASO 2

¿Cuál es la mejor excursión...?

Cuando Sofía llegó al apartamento de Sandra y Magali, las muchachas ya habían leído los folletos que les había dado el agente de viajes y habían elegido dos excursiones. También habían decidido que Sofía podía escoger una de las dos. Ella se puso a leer los folletos, y éste describe la excursión que más le gusta.

EN EL MAR CARIBE...

¡PUERTO RICO!

Si Ud. siempre ha querido pasar sus vacaciones en un paraíso tropical, la hermosa isla de Puerto Rico, con sus aguas cristalinas, sus verdes colinas, su sol y sus palmeras es exactamente lo que Ud. había soñado.

Camine por las calles empedradas del Viejo San Juan, donde va a encontrar elegantes tiendas y cafés. Visite la vieja fortaleza de El Morro y descubra otros tesoros históricos de la ciudad.

¿Se ha imaginado Ud. en un bosque tropical? Haga una caminata por El Yunque. ¿Ha planeado broncearse en una playa de arena blanca? Allí lo espera la playa de Luquillo. Los elegantes balnearios y la vida nocturna del Condado y de Isla Verde son otras atracciones que tiene esta maravillosa isla.

Por $820 puede viajar con la aerolínea Delta y pasar cinco noches en un hotel de cuatro estrellas. La transportación al hotel está incluida en el paquete.

Opcional: Plan de seguro de viaje por sólo $40.
Para más información, llame al
555-4785

¿Cuánto recuerda? Conteste lo siguiente con respecto a la información que aparece en el folleto.

1. ¿Con qué compara el folleto la isla de Puerto Rico?
2. ¿Cómo la describe?
3. ¿Qué sabemos del Viejo San Juan?
4. ¿Qué dice de El Yunque y de la playa de Luquillo?
5. ¿Qué lugares le van a gustar si le interesa la vida nocturna?
6. ¿Cuál es el precio de la excursión?
7. Si uno toma la excursión, ¿va a tener que pagar para tomar un taxi al hotel?
8. ¿Qué más se puede obtener por $40?

¿Verdadero o falso? Prepare ocho afirmaciones sobre el anuncio de Ameritour. Vea si su compañero(a) puede indicar si son verdaderas o falsas.

Estructura

El pretérito perfecto y el pluscuamperfecto

A. El pretérito perfecto

The Spanish present perfect tense is formed by combining the present indicative of the auxiliary verb **haber** with the past participle of the main verb. This tense is equivalent to the English present perfect (*have* + past participle, as in *we have finished*).

haber (present indicative)	Past participle	
he	terminado	(*I have finished*)
has	aprendido	(*you have learned*)
ha	dicho	(*he, she has/you have said*)
hemos	escrito	(*we have written*)
habéis	vuelto	(*you have returned*)
han	ido	(*they/you have gone*)

Nosotros siempre **hemos querido** visitar Puerto Rico.
We have always wanted to visit Puerto Rico.

¿Tú **has estado** en San Juan?
Have you been to San Juan?

B. El pluscuamperfecto

The past perfect, or pluperfect, tense is formed by using the imperfect tense of the auxiliary verb **haber** with the past participle of the main verb. This tense is equivalent to the English past perfect (*had* + past participle, as in *we had finished*). Generally, the past perfect tense expresses an action that had taken place before another action in the past.

haber (imperfect)	Past participle	
había	terminado	(*I had finished*)
habías	aprendido	(*you had learned*)
había	dicho	(*he, she/you had said*)
habíamos	escrito	(*we had written*)
habíais	vuelto	(*you had returned*)
habían	ido	(*they/you had gone*)

Cuando yo llegué, las chicas ya **habían leído** los folletos.
When I arrived, the girls had already read the brochures.

Actividades

Online Study Center

(Lately) **Últimamente...** En parejas, háganse preguntas sobre lo que ha pasado últimamente en su vida. Usen el pretérito perfecto y los elementos dados.

MODELO: hablar / tu mejor amigo

—¿**Has hablado** con tu mejor amigo últimamente?
—Sí, **he hablado** con él muchas veces.

1. ir / al cine
2. ver / buena película
3. comprar / ropa
4. tener / mucho trabajo
5. estar / ocupado(a)
6. escribir / carta
7. salir / con alguien
8. hacer / ejercicio

¿Qué habían hecho...? Usando el pluscuamperfecto, indiquen lo que las siguientes personas habían hecho antes de salir de viaje.

1. yo
2. mis padres
3. tú
4. mi hermano y yo
5. mi mejor amigo(a)
6. Uds.

Para conversar

Experiencias. En grupos de tres, hablen de las cosas que Uds. y otras personas siempre han hecho, han hecho algunas veces o nunca han hecho.

1. Yo siempre...
2. Mis padres muchas veces...
3. Mi familia y yo nunca...
4. Mis amigos casi siempre...
5. Mi mamá algunas veces...
6. Yo jamás...
7. Yo a veces...
8. Mi mejor amigo(a) y yo muchas veces...

Inicio de semestre. En parejas, hablen de lo que ya había ocurrido cuando Uds. empezaron el semestre. (Por ejemplo: Yo ya había comprado los libros que necesitaba.) Mencionen diez cosas.

Un dicho

Quien no ha visto Sevilla,
no ha visto maravilla.

El día del viaje, en el aeropuerto

Magali —Tendremos que facturar el equipaje. ¿Dónde está el mostrador de la aerolínea?
Sofía —Yo comería algo antes de ponernos[1] en la cola para dejar las maletas...
Sandra —Tienes razón, porque después ya no podremos ir a comer.
Magali —Pero nos darán de comer en el avión.
Sofía —Bueno, esperaré, entonces. Vamos a entregar los pasajes y recoger las tarjetas de embarque.
Sandra —Sí, pero no podremos pasar la cámara fotográfica por el detector de metales.
Sofía —No, se la entregaremos al guardia de seguridad antes de pasar.
Magali —Creo que el avión no tiene retraso y que saldremos a tiempo.
Sandra —¡Ojalá! Ya me gustaría estar en la playa, tomando el sol.

¿Cuánto recuerda? Conteste lo siguiente sobre la conversación entre Magali, Sofía y Sandra.

1. ¿Qué tendrán que hacer las chicas en el mostrador de la aerolínea?
2. ¿Qué haría Sofía antes de ponerse en la cola?
3. ¿Sandra está de acuerdo? ¿Por qué?
4. ¿Qué tienen que entregar y qué tienen que recoger las chicas?
5. Según Sandra, ¿qué no podrán pasar por el detector de metales?
6. ¿Dónde le gustaría estar a Sandra ahora?

¿Verdadero o falso? Prepare ocho afirmaciones sobre el diálogo. Vea si su compañero(a) puede indicar si son verdaderas o falsas.

Estructura

El futuro y el condicional

A. El futuro: Usos y formas

✦ The Spanish future tense is equivalent to the English *will* or *shall* + a verb.

Tendremos que facturar el equipaje. *We will have to check the luggage.*

¡ATENCIÓN! The Spanish future form is not used to express politeness, as is the English future. In Spanish, this idea is expressed with the verb **querer.**

¿**Quieres abrir** la ventana, por favor? *Will you please open the window?*

[1]In Spanish, the infinitive form is used after a preposition: **antes de ponernos.**

✦ Most verbs are regular in the future tense, which is formed by adding the following endings to the infinitive. Note that there is only one set of endings for all verbs, regular and irregular.

Infinitive	Subject	Stem	Endings	Future Tense
hablar	yo	hablar-	-é	**hablaré**
entender	tú	entender-	-ás	**entenderás**
vivir	Ud.	vivir-	-á	**vivirá**
empezar	él	empezar-	-á	**empezará**
recibir	ella	recibir-	-á	**recibirá**
dar	nosotros(as)	dar-	-emos	**daremos**
devolver	vosotros(as)	devolver-	-éis	**devolveréis**
ir	Uds.	ir-	-án	**irán**
encontrar	ellos	encontrar-	-án	**encontrarán**
subir	ellas	subir-	-án	**subirán**

✦ Notice that all endings, except the **nosotros** form, have written accent marks.

Nos **darán** de comer en el avión. — *They will feed us on the plane.*
Llegaremos a Puerto Rico a las seis. — *We will arrive in Puerto Rico at six.*

✦ The following verbs are irregular in the future tense. The future endings are added to a modified form of the stem.

Infinitive	Modified stem	Endings	Future (yo form)
caber (*to fit*)	**cabr-**		**cabré**
haber[1]	**habr-**		**habré**
poder	**podr-**		**podré**
querer	**querr-**		**querré**
saber	**sabr-**	-é	**sabré**
		-ás	
poner	**pondr-**	-á	**pondré**
salir	**saldr-**	-emos	**saldré**
tener	**tendr-**	-éis	**tendré**
		-án	
valer	**valdr-**		**valdré**
venir	**vendr-**		**vendré**
decir	**dir-**		**diré**
hacer	**har-**		**haré**

Yo les **diré** a qué hora **saldrá** el avión. — *I will tell them what time the plane will leave.*

Ellos **pondrán** la maleta aquí. — *They will put the suitcase here.*

[1]As a main verb, **haber** is used only in the third person singular: **habrá** (*there will be*).

Un dicho

Dime con quién andas y te diré quién eres.

B. El condicional: Usos y formas

✦ The conditional form corresponds to the English *would* + a verb. It is used to state what would happen.

Yo **comería** algo antes de ponernos en la cola.	*I would eat something before we get in line.*

✦ The conditional is also used as the future of a past action. The future states what *will happen;* the conditional states what *would happen.*

Sandra dice que no **podremos** ir a San Juan.	*Sandra says that we will not be able to go to San Juan.*
Las chicas dijeron que **saldrían**[1] para San Juan el domingo.	*The girls said that they would leave for San Juan on Sunday.*

✦ Like the English conditional, the Spanish conditional is used to express a polite request.

¿Nos **harían** Uds. un favor?	*Would you do us a favor?*

✦ Like the future tense, the conditional tense uses the infinitive as the stem and has only one set of endings for all verbs, regular and irregular.

Infinitive	Subject	Stem	Endings	Conditional Tense
hablar	yo	hablar-	-ía	**hablaría**
entender	tú	entender-	-ías	**entenderías**
vivir	Ud.	vivir-	-ía	**viviría**
empezar	él	empezar-	-ía	**empezaría**
recibir	ella	recibir-	-ía	**recibiría**
dar	nosotros(as)	dar-	-íamos	**daríamos**
devolver	vosotros(as)	devolver-	-íais	**devolveríais**
ir	Uds.	ir-	-ían	**irían**
encontrar	ellos	encontrar-	-ían	**encontrarían**
subir	ellas	subir-	-ían	**subirían**

✦ All the conditional endings have written accents.

Nos **gustaría** visitar San Juan.	*We would like to visit San Juan.*
Yo nunca **viajaría** a ese país.	*I would never travel to that country.*

[1]Like in the future tense, the verb **salir** uses an irregular stem in the conditional. The irregular forms are presented on the following page.

✦ The same verbs that are irregular in the future are also irregular in the conditional. The conditional endings are added to a modified form of the infinitive.

Infinitive	*Modified stem*	Endings	Conditional (yo form)
caber	cabr-		cabría
haber[1]	habr-		habría
poder	podr-		podría
querer	querr-		querría
saber	sabr-	-ía	sabría
		-ías	
poner	pondr-	-ía	pondría
salir	saldr-	-íamos	saldría
tener	tendr-	-íais	tendría
valer	valdr-	-ían	valdría
venir	vendr-		vendría
decir	dir-		diría
hacer	har-		haría

¿Dónde **pondrías** el equipaje? — *Where would you put the luggage?*

Yo no **diría** eso. — *I wouldn't say that.*

Online Study Center

Actividad

De vacaciones. Complete los siguientes minidiálogos, usando el futuro o el condicional de los verbos dados, según corresponda.

1. —¿Qué ______(hacer) Uds. esta tarde?
   —Yo ______(tener) que ir a la agencia de viajes y Roberto ______(ir) al banco para comprar cheques de viajero.
   —¿A qué hora ______ (volver) tú a casa?
   —Yo no ______ (poder) estar de vuelta antes de las cinco.
   —¿(Tú) ______ (salir) con tus amigos esta noche?
   —No, me ______ (quedar) en casa.
2. —¿Adónde dijo Rafael que ______ (ir) de vacaciones?
   —Dijo que ______ (viajar) a Puerto Rico y que ______ (estar) allí por dos semanas.
   —¿Los chicos dijeron a qué hora ______ (venir) ellos hoy?
   —No, dijeron que me ______ (llamar) por teléfono y que me lo ______ (decir) más tarde porque no sabían a qué hora ______ (terminar) la clase.

[1]**habría:** *there would be*

Para conversar

¿Quién hará qué. . . ? En parejas, decidan quién o quiénes se encargarán de hacer cada una de las siguientes cosas para prepararse para un viaje. Incluyan a otras personas. Usen el futuro.

1. buscar información sobre diferentes países
2. traer folletos de viaje
3. averiguar los precios de los hoteles
4. hacer las reservaciones
5. comprar los pasajes
6. comprar cheques de viajero
7. confirmar las reservaciones
8. planear todas las actividades
9. decirles a sus padres dónde van a estar
10. hacer las maletas
11. poner los pasajes y los documentos en un lugar seguro
12. llamar a varios amigos para ver quién le va a dar de comer al gato

Cuando viajamos. . . En parejas, háganse preguntas sobre lo que haría cada uno(a) de Uds. y su familia en cuanto a lo siguiente.

MODELO: viajar: en tren o en avión

—¿**Tú viajarías** en tren o en avión?
—**Yo viajaría** en avión.

1. volar: durante el fin de semana o entre semana
2. llevar: mucho equipaje o una sola maleta
3. viajar: en clase turista o en primera clase
4. pagar: con tarjeta de crédito o con cheques de viajero
5. quedarse: una semana o un mes
6. hospedarse: en un castillo antiguo o en un hotel de cinco estrellas
7. elegir: un cuarto con vista al mar o un cuarto interior
8. comer: la comida típica del lugar o hamburguesas
9. visitar: ciudades grandes o pueblos pequeños
10. ir: a la playa o a la montaña

Un dicho

Un día sin risa sería un día desperdiciado.

PASO 4

¡Pasajeros a bordo!

Sandra — Nuestros asientos están en la fila veinte. ¡Ah!, aquí están.

Sofía — (*Un poco nerviosa*) ¿No habrá otros en una fila más cerca de la salida de emergencia?

Magali — Probablemente no. (*A Sandra*) Pondremos los bolsos de mano en el compartimiento de equipaje.

Sofía — Los nuestros, sí; el de Sandra, que es el más pequeño, puede ir debajo de su asiento. Oye… ¿a qué hora servirán la comida? ¿A las doce?

Sandra — No tengo la menor idea. ¿Por qué no te sientas y te abrochas el cinturón de seguridad? Pronto vamos a despegar.

Sofía — Bueno, pero la comida es muy importante cuando uno vuela. Me lo dijo mi prima, que trabaja de azafata para Aerolíneas Mexicanas…

Magali — Sí, tienes razón. Oye, no encuentro los lentes. ¿Los dejaría en el apartamento?

Sandra — No… los pusiste en mi cartera. Pero, ¿dónde pondría yo mi pasaporte?

Sofía — Lo tengo yo. Yo te dije que pondría todos los pasaportes en mi bolsa.

Sandra — ¡Menos mal! ¡Qué susto me di!

El avión despega y el capitán saluda a los pasajeros y les dice a qué altitud van a volar.

Sofía — Un momento. Allí está el auxiliar de vuelo, que nos va a decir cómo usar el oxígeno en caso de necesidad, etc. ¡Y después nos van a traer el almuerzo! ¿Qué servirán… ?

Sandra — ¡Ay, Sofía! ¡Tú sólo piensas en comer!

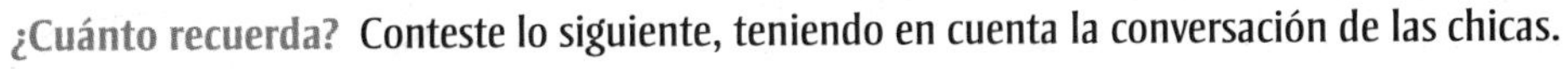

¿Cuánto recuerda? Conteste lo siguiente, teniendo en cuenta la conversación de las chicas.

1. ¿En qué fila están los asientos de las chicas?
2. ¿Qué pregunta Sofía?
3. ¿Dónde pondrán los bolsos de mano?
4. ¿Qué quiere saber Sofía con respecto a la comida?
5. ¿Por qué tienen que abrocharse las chicas el cinturón de seguridad?
6. ¿Qué problema tiene Magali con los lentes?
7. ¿Dónde dijo Sofía que pondría todos los pasaportes?
8. ¿Qué les dice el piloto a los pasajeros?
9. ¿Qué les va a decir la azafata a los pasajeros?
10. ¿Qué dice Sandra de Sofía?

¿Verdadero o falso? Prepare ocho afirmaciones sobre la conversación de las chicas. Vea si su compañero(a) puede indicar si son verdaderas o falsas.

Estructura

El futuro y el condicional para expresar probabilidad o conjetura

A. El futuro

In Spanish, the future tense is frequently used to express probability or conjecture in relation to the present. In English, the same idea is expressed by using phrases such as *must be, probably, I wonder,* or *do you suppose.*

¿Qué hora **será**?	*I wonder what time it is.*
¿Dónde **estarán** mis lentes?	*Where do you suppose my glasses are?*
¿A qué hora **servirán** el almuerzo?	*What time do you suppose they serve lunch?*
Elsa **tendrá** unos veinte años.	*Elsa must be about twenty years old.*

B. El condicional

The conditional tense is often used to express probability or conjecture in relation to the past.

¿Qué hora **sería** cuando Magali llegó anoche?	*What time do you suppose it was when Magali got home last night?*
¿Dónde **dejaría** yo mis lentes?	*I wonder where I left my glasses.*
Serían las dos cuando él me llamó.	*I guess it was two o'clock when he called me.*

Online Study Center

Actividades

¡Adivinen! En parejas, háganse preguntas sobre lo siguiente, usando el futuro de probabilidad.

MODELO: Ud. se pregunta cuánto cuesta un pasaje a Puerto Rico.
—¿Cuánto **costará** un pasaje a Puerto Rico?
—Costará unos mil dólares.

1. Ud. no sabe qué hora es.
2. Ud. se pregunta a qué hora sale el avión.
3. Ud. no sabe dónde está la azafata.
4. Ud. se pregunta cómo se usa la máscara de oxígeno.
5. Ud. quiere saber si hay una salida de emergencia cerca.
6. Ud. se pregunta qué van a servir de almuerzo.
7. Ud. quiere saber si las bebidas son gratuitas.
8. Ud. se pregunta cuándo van a empezar a pasar la película.
9. Ud. quiere saber a qué hora llega el avión a San Juan.
10. Ud. se pregunta si sus amigos van a estar en el aeropuerto.

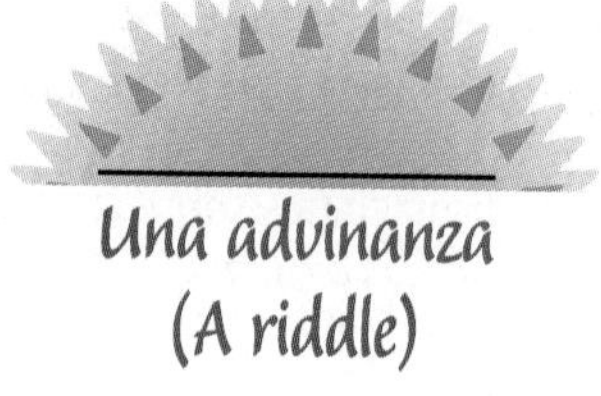

Una adivinanza
(A riddle)

Una cajita muy blanca; todas la pueden abrir, nadie la puede cerrar.
¿Qué sera*

*Repuesta: Un huevo

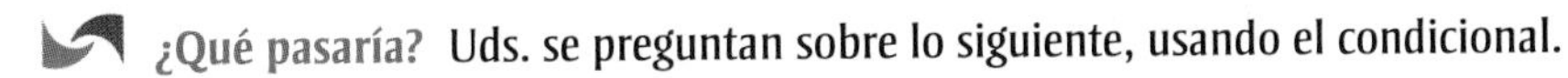 ¿Qué pasaría? Uds. se preguntan sobre lo siguiente, usando el condicional.

MODELO: Uds. no entendieron lo que *dijo* la azafata.
¿Qué **diría** la azafata?

1. Uds. se preguntan dónde *puso* la azafata el bolso de mano.
2. Uds. no vieron adónde *fue* el otro pasajero.
3. Uds. se preguntan qué *quería* el niño que estaba llorando.
4. Uds. no saben qué *pasó* con la película que habían anunciado.
5. Uds. se preguntan de qué *hablaban* las dos señoras que estaban hablando en ruso.
6. Uds. no saben por qué no *sirvieron* el almuerzo.

Para conversar

Conjeturas. En grupos de dos o tres, hagan conjeturas sobre los otros estudiantes de la clase en cuanto a su edad, los lugares donde viven y trabajan, el origen y la profesión de sus padres, etc.

¿Quiénes serían. . . ? En parejas, imaginen que Uds. vieron a dos hombres desconocidos entrar en la casa de un vecino (*neighbor*) y que oyeron ruidos (*noises*) extraños. Hoy Uds. tratan de adivinar (*guess*) qué pasaría.

¿Quién será esta chica? ¿Será una cantante profesional? ¿De donde será? ¿Dondé aprendería a tocar la guitarra? ¿Qué crees tú...?

HOTEL LAS PALMAS

Servicio Excelente

Calefacción y aire acondicionado en todos los cuartos
Salones para reuniones
Piscina Jacuzi Gimnasio
Tienda de regalos
Restaurantes: Platos internacionales
Servicio de cuarto
En todos los cuartos:
Televisor
Caja de seguridad
Refrigerador

Cuartos con vista al mar: $150 por noche
Cuartos con vista a la piscina: $120

Los niños menores de doce años no pagan.
Ofrecemos excursiones a varios lugares históricos.

Dónde nos hospedamos. . . ? Con un(a) compañero(a), hablen de las ventajas (*advantages*) que tiene el hotel Las Palmas para las siguientes personas. Den detalles.

1. El Sr. Torres, su esposa y su hijo de nueve años. A la señora le gusta hacer ejercicio por la mañana y al niño le encanta nadar.
2. Amanda y Elisa, dos amigas que están veraneando juntas. A las dos les gusta visitar lugares interesantes y comprar recuerdos (*souvenirs*) de todos los países a los que viajan.
3. El Sr. José Luis Sabio, vendedor. Él tiene que reunirse con varios clientes y después llevarlos a cenar.
4. La Sra. Eva Torales quien, más que nada, necesita descansar.

Conversaciones

La industria del turismo. Ud. y un(a) compañero(a) tienen que escoger el tipo de trabajo que les gustaría desempeñar. Hablen de lo que cada una de las personas que aparecen en la lista tiene que hacer y digan por qué les gustaría o no tener ese tipo de trabajo.

1. botones
2. agente de viajes
3. guía
4. gerente de hotel
5. piloto
6. auxiliar de vuelo
7. guardia de seguridad
8. empleado(a) de una aerolínea
9. empleado(a) de un hotel

De viaje. Estas personas se encuentran en las siguientes situaciones. ¿Qué dicen? Ud. y un(a) compañero(a), decidan.

1. un(a) agente de viajes y un(a) cliente(a) que necesita mucha información
2. el (la) gerente de un hotel y una persona que necesita un cuarto
3. dos amigos(as) que están planeando pasar sus vacaciones juntos(as) y tienen gustos muy diferentes
4. un(a) auxiliar de vuelo y un(a) pasajero(a) que se pone muy nervioso(a) cuando tiene que volar

Quiero saber. . . En parejas, túrnense para hacerse las siguientes preguntas.

1. ¿Has estado en un país extranjero alguna vez? ¿En cuál? ¿Qué países te gustaría visitar? ¿Tú vivirías en un país extranjero? ¿En cuál?
2. Cuando tú viajas, ¿compras los billetes en una agencia de viajes o por el internet? ¿Viajas en clase turista o en primera clase? ¿Prefieres un vuelo directo o con escalas? ¿Prefieres un asiento de ventanilla o de pasillo? ¿Por qué?
3. ¿Te has hospedado alguna vez en un hotel de cinco estrellas? Cuando estás en un hotel, ¿quién lleva tus maletas a tu cuarto? Si es el botones, ¿cuánto le das de propina? ¿Utilizas mucho el servicio de habitación o prefieres comer en restaurantes? Si no hay habitaciones libres en tu hotel favorito, ¿pones tu nombre en la lista de espera o eliges otro? ¿Preferirías un cuarto con vista al mar o a la montaña?
4. Generalmente, ¿cuántas maletas llevas cuando viajas? ¿Has tenido que pagar alguna vez exceso de equipaje? Si el avión tiene retraso, ¿qué te gusta hacer mientras esperas? ¿Te pones nervioso(a) cuando el avión despega o aterriza?
5. Cuando viajas a otro estado o a otro país, ¿prefieres visitar los lugares por tu cuenta (*on your own*) o hacer excursiones con un guía? ¿Te interesaría más visitar lugares históricos, catedrales y castillos o ir de compras en el centro de la ciudad? Cuando viajas, ¿prefieres visitar muchos lugares o quedarte en el mismo (*same*) lugar?

Una encuesta

Entreviste a sus compañeros de clase para identificar a aquellas personas que...

1. habían viajado a un país de habla hispana antes de tomar esta clase. ________
2. pasarán las vacaciones en un país extranjero. ________
3. tienen pasaporte. ________
4. han tenido que pagar derechos de aduana. ________
5. han visitado un castillo. ________
6. trabajarían como auxiliar de vuelo. ________
7. dan muy buenas propinas. ________
8. tienen una caja de seguridad en el banco. ________
9. no se abrochan el cinturón de seguridad cuando están en el coche. ________
10. fuman. ________

Para escribir

Escríbale a un(a) amigo(a) que nunca ha visitado este país, invitándolo(a) a pasar un par de semanas con Ud. Dígale cuál es la mejor época para visitar su estado y por qué.

Para describir. Haga una lista de los lugares de interés que hay en su estado. Junto (*Next*) al nombre de cada lugar, indique qué actividades pueden realizar y cuánto tiempo van a pasar allí. Utilice frases como "visitaremos..." y "Me encantaría llevarte a..."

Primer borrador. Escriba la carta y luego léala cuidadosamente para asegurarse de que toda la estructura y el vocabulario están usados correctamente.

Después de escribir. Ud. y un(a) compañero(a) intercambien la carta y edítenla. Luego escriba la versión final.

Lecturas periodísticas

El encanto de Guadalajara

(ADAPTADO)

Al elegir un lugar para ir de vacaciones en México, generalmente pensamos en visitar la Ciudad de México, Acapulco y otras ciudades del país; pero hay una de gran atractivo que no debemos descartar[1]: Guadalajara.

La segunda ciudad de México en tamaño, Guadalajara, es una ciudad grande de encanto pueblerino, una alternativa a la ciudad de México.

El viaje en auto desde el aeropuerto hasta el centro dura veinte minutos. Es un viaje a través de campos con cultivos y ganado. La transición del campo a los barrios residenciales de la ciudad es gradual. Los jardines y las fachadas de las casas no están ocultos[2] por tapias, como en la capital, y en el centro de las calles hay palmas centenarias.

Guadalajara es la capital de Jalisco. En la parte antigua de la ciudad se combinan armoniosamente edificios coloniales del gobierno y calles empedradas[3] con autopistas de asfalto y estructuras modernas. El clima es benigno, y gran parte de las diversiones son al aire libre. Para pasar un buen rato bajo el cielo azul de la ciudad, muchas personas dan un paseo en coche de caballos por las calles del centro. Los coches llevan al visitante a pasear por un parque o a recorrer[4] el corazón de la ciudad. Es una buena manera de orientarse.

Si a uno le gusta caminar, hay parques excelentes para ir de merienda[5] los domingos. Hay más de cien fuentes públicas y unas sesenta plazas.

El visitante puede sentarse en uno de los cafés de la Plaza de los Mariachis y escuchar a los mariachis más auténticos de México, porque jalisco es la cuna[6] del mariachi. Es buena idea ir hasta el Teatro Degollado, que está en un extremo de la plaza, para ver si el Ballet Folklórico de la Universidad de Guadalajara, uno de los mejores conjuntos de baile del país, está en la ciudad.

En Guadalajara hay más de 200 iglesias; entre ellas está la catedral, y no muy lejos la iglesia de Santa María de Gracia, uno de los edificios más antiguos de Guadalajara.

Si quiere ver museos, en Guadalajara hay muchos, desde paleontología y arqueología hasta historia regional y arte popular. Sin embargo, el más importante es el museo de José Clemente Orozco, uno de los tres grandes muralistas modernos de México.

La mayoría de los museos están abiertos el día entero, pero algunos se cierran a la una de la tarde, igual que muchos comercios. Es la hora de la comida principal del día, después de la cual muchos mexicanos aún duermen la siesta.

La ciudad tiene una serie de restaurantes instalados en jardines de casonas[7] coloniales, donde se pueden comer platos mexicanos típicos en un ambiente tranquilo y elegante, escuchando las hermosas canciones que cantan los mariachis.

De la revista *Américas* (Washington, D.C.)

[1]dismiss [2]hidden [3]paved with stones [4]go around, tour [5]picnic [6]birthplace [7]mansions

Online Study Center

La Red Vaya a *college.hmco.com/pic/entrenosostros2e* y de ahí a la página de ***Entre nosotros*, 2e** para conocer otros lugares turísticos de México.

Sobre el artículo. Conteste las siguientes preguntas sobre el artículo que acaba de leer.

1. Según el artículo, ¿qué ciudad no debemos descartar cuando visitamos México?
2. ¿Cuánto tiempo dura el viaje en auto desde el aeropuerto hasta el centro?
3. ¿Qué se ve durante el viaje?
4. ¿Por qué es posible tener muchas actividades al aire libre en Guadalajara?
5. ¿Cuántas plazas hay en Guadalajara? ¿Cuántas fuentes?
6. ¿Por qué son muy populares los mariachis en Guadalajara?
7. ¿Qué sabe Ud. del Ballet Folklórico de la Universidad de Guadalajara?
8. ¿Cuántas iglesias hay en Guadalajara y cuál es una de las más antiguas?
9. ¿Cuál es el museo más importante de Guadalajara?
10. ¿Qué hacen aún muchos mexicanos después de la comida principal?

Ahora. . . En grupos de dos o tres, imagínense que están en Guadalajara y decidan qué van a hacer desde la mañana hasta la noche. Den detalles y tengan en cuenta las preferencias de cada uno.

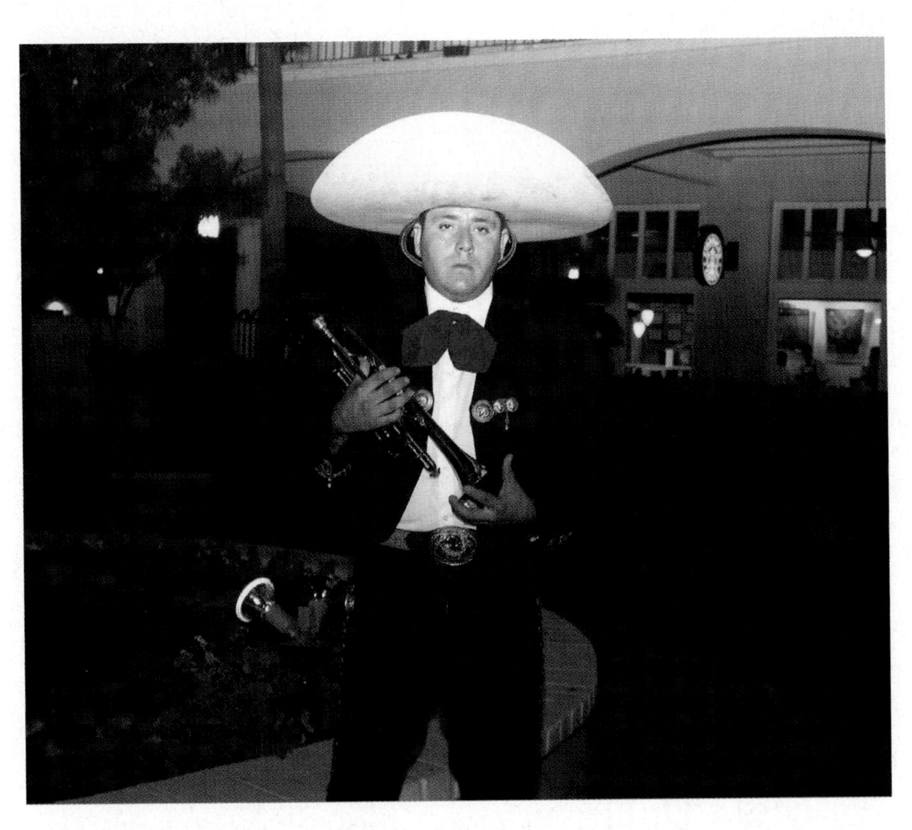

Guadalajara es la cuna del Mariachi.

Cruzando fronteras

Online Study Center

Seguimos viajando...

De Venezuela, nos vamos a tres islas del Caribe: Cuba, la República Dominicana y Puerto Rico. Luego visitaremos Panamá.

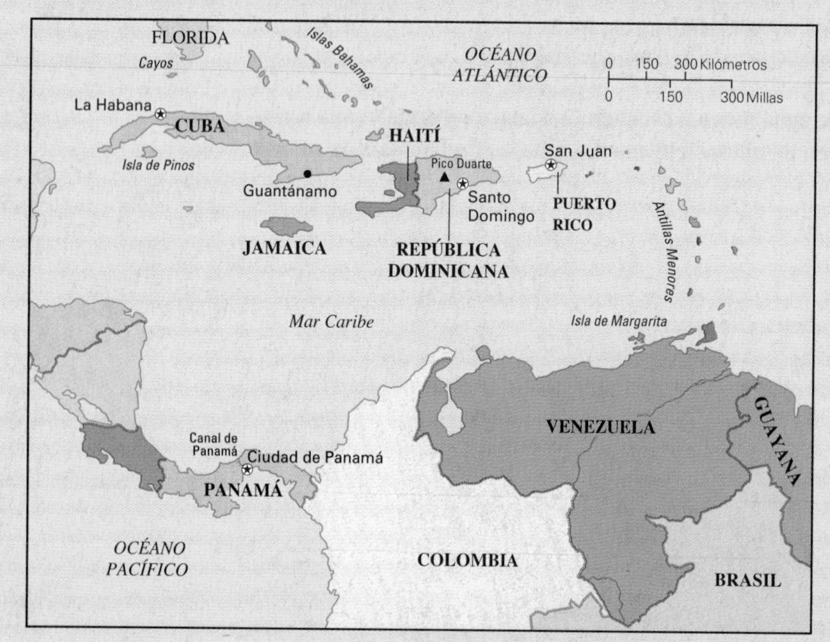

Cuba

A noventa millas al sur de la Florida se encuentra Cuba, "la tierra más hermosa que ojos humanos vieron", según el diario de Cristóbal Colón. El territorio de la República de Cuba comprende la isla de Cuba, que es la mayor° de las Antillas, la Isla de Pinos o Isla de la Juventud, y cientos de cayos° que la rodean. Sin embargo, su superficie total es similar a la del estado de Louisiana. Su figura, larga y estrecha°, da lugar a extensas costas en las que abundan bellas playas, algunas de las cuales están reservadas sólo para los turistas.

Antes de la revolución marxista, Cuba era el mayor exportador mundial de azúcar, por lo que se la llamó "la azucarera del mundo". Hoy su producción azucarera es apenas° la mitad de lo que era hace cuarenta años. Su segundo producto de exportación tradicional es el tabaco. Los "habanos" o "puros" son los preferidos por los buenos fumadores de todo el mundo. El país ocupa también uno de los primeros lugares mundiales en la exportación de níquel.

biggest / islets / narrow / barely

Cuba es uno de los pocos países latinoamericanos con suficientes escuelas primarias y secundarias para todos sus niños y jóvenes y, por tanto°, su índice de analfabetismo es muy bajo. Lamentablemente, el adoctrinamiento político domina el proceso educativo, y el acceso a las universidades y a algunos centros de enseñanza media está condicionado a° la militancia política de los aspirantes.

por... therefore

está... is dependent upon

La música cubana es conocida en todo el mundo. Allí nacieron el *son*, el *danzón*, el *bolero*, la *rumba*, la *conga*, el *mambo*, el *chachachá* y los ritmos afrocubanos que hoy se conocen como la *salsa*.

República Dominicana

La República Dominicana ocupa dos terceras partes de la isla que Cristóbal Colón llamó "La Española". El resto de la isla pertenece° a Haití, un país de habla francesa. El territorio de la República Dominicana tiene poco menos de la mitad de la superficie de Kentucky, y es muy montañoso. En la cordillera central de la República Dominicana se encuentra la montaña más alta del Caribe, el Pico Duarte, que tiene 10.000 pies de altura.

belongs

La economía de la República Dominicana está basada en la agricultura y en la minería. El país produce azúcar, frutas, bauxita y níquel, pero el turismo es hoy en día una fuente importante de los ingresos de la nación. Los dominicanos aman la música y el baile. La

República Dominicana es la tierra del *merengue*, pero allí se escuchan y bailan los ritmos más variados, desde la *salsa* latinoamericana hasta los ritmos americanos como el *pop* y el *jazz*.

Como en los demás países del Caribe, el béisbol, no el fútbol, es el deporte más popular. Muchos jugadores dominicanos son famosos en las grandes ligas de béisbol de los Estados Unidos. *Samy Sosa* es su ídolo actual.

La capital, y principal puerto del país, es Santo Domingo, la primera ciudad europea fundada en el Nuevo Mundo. Su zona colonial es uno de los grandes tesoros° de la América Hispana actual. En ella destacan° la Catedral de Santa María la Menor, construida de 1514 a 1520, en donde se cree que están los restos de Cristóbal Colón.

treasures

stand out

Puerto Rico

La isla de Puerto Rico está situada en el mar Caribe, al este de la República Dominicana. Tiene unas cien millas de largo (de este a oeste) y su superficie es similar a la de New Hampshire. Su territorio, bastante montañoso, se divide en cinco regiones: la Cordillera Central; la costa sur, que tiene un clima seco; las llanuras costeras del norte, que son las más fértiles; las montañas del este, que no son muy elevadas, y El Yunque, que es un bosque pluvial°. La isla tiene unos cincuenta ríos que fluyen desde las montañas.

bosque... rain forest

En Puerto Rico, que es un Estado Libre Asociado a los Estados Unidos, coinciden la cultura hispanoamericana con la economía y el gobierno norteamericanos. El país tiene dos lenguas oficiales: el español y el inglés.

La tasa de alfabetización es muy alta —el 90 por ciento de la gente sabe leer y escribir— y, aunque sigue el modelo de los Estados Unidos, la educación se imparte° en español. La gran mayoría de los estudiantes terminan la escuela secundaria y muchos asisten a alguna de las muchas universidades que hay en el país.

se... it's given

Al igual que en Cuba, en el arte y en la música, se ve la influencia de África y de España pero, especialmente entre los jóvenes, se ve también la de los Estados Unidos.

La capital de Puerto Rico, San Juan, es la ciudad más grande y la más poblada. La sección antigua, llamada El Viejo San Juan, es la más visitada por los turistas. La mayor atracción la constituye el castillo del Morro, construido por los españoles para defender la ciudad de los ataques de los corsarios[1] y de los piratas.

Panamá

Panamá es un pequeño país un poco menor que el estado de Carolina del Sur. Está situado en el istmo que une América Central con América del Sur, y es la república hispanoamericana de más reciente creación.

En 1821, Panamá se separó de España y, voluntariamente, se convirtió en una provincia de Colombia. En 1903, la provincia se separó de Colombia y se declaró una república independiente. Diez días después de su independencia, la nueva república autorizó a los Estados Unidos a construir el canal de Panamá. En 1880 una compañía francesa había comenzado la construcción, en el istmo, de un canal a nivel del mar, pero nueve años más tarde la empresa se declaró en quiebra°. Uno de los obstáculos que no pudieron vencer los franceses fue la fiebre amarilla, que atacaba y mataba a sus trabajadores. Para los Estados Unidos ése no fue un problema, pues para esa fecha ya el médico cubano Carlos Finlay había descubierto que la fiebre amarilla era transmitida por los mosquitos, y su tesis había sido comprobada por el bacteriólogo norteamericano Walter Reed.

en... bankruptcy

Desde la construcción del canal, y hasta el año 1999, el país estuvo dividido en dos regiones separadas por la Zona del Canal, bajo el dominio de los Estados Unidos. Desde entonces, la economía del país ha girado alrededor del tráfico de mercancías° y de turistas

merchandise

[1]**Corsarios** were pirates, but they had their queen's/king's permission to steal. The gold they stole went to the Crown.

por... so

a través de esa vía y, por tanto°, junto al Canal, han crecido sus dos grandes ciudades, la Ciudad de Panamá, la capital del país, y Colón, su segunda ciudad más importante.

El deporte más popular es el béisbol. En cuanto a la música, son muy populares la *samba*, el *jazz*, la *salsa* y el *reggae*. En los últimos años, los turistas han empezado a descubrir las bellezas ecológicas del interior del país. La unidad monetaria de Panamá es el *balboa*, pero la moneda que circula más es el dólar norteamericano.

¿Cuánto hemos aprendido?

¿Cierto o no? Con otro(a) estudiante, túrnense para indicar si la información que sigue es correcta (C) o incorrecta (I).

_____ 1. Cuba es la menor de las Antillas.
_____ 2. Hoy se produce en Cuba más azúcar que nunca.
_____ 3. La salsa se originó en Cuba.
_____ 4. El Pico Duarte es la montaña más alta del Caribe.
_____ 5. El ritmo típico de la República Dominicana es el merengue.
_____ 6. Santo Domingo es la ciudad más moderna de Latinoamérica.
_____ 7. Puerto Rico tiene muchos ríos.
_____ 8. La mayoría de los puertorriqueños saben leer y escribir.
_____ 9. La capital de Puerto Rico es San José.
_____ 10. En un tiempo, Panamá fue parte de Colombia.
_____ 11. Los franceses descubrieron que la fiebre amarilla era transmitida por los mosquitos.
_____ 12. El fútbol es el deporte más popular de Panamá.

Preguntas y respuestas. La clase se dividirá en cuatro grupos. Cada grupo preparará unas cinco preguntas sobre uno de los países visitados para hacérselas al resto de la clase.

Comentarios. En parejas, discutan lo siguiente sobre los países visitados.

1. aspectos geográficos
2. aspectos históricos
3. el arte y la música
4. los deportes

¿Adónde vamos. . . ? Ahora decidan a cuál de los países les gustaría viajar y expliquen por qué.

Ventana al mundo literario

José Martí
Cuba
1853–1895

José Martí, que reunió las cualidades del hombre de letras y del hombre de acción, está considerado como uno de los grandes escritores y oradores de la lengua española. Fue periodista, ensayista, poeta y pensador, y dedicó su vida a la independencia de su patria°.

Se le considera como uno de los iniciadores del Modernismo[1], pues introdujo, tanto en la prosa como en el verso, los elementos claves° de este movimiento. Los temas esenciales de su poesía son el amor, la amistad° y la libertad como valor° supremo del hombre. Sus poemas más conocidos son los Versos sencillos *(1891).*

Lo que más se destaca° en la obra de Martí es la prosa. Es en este género que Martí escribe en uno de los estilos más expresivos y más hondos de la lengua española.

fatherland key friendship value *se...* stands out

Preparación. **Fíjese en el título del ensayo. ¿Qué le sugiere a Ud.? Lea el primer párrafo y trate de encontrar, en el ensayo, ejemplos que el autor da sobre la igualdad que debe existir entre las razas.**

★ *Mi raza* *(Fragmento)*

Ésa de racista es una palabra confusa y hay que aclararla. El hombre no tiene ningún derecho° especial porque pertenezca° a una raza o a otra: cuando se dice hombre ya se dicen todos los derechos. El negro, por negro, no es inferior ni superior a ningún otro hombre; peca° por redundante el negro que dice "mi raza"; peca por redundante el blanco que dice "mi raza".

right / **belongs** / **he sins**

Todo lo que divide a los hombres, todo lo que especifica, todo lo que separa, es un pecado contra la humanidad. ¿A qué blanco sensato se le ocurre envanecerse° de ser blanco? ¿Qué piensan los blancos del negro que se envanece de su color? Insistir en las divisiones de raza, en las diferencias de raza, es dificultar la ventura° pública y la individual.

become conceited / **happiness**

• • •

El racista blanco que le cree a su raza derechos superiores, ¿qué derechos tiene para quejarse del racista negro que también le ve especialidad a su raza? El racista negro que ve en su raza un carácter especial, ¿qué derecho tiene para quejarse del racista blanco? El hombre blanco que, por razón de su raza, se cree superior al hombre negro, admite la idea de la raza y autoriza y provoca al racista negro. El hombre negro que proclama su raza, autoriza y provoca al racista blanco. La paz° pide los derechos comunes de la naturaleza; los derechos diferenciales, contrarios a la naturaleza, son enemigos de la paz. El blanco que se aísla, aísla al negro. El negro que se aísla, provoca a aislarse al blanco.

peace

Hombre es más que blanco, más que mulato, más que negro. En la vida diaria de defensa, de lealtad, de hermandad, de astucia, al lado de cada blanco hubo siempre un negro. Los negros, como los blancos, se dividen por sus caracteres, tímidos o valerosos, abnegados o egoístas...

Los hombres de pompa e interés se irán de un lado, blancos o negros; y los hombres generosos y desinteresados° se irán de otro. Los hombres verdaderos, negros o blancos, se tratarán con lealtad y ternura.

unselfish

Dos racistas serían igualmente culpables: el racista blanco y el racista negro. Muchos blancos se han olvidado ya de su color, y muchos negros. Juntos trabajan blancos y negros, por el cultivo° de la mente, por la propagación de la virtud y por el triunfo del trabajo creador y de la caridad° sublime.

improvement / **charity**

---

[1]Movimiento literario que empezó en Hispanoamérica a fines del siglo XIX. Se caracteriza por el amor a la belleza y por las innovaciones del lenguaje.

Díganos. . .

1. ¿Tiene algún derecho especial un hombre porque pertenezca a una raza determinada?
2. ¿Qué consecuencias trae el insistir en las divisiones de raza?
3. ¿Qué consecuencias trae el racismo, ya sea en los negros o en los blancos?
4. ¿Cuáles son los enemigos de la paz?
5. ¿De acuerdo a qué factores se agrupan los seres humanos —blancos o negros?
6. ¿Qué beneficios trae para la sociedad el que blancos y negros olviden las diferencias de color?

Desde su mundo. **En grupos de tres o cuatro, sugieran algunas ideas para lograr que las personas de diferentes razas y nacionalidades puedan vivir y trabajar juntas en este país.**

Para escribir. **Escriba uno o dos párrafos sobre uno de los siguientes temas.**

1. Una experiencia que yo he tenido trabajando con personas de otras razas o nacionalidades
2. "Hombre es más que blanco, más que mulato, más que negro." Explique con sus propias palabras este sentimiento de José Martí.

Manuel del Cabral

República Dominicana

1907–1999

Manuel del Cabral cultivó tanto la poesía americanista[1] *incluyendo la afroantillana*[2] *como la de temas eróticos y versos de tipo metafísico.*

Entre sus libros figuran Tierra íntima *(1930),* Pilón *(1930),* Doce poemas negros *(1935) y* Trópico negro *(1941). Los temas de estos poemas son de tipo social y nacionalista.*

Otra nota distintiva de Cabral aparece en Compadre Mon *(1942) y* Por tierra de compadre Mon *(1949), con los que se acerca a lo criollo nacional*[3].

Entre lo más valioso de su poesía están las de tema erótico: Sexo y alma *(1956) y* 14 mudos de amor *(1962). Uno de sus libros más profundos y metafísicos es* Los huéspedes secretos *(1950–1951).* Recibió el Premio *Nacional de Literatura en 1992.*

Preparación. **Lea el primer verso del poema y piense en las razones por las cuales se le puede decir a un soldado que no vaya a la guerra.**

Mon dice cosas

No vayas, soldado, al frente,
deja el rifle y el obús°.
Que todos ganan la guerra°,
menos° tú.

El soldado lleva el peso°
de la batalla en la tierra.
Muere el soldado y el peso[4]...
se queda haciendo la guerra.

No vayas, soldado, al frente,
quédate aquí, que tú defiendes a todos,
menos a ti.

obús: type of cannon
guerra: war
menos: except
peso: weight

[1]Poesía sobre temas relativos a los países latinoamericanos [2]Poesía que muestra la influencia africana en las Antillas (Cuba, Puerto Rico y la República Dominicana) [3]Propio o típico de un país [4]Moneda nacional de la República Dominicana

Díganos. . .

1. ¿Qué no debe hacer el soldado? ¿Por qué?
2. ¿Cuáles son los dos significados de la palabra "peso"?
3. Según el poeta, ¿a quiénes defiende el soldado?
4. ¿Qué opina el autor sobre la guerra?

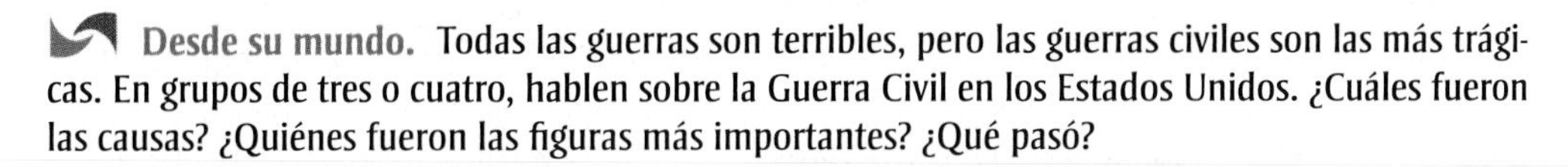

Desde su mundo. **Todas las guerras son terribles, pero las guerras civiles son las más trágicas. En grupos de tres o cuatro, hablen sobre la Guerra Civil en los Estados Unidos. ¿Cuáles fueron las causas? ¿Quiénes fueron las figuras más importantes? ¿Qué pasó?**

Para escribir. **Escriba uno o dos párrafos sobre uno de los siguientes temas.**

1. Mi opinión sobre la guerra
2. Por qué me gustaría (no me gustaría) ser soldado

María Teresa Babín
Puerto Rico
1910–1989

María Teresa Babín, profesora, crítica y escritora, ha dedicado la mayor parte de su vida al estudio de la literatura hispana y al de la cultura puertorriqueña. Entre sus obras figuran The Puerto Ricans' Spirit *(1971) y* Borinquen *(1974).*

Como profesora y como autora, ha logrado dar a conocer la cultura de su país y la personalidad y el carácter de su pueblo.

En "Día de Reyes", de su libro Fantasía Boricua: estampas de mi tierra *(1956), la autora describe las emociones que sentía cuando, de niña, esperaba la llegada de los Reyes Magos.*

Preparación. **Este relato trata de los Reyes Magos. En los países de habla hispana, los niños acostumbran dejar los zapatos en la ventana la noche del 5 de enero, para que los tres Reyes Magos les traigan juguetes, dulces y otros regalos. En muchos lugares, los niños dejan agua y hierba para los camellos. Teniendo esto en cuenta, ¿qué cree Ud. que va a encontrar en el relato "Día de Reyes"?**

Día de Reyes

¡A cantar conmigo, niños míos! ¡A buscar yerba°, maíz y agua para los camellos! Llegan esta noche con gran cautela°, cuando ninguno sus pasos vela°. Mis Reyes Magos, los únicos a quienes he rendido pleitesía°, dan sus tesoros y nunca piden nada. Ya están muy cerca de la tierra, alumbrados° por la estrella de Belén. Misioneros de júbilo desde que el mundo es mundo de Dios, se acercan pausados al corazón con la alforja° repleta° de esperanzas. ¡Gaspar, Melchor, Baltasar!

Pondré mi caja vacía junto al manojo° de yerba fresca debajo de la cama. Se volverán° tan pequeños que podrán entrar sin trabajo por las persianas°, como han entrado por los siglos de los siglos. Cabalgan° cielos, tierras y mares, trazando la ruta para todos los caballeros° andantes de la historia y la leyenda.

Durante la noche del cinco de enero dormía con un ojo abierto. Percibía el más leve crujir° de la madera. Mamá se desvelaba° para darme agua que yo bebía dos o tres veces en las horas de espera. La claridad del alba° me hacía saltar° de entre las sábanas y me lanzaba entre gritos° a la caza de hermosos regalos, nerviosa y sin reposo. Sólo había tiempo para jugar locamente, vistiendo y desvistiendo muñecas°, corriendo y dándole cuerda° a los carritos, asombrada ante la maravilla. Pero el momento de emoción suprema era descubrir las huellas° de los camellos en el camino, huellas nunca vistas hasta el seis de enero por la mañana, después que mi padre, buen jinete°, salía montado en su caballo.

La deliciosa excitación era breve. A los dos o tres días la indiferencia dominaba la inquietud y yacían° por los rincones° pedazos de juguetes rotos, deshechos por la curiosidad y la pasión del secreto, relegados al limbo de la divina comedia infantil.

grass
caution / is watching for / *he...* I have paid tribute / illuminated
saddlebag / full
bunch / *Se...* They will become / shutters / They ride / knights
creaking
se... stayed awake
dawn / jump / shouts
dolls / *dándole...* winding
tracks
rider
lay
corners

porch / rag

toscamente... coarsely

sewn / *palo*... / broomstick

manes / wet / slingshots / lizards / eve

La paradoja de ayer es la misma de hoy. Al destruir lo amado a fuerza de cariño y olvidar en seguida lo que se desea apasionadamente un día, los niños vuelven a jugar con los juguetes viejos. La niña busca las muñecas que nunca mueren, las que los Reyes no llevan al portal°, las muñecas de trapo° y de cabecita de losa que se compran en la Plaza del Mercado en Ponce; muñecas negras y blancas que saben barrer y están toscamente cosidas°, las únicas que se pueden tirar y estropear. El niño se monta en el caballo de palo de escoba° (mamá les ponía cabeza con crines°), construye caminos y puentes de tierra mojada° y se pasa las horas inventando hondas° para cazar lagartijas° y pájaros.

whispered

merciless

El ciclo se cumplía hasta la víspera° de la Epifanía todos los años. Para mí la leyenda de ensueño se repetía inalterable una y otra vez, hasta cumplir once años de edad. Aún hoy no puedo perdonarle a María Lorenza, la mayor de mis compañeras de escuela, el haber susurrado° su malicia adolescente para destruir la belleza de mi fe en los Santos Reyes. Siempre le he reprochado su despiadada° revelación y me siento orgullosa de saber que nunca hice con otro niño lo que ella hizo conmigo. María Lorenza mentía. ¡Los Reyes son de verdad! Los he recibido en silencio durante toda mi vida y nunca han dejado de tocar a mi puerta. Es verdad también que la ilusión es fugaz° y pasajera, que no he dejado de volver a mis fieles° muñecas de trapo y cabecitas de losa, las dóciles que los Reyes olvidan, las muñecas de todos los días del año, compañeras del juego tranquilo, las que les enseñan a las niñas a ser madres, hermanas, amantes y esposas.

fleeting / faithful

crowd

bendito... praise the Lord

La voz de la trulla° se acercaba a mi casa todos los años:

Ya se van los Reyes,
bendito sea Dios°,
ellos van y vienen
y nosotros no.

Díganos. . .

1. ¿Qué buscan los niños para los camellos?
2. ¿Cómo se llaman los Reyes Magos?
3. ¿Por dónde entrarán los Reyes Magos?
4. ¿Qué pasaba la noche del 5 de enero?
5. ¿Qué pasaba cuando llegaba el día?
6. ¿Qué era lo que más emocionaba a la niña?
7. ¿Qué pasaba a los dos o tres días?
8. ¿Con qué volvían a jugar los niños?
9. ¿Qué hizo María Lorenza cuando la autora tenía once años?
10. Según la autora, ¿qué les enseñan las muñecas de trapo a las niñas?

Desde su mundo. **En parejas, hablen sobre algunas tradiciones o días especiales que eran parte de su infancia. ¿Qué hacían? ¿Qué creían? ¿Cambió esto con los años?**

Para escribir. **Escriba uno o dos párrafos sobre uno de los siguientes temas.**

1. recuerdos de un día muy especial
2. las ilusiones que tenía de niño(a) pero que ya no tengo hoy

Bertalicia Peralta
Panamá
1939

La poetisa panameña Bertalicia Peralta forma parte de un grupo de escritoras de poesía nacionalista. Sus obras, traducidas a varias lenguas, le han ganado reconocimiento y premios nacionales e internacionales. Por su obra Un lugar en la esfera terrestre *recibió el tercer premio en el Primer Concurso Internacional de Poesía José Martí, 1971. Otros poemarios° de la autora son* Himno a la alegría *y* Casa flotante.

Además de poesía, Peralta ha escrito cuentos para niños. Como otras poetisas panameñas, Peralta da énfasis en su obra a sentimientos patrióticos y nacionalistas, no sólo en relación con su país sino también en relación con la América Latina, la "patria grande".

books of poems

Preparación. Fíjese en el título del poema: *Introducción al estudio de las contradicciones.* ¿Qué ideas cree Ud. que va a encontrar en un poema que contrasta la muerte de un revolucionario con la de un explotador?

Introducción al estudio de las contradicciones

El revolucionario muere
de lucha° en el combate
o de tortura
o de traición°
y nadie le hace un homenaje
la bandera° patria no abraza su cuerpo
su nombre es proscrito° en los labios del pueblo

muere el explotador el que
abusa el que para colmo°
ejerce cargo° diplomático
el que jamás entendió el amor entre los hombres
y se decreta duelo° nacional.

(de ***Himno a la alegría***)

fight
treason
flag
prohibited
para... to top it all
ejerce... has a position
mourning

Díganos. . .

1. Según la autora, ¿cómo puede morir un revolucionario?
2. ¿Cómo reacciona el pueblo ante su muerte?
3. ¿Cómo describe la poetisa al explotador?
4. ¿Cómo reacciona el gobierno ante su muerte?

Desde su mundo. Bertalicia Peralta presenta en su poema la contradicción entre la forma como el gobierno reacciona ante la muerte de un revolucionario y la de un explotador. En grupos de dos o tres, hablen sobre las contradicciones que existen en el sistema de justicia de los Estados Unidos.

Para escribir. Escriba uno o dos párrafos sobre uno de los siguientes temas.

1. Cosas que yo encuentro injustas (*unfair*)
2. ¿Por la muerte de quién decretaría yo duelo nacional? ¿Por qué?

LECCIONES 1-3 Compruebe cuánto sabe

Lección 1

A. Los verbos ser y estar

Vuelva a escribir lo siguiente, usando *ser, estar* o adjetivos con *ser* o *estar*. Haga cualquier cambio necesario.

1. La universidad queda en la calle Veinte. Hoy hay una conferencia sobre Cervantes. La conferencia va a tener lugar en el aula número 234. El conferenciante es Pablo Molina, que no es muy interesante.
2. Yolanda nació en Guatemala, pero ahora reside en Costa Rica. Trabaja de secretaria.
3. El Sr. Quiroga no se encuentra en su oficina. Va a regresar a las cuatro. Su esposa padece de una enfermedad muy grave. El médico dice que necesita una operación, pero ella no comparte su opinión.
4. Esta semana yo no trabajo. Pienso ir a Córdoba a visitar a mis padres.

B. Construcciones reflexivas

Complete lo siguiente, usando el equivalente español de las palabras que aparecen entre paréntesis.

1. Yo nunca ______________ de mi jefe, y ______________ una buena empleada. (*complain / I consider myself*)
2. Nosotros ______________ a entrevistar a ese señor. La Srta. Rojas puede ______________ de eso. (*don't dare / be in charge*).
3. A veces los estudiantes tienen mucho trabajo y ______________ en sus clases. Entonces ______________ cuando tienen examen. (*they get behind / they worry*).
4. ¿Te gusta ______________ cerca de la puerta o cerca de la pizarra? (*sit*)
5. Mi abuelo piensa ______________ el año próximo. (*retire*)

C. Pronombres de complemento directo e indirecto usados juntos

Complete lo siguiente, usando los verbos que aparecen entre paréntesis, cambiando los complementos directos por pronombres de complemento directo y añadiendo el pronombre indirecto que sea necesario.

1. Cuando yo necesito dinero, mis padres... (dar)
2. Si tú quieres usar la computadora de Jorge, él puede... (prestar)
3. Si nosotros necesitamos carpetas, la secretaria siempre... (traer)
4. Si Uds. no tienen sillas para la oficina, yo puedo... (comprar)
5. Si tu hermano está en México y no tiene dinero para comprar el pasaje de vuelta, nosotros podemos... (enviar)
6. Mis empleados tienen que escribir varios informes; __________ el lunes. (entregar)

D. Usos y omisiones de los artículos definidos e indefinidos

Complete lo siguiente, usando el equivalente español de las palabras que aparecen entre paréntesis.

1. __________ va a llamar a __________ para pedirle los documentos. Ella no trabaja __________. (*Mr. Vigo / Miss Varela / on Fridays*)
2. __________ nosotros vamos a empezar a trabajar a __________. (*Next week / seven*)

3. Marta es __________. Gana __________ dólares por mes. (*a secretary / a thousand*)
4. __________ creen que __________ ganan mucho dinero. (*Students / professors*)
5. Ella se va a quitar __________ y se va a acostar por __________. (*her shoes / half an hour*)
6. Necesitan __________ escritorio para la oficina. (*another*)

E. Usos de las preposiciones por y para

Complete lo siguiente, usando *por* o *para*.

1. — ¿Cuándo salen ______ México?
   — El domingo ______ la mañana.
   — ¿Van ______ avión?
   — Sí. Vamos a estar en Guadalajara ______ una semana. Como sabes, tenemos que estar de vuelta ______ el veinte de agosto.
   — ¿Cuánto pagaron ______ la excursión?
   — Dos mil dólares ______ persona, pero el precio incluye el hotel.
   — Tengo ganas de ir con Uds. pero, ______ desgracia, tengo que trabajar.
2. — ¿______ quién es el regalo?
   — Es ______ Nora. Hoy es su cumpleaños.
   — ¿Qué le compraste?
   — Una lámpara ______ su dormitorio.
   — ¡Yo me olvidé ______ completo de que era su cumpleaños! ______ suerte puedo ir a la tienda esta tarde. Le voy a comprar una raqueta.
   — ¿______ qué? ¡Ella no juega al tenis!
   — Pero puede aprender...
3. — ¿______ quién fue escrito ese cuento?
   — ______ Marco Denevi.
   — ¡______ supuesto que te gustó, entonces!
   — Sí, tú sabes cómo me gusta ese autor.
   — A mí también. Oye, ¿hay alguna librería ______ aquí?
   — Sí, hay una a dos cuadras de aquí. Voy contigo. Podemos ir ______ el parque ______ ver las flores.

F. Vocabulario

Complete lo siguiente, usando el vocabulario aprendido en la Lección 1.

1. Llene la planilla con __________ de molde.
2. ¿Tiene Ud. __________ de informática, señorita?
3. Vive en California, de modo que necesita un seguro contra __________.
4. Tuvo un accidente en la autopista. Desafortunadamente, no tiene seguro de __________.
5. Nunca me __________ de traer los libros, pero no me olvido de traer las carpetas.
6. ¿Dices que el Sr. López piensa jubilarse? Yo no lo sabía. Nunca me __________ de nada.
7. Teresa Méndez es la nueva agente de __________ públicas.
8. Necesitamos una carta de __________ de su jefe __________.

9. ¿Trabaja medio tiempo o tiempo __________?
10. Voy a poner las carpetas en el __________ y la grapadora, el papel y las plumas en el __________ de mi escritorio.
11. No puedo sacar copias porque la __________ no funciona.
12. Necesitamos un programa para la composición de __________.
13. Voy a poner este memo en la __________ de avisos.
14. Tiene muchos amigos porque es muy __________.
15. Elsa trabaja constantemente; es muy __________ y eficiente. Además, es muy __________; nunca llega tarde.

Lección 2

A. El pretérito contrastado con el imperfecto

Cambie lo siguiente al pasado, usando el pretérito o el imperfecto.

Son las seis de la mañana cuando Teresa se levanta. Desayuna, se baña y se viste. Como hace mucho frío, se pone un abrigo y sale. Va por el parque cuando ve a su amigo Julio, que está sentado en un banco (*bench*) leyendo. Teresa lo saluda y le pregunta por qué no está en la oficina. Julio le dice que tiene la mañana libre y que está esperando a sus amigos para jugar un partido de béisbol. Cuando Teresa llega a la oficina, toma dos aspirinas porque le duele la cabeza.

B. Verbos que cambian de significado en el pretérito

Complete lo siguiente, usando el equivalente español de las palabras que aparecen entre paréntesis.

1. — ¿Dónde __________ a Victoria, Carlos? (*did you meet*)
   — __________ en la universidad. Ella __________ a mi hermano y él me la presentó. (*I met her / knew*)
2. — ¿Cuánto pagaste por los zapatos negros?
   — __________ ochenta dólares. (*They cost me*)
   — ¿Por qué no compraste las botas?
   — Porque __________ ciento veinte dólares. (*they cost*)
3. — ¿Por qué no fuiste a acampar con los muchachos?
   — __________ porque tuve que trabajar. (*I couldn't manage to go*)
   — ¿Carlos fue con ellos?
   — No, él __________ ir; prefirió quedarse en casa. (*refused*)
4. — ¿__________ que Ana y Olga eran hermanas, Sr. Vega? (*Did you know*)
   — No, __________ esta mañana. Me lo dijo Esteban, que es primo de ellas. (*I found it out*)
5. — ¿Sergio está en clase?
   — Sí, __________, pero yo le dije que teníamos un examen parcial. (*he didn't want to come*)

C. Comparativos de igualdad y de desigualdad

Establezca comparaciones entre estas personas, estas cosas o estos lugares.

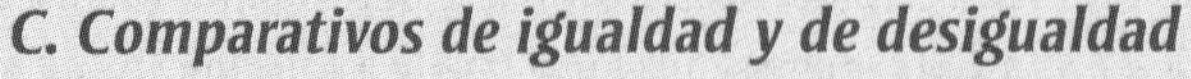

1. Ana, que mide 5'9" y Raquel, que mide 5'9"
2. Rhode Island y Texas
3. El hotel Marriott y el hotel Gerónimo, que es de una estrella

4. Elsa, que tiene veinte años; Sergio, que tiene veinticinco años, y Carlos, que tiene treinta años.
5. El Sr. Villalobos, que tiene mil dólares, y el Sr. García, que tiene mil dólares también

D. Algunas preposiciones

Complete lo siguiente con la preposición correspondiente: *a*, *de*, *en* o *con*.

1. Hoy vamos ______ ir ______ la discoteca "La salsa" ______ bailar. El baile empieza ______ las nueve ______ la noche. Vamos ______ invitar ______ Marcela porque ella opina que esa discoteca es la mejor ______ esta ciudad. Marcela sueña ______ ser una gran bailarina, pero yo siempre le digo que no basta ______ soñar y que tiene que empezar ______ tomar clases. Ella piensa asistir ______ la clase ______ baile que ofrecen ______ la universidad el próximo semestre.
2. Mi hermano Pablo está muy enamorado ______ Isabel, una chica peruana. Ella es morena ______ ojos verdes y es inteligente y encantadora. Él acaba ______ comprometerse ______ Isabel, pero no piensa casarse ______ ella hasta el año que viene. Yo me alegro ______ saber que van ______ esperar, porque él tiene que terminar sus estudios.

E. Vocabulario

Busque en la columna B las respuestas a las preguntas que aparecen en la columna A.

A

______ 1. ¿A Luis le gusta escalar montañas?
______ 2. ¿Qué deporte practicas?
______ 3. ¿Cómo terminó el partido?
______ 4. ¿Con quién hablaban los jugadores?
______ 5. ¿Van en canoa?
______ 6. ¿Qué vas a llevar a la playa?
______ 7. ¿A Eva le gusta montar a caballo?
______ 8. ¿Vas a ir a cazar?
______ 9. ¿Te divertiste?
______ 10. ¿Qué tengo que usar cuando monto en bicicleta?
______ 11. ¿Trabajó mucho?
______ 12. ¿Te llevó a un partido de fútbol?
______ 13. ¿Tu papá se puso furioso?
______ 14. ¿Van al hipódromo?
______ 15. ¿Compró un velero?
______ 16. ¿Fueron al cine?
______ 17. ¿Te gusta jugar a las damas?
______ 18. ¿Vas a la playa?

B

a. Sí, le encanta la equitación.
b. Con el entrenador.
c. Sí, pero no se cansó.
d. No, me aburrí muchísimo.
e. Sí... ¡y no era para tanto!
f. Un casco.
g. No, no nos gustan las carreras de caballos.
h. Empataron.
i. Sí, ¡y para eso me puse un vestido tan elegante!
j. La tabla de mar.
k. Sí, porque le gusta navegar.
l. Sí, le encanta el alpinismo.
m. Sí, y vimos una película muy buena.
n. No, porque no nos gusta remar.
o. No, porque no tengo escopeta.
p. La natación.
q. Sí, necesito el bronceador.
r. No, prefiero el ajedrez.

Lección 3 A. *El participio pasado usado como adjetivo*

Complete lo siguiente, usando el equivalente español de las palabras que aparecen entre paréntesis.

1. — ¿Vas a la tienda?
   — No, las tiendas no están __________ a esta hora. (*open*)
   — Y el correo está __________ también… (*closed*)
2. — ¿Tienes los folletos?
   — Sí, pero están __________ en francés. (*written*)
3. — ¿Dónde están los regalos?
   — Todavía no están __________. (*wrapped*)
   — ¿Qué le compraste a tu mamá?
   — Una blusa __________ en México. (*made*)
4. — ¿Comemos ahora?
   — No, la mesa no está __________ todavía. (*set*)
5. — ¿Las niñas están __________? (*asleep*)
   — No, están __________. (*awake*)

B. *El pretérito perfecto*

Conteste las siguientes preguntas en forma negativa.

1. ¿Ha estado Ud. en Colombia alguna vez?
2. ¿Han ido Ud. y sus amigos a México recientemente?
3. ¿Su amigo ha tenido que trabajar mucho últimamente?
4. ¿Ha hecho Ud. algo interesante últimamente?
5. ¿Sus padres han visto a sus amigos?

C. *El pluscuamperfecto*

Use la información dada para decir lo que Ud. y otras personas habían hecho antes de la llegada de los invitados (*guests*).

1. yo / limpiar la casa
2. tú / lavar el coche
3. nosotros / hacer la comida
4. Elba / volver del supermercado
5. los chicos / ir a la tienda
6. Uds. / preparar la ensalada

D. *El futuro*

Cambie las siguientes oraciones, usando los verbos en el futuro.

1. Yo voy a tener que trabajar.
2. Uds. van a viajar a México.
3. Tú vas a saber lo que ha pasado.
4. Nosotros vamos a salir la semana próxima.
5. Carlos va a venir con sus padres.
6. Ud. no va a hacer nada.
7. Los chicos me van a decir la verdad.
8. Mañana va a haber una reunión.

E. El condicional

Diga lo que harían Ud. y cada una de estas personas, usando el condicional y la información dada.

1. yo / ir a México
2. tú / viajar a Europa
3. Elba / salir para Colombia el lunes
4. nosotros / poder comprar los billetes
5. los muchachos / poner el dinero en el banco

F. El futuro y el condicional para expresar probabilidad o conjetura

Complete lo siguiente, usando el equivalente español de las palabras que aparecen entre paréntesis.

1. ¿Qué hora ________________ cuando ellas llegaron anoche? (*do you suppose it was*)
2. ¿Cuánto ________________ ese coche? (*do you suppose is worth*)
3. El muchacho ________________ unos veinte años. (*is probably*)
4. Las chicas ________________ en este momento. (*are probably working*)
5. ________________ ver a sus parientes... (*I suppose they wanted*)

G. Vocabulario

Complete lo siguiente, usando el vocabulario aprendido en la Lección 3.

1. Quiero un __________ de ventanilla en la sección de no fumar.
2. Queremos un billete de ida y __________ en primera clase.
3. ¿Es un __________ directo o hace __________ en Bogotá?
4. No podemos viajar. Tengo que __________ las reservaciones.
5. Necesito __________ para viajar a España, pero no necesito visa.
6. Si vienes de un país extranjero, tienes que pasar por la __________ con las maletas.
7. Tienes que darle la tarjeta de __________ a la auxiliar de vuelo al __________ el avión.
8. Tienes que ponerte en la __________ para facturar el equipaje.
9. Tenemos que esperar porque el avión tiene media hora de __________.
10. Voy a poner el bolso en el __________ de equipaje.
11. Viaja en primera clase, en la __________ F.
12. La azafata nos explicó cómo ponernos el chaleco __________ y la __________ de oxígeno en caso de emergencia.
13. ¿Cuál es la __________ de emergencia?
14. Tienes que __________ el cinturón de __________ cuando el avión despega y cuando __________.
15. ¿En qué hotel piensan __________ Uds.?
16. ¿A qué hora tenemos que __________ el cuarto?

LECCIÓN 4

Un grupo de estudiantes admira una famosa pintura en el Museo de Arte Contemporáneo en Caracas, Venezuela.

Las bellas artes

Objetivos

Estructura: El futuro perfecto y el condicional perfecto ✦ Los pronombres relativos ✦ La voz pasiva ✦ Algunas expresiones idiomáticas

Temas para la comunicación: La pintura ✦ La música ✦ Los instrumentos musicales ✦ La literatura ✦ La escultura

Lecturas periodísticas: El período cubista en la obra del pintor mexicano Diego Rivera

Cruzando fronteras: Costa Rica ✦ Nicaragua ✦ El Salvador ✦ Honduras ✦ Guatemala

Ventana al mundo literario: Aquileo J. Echeverría ✦ Rubén Dario ✦ Matilde Elena López ✦ Nery Alexis Gaytán ✦ Augusto Monterroso

Para describir acciones

adquirir *to acquire*
bosquejar *to sketch*
dibujar *to draw*
dirigir *to conduct (an orchestra)*
escuchar *to listen (to)*
esculpir *to sculpt*
exhibir, exponer *to exhibit*
pintar *to paint*
tallar *to carve*
tocar *to play (a musical instrument)*

Para hablar del tema: Vocabulario

La pintura

la acuarela *watercolor*
el autorretrato *self-portrait*
el bosquejo *sketch*
el dibujo *drawing*
la exposición, la exhibición *exhibition*
la galería de arte *art gallery*
el museo de arte *art museum*
la naturaleza muerta *still life*
el óleo *oil (paint)*
el paisaje *landscape*
la paleta *palette*
el pincel *brush*
la pintura *painting*
el retrato *portrait*
la tela, el lienzo *canvas*

La música

el (la) cantante *singer*
el (la) compositor(a) *composer*
el (la) concertista *soloist*
el cuarteto *quartet*
el (la) director(a) *conductor*
el dúo *duet, duo*
el músico *musician*
la orquesta *orchestra*
—sinfónica *symphony orchestra*
el trío *trio*

La escultura

el bronce *bronze*
la madera *wood*
el mármol *marble*
la piedra *stone*

Términos literarios

el argumento, la trama *plot*
la ciencia ficción *science fiction*
el cuento *short story*
el dramaturgo[1]**, el (la) autor(a) de obras teatrales** *playwright*
el ensayo *essay*
el estilo *style*
la fábula *fable*
el género literario *literary genre*
la novela *novel*
la obra teatral *play*
el personaje *character*
la poesía *poetry*
la prosa *prose*
el (la) protagonista *main character*
el tema *topic*
el verso *verse, line of a poem*

[1]The masculine form with the masculine article is used to refer to both male and female playwrights.

Para practicar el vocabulario

El equivalente. **Dé el equivalente de lo que sigue a continuación.**

1. exposición
2. tela
3. argumento
4. autor de obras teatrales
5. exhibir
6. lugar donde se exhiben cuadros
7. Ricky Martin, por ejemplo
8. Mozart, por ejemplo
9. persona que dirige
10. instrumento que se toca en las iglesias
11. la poesía, por ejemplo
12. personaje principal de una obra teatral, por ejemplo
13. opuesto de poesía
14. persona que esculpe
15. hacer un dibujo
16. hacer un bosquejo

Preguntas y respuestas. **Busque en la columna B las respuestas a las preguntas de la columna A.**

	A	B
______	1. ¿Van a formar un dúo?	a. José Martí.
______	2. ¿Qué instrumento toca?	b. Sí, es concertista.
______	3. ¿Cuál es el tema de la novela?	c. No, de mármol.
______	4. ¿Quién escribió ese ensayo?	d. Música clásica.
______	5. ¿La estatua es de bronce?	e. Irónico.
______	6. ¿Raúl toca bien el piano?	f. No, el arpa.
______	7. ¿Ellos son músicos?	g. No, un cuarteto.
______	8. ¿Qué te gusta escuchar?	h. El contrabajo.
______	9. ¿Cómo es su estilo?	i. Sí, tocan el violín.
______	10. ¿Aprendiste a tocar la guitarra?	j. El amor.

El arte. **En parejas, escojan la respuesta apropiada a las siguientes preguntas.**

1. ¿Qué necesitas para pintar?
   a. Mármol. b. Telas y pinceles. c. Bronce.
2. ¿Con qué pintas?
   a. Con acuarela. b. Con piedra. c. Con madera.
3. ¿Dónde exhiben tus cuadros?
   a. En el teatro. b. En la galería de arte. c. En el paisaje.
4. ¿Qué pintaste el mes pasado?
   a. Un autorretrato. b. Un mármol. c. Un verso.
5. ¿Qué vas a dibujar?
   a. Un ensayo. b. Un cuento. c. Un bosquejo.

6. ¿Sabes quién fue Mozart?
   a. Un gran escritor. b. Un gran compositor. c. Un gran pintor.
7. ¿Qué instrumento tocas?
   a. El lienzo. b. El pincel. c. El contrabajo.
8. ¿Sabes quién es Enrique Iglesias?
   a. Un famoso poeta. b. Un famoso escultor. c. Un famoso cantante.
9. ¿La estatua es de mármol?
   a. No, de tela. b. No, de óleo. c. No, de piedra.
10. ¿Escribe obras teatrales?
   a. Sí, es compositor. b. Sí, es dramaturgo. c. Sí, es novelista.
11. ¿Es una novela?
   a. No, es un cuento. b. No, es un busto. c. No, es una paleta.
12. ¿Qué instrumento tocan en las iglesias generalmente?
   a. La batería. b. La trompeta. c. El órgano.

¡Hablemos. . .!

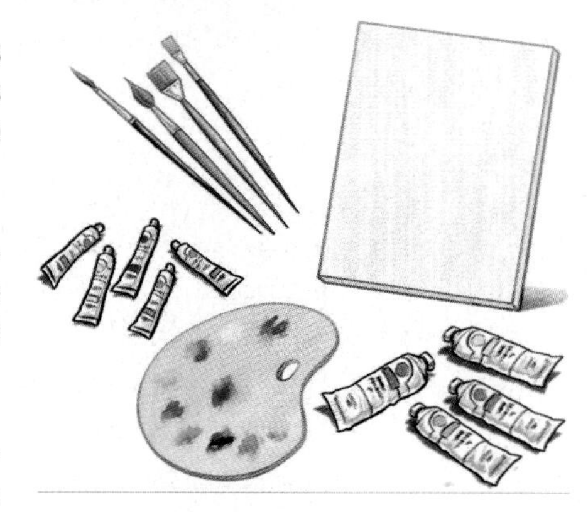

Una clase de arte. En parejas, hagan el papel de dos instructores que van a ofrecer una clase de arte en una escuela primaria. Hablen de los materiales que van a necesitar, de lo que les van a enseñar a los niños y de lo que van a hacer para despertar en ellos el amor al arte.

Programa musical. Ud. y dos compañeros(as) están encargados(as) de preparar el programa para dos noches de música en el teatro de la universidad. Decidan qué van a incluir en el programa del viernes y qué van a incluir en el del sábado.

Una clase de literatura. Formen un grupo de tres o cuatro estudiantes e imaginen que están en una clase de literatura. Hablen de lo siguiente.

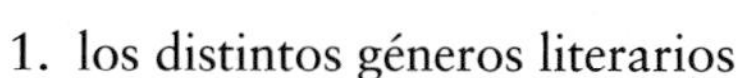

1. los distintos géneros literarios
2. sus poetas, sus dramaturgos y sus novelistas favoritos
3. las fábulas que han leído
4. los personajes que son inolvidables para Uds.

Una exposición de escultura. Ud. y un(a) compañero(a) acaban de regresar de una exposición de escultura. Hablen sobre lo que vieron. Digan qué fue lo que más les gustó. Den todos los detalles posibles.

La carta de María Elena

San José, Costa Rica
30 de octubre

Querido Álvaro:

¡Parece mentira! Para fines de diciembre habré terminado mis clases en el Instituto de Bellas Artes y habré vuelto a Managua. Me habría gustado quedarme un tiempo más para tomar clases más avanzadas, pero mi beca era solamente por dos años. He aprendido mucho: he pintado un autorretrato al óleo y un par de naturalezas muertas a la acuarela que presenté en una exposición del Instituto. Habría podido vender una de ellas, pero preferí conservarla. ¿Hice bien. . . ? ¿Qué habrías hecho tú, Álvaro? ¿Y a ti qué tal te va? ¿Todavía sigues trabajando en la galería de arte? Yo fui a una el sábado pasado y tenían una colección de pintura abstracta muy interesante. A tu jefa le habría encantado, pero no a ti, que prefieres la pintura más tradicional.

Bueno, Álvaro, ya he charlado bastante. Voy a terminar aquí para llevar la carta al correo porque en media hora ya habrán cerrado.

Cariños a tu familia y un abrazo para ti.

María Elena

¿Cuánto recuerda? Conteste lo siguiente con respecto a la carta de María Elena.

1. ¿Qué habrá pasado en la vida de María Elena para fines de diciembre?
2. ¿Cree Ud. que María Elena tuvo que costearse (*pay for*) las clases de pintura? ¿Por qué?
3. ¿María Elena pinta solamente al óleo?
4. ¿Vendió María Elena las naturalezas muertas? ¿Por qué?
5. ¿Dónde trabaja Álvaro?
6. ¿Qué tipo de pintura no le gusta a Álvaro?
7. ¿Qué quiere hacer María Elena con la carta y por qué debe hacerlo ahora?
8. ¿Cómo se despide María Elena de Álvaro?

¿Verdadero o falso? Prepare ocho afirmaciones sobre la carta de María Elena. Vea si su compañero(a) puede indicar si son verdaderas o falsas.

Estructura

El futuro perfecto y el condicional perfecto

A. El futuro perfecto

✦ The future perfect is used to refer to an action that will have taken place by a certain point in the future. It is formed with the future tense of the auxiliary verb **haber** + the past participle of the main verb. The future perfect in English is expressed by *shall have* or *will have* + past participle.

haber (future)	Past participle	
habré	comprado	*I will have bought*
habrás	bebido	*you will have drunk*
habrá	puesto	*he/she/you will have put*
habremos	hecho	*we will have done*
habréis	escrito	*you will have written*
habrán	dicho	*they/you will have said*

Para el lunes **habremos terminado.** — *By Monday we will have finished.*

Para fines de diciembre **habré vuelto** a Managua. — *By the end of December I will have returned to Managua.*

B. El condicional perfecto

✦ The conditional perfect (expressed in English by *would have* + past participle of the main verb) is used for the following purposes.

1. To indicate an action that would have taken place (but didn't), if certain conditions had been true.

   ¿Qué **habrías hecho** tú? — *What would you have done?*

2. To refer to a future action in relation to the past.

   María Elena dijo que para diciembre **habría terminado** sus clases.
   María Elena said that by December she would have finished her classes.

Alguien dijo...
A todos nos habría gustado haberlo sabido todo antes.

✦ The conditional perfect is formed with the conditional of the verb **haber** + the past participle of the main verb.

haber (conditional)	Past participle	
habría	comprado	*I would have bought*
habrías	bebido	*you would have drunk*
habría	puesto	*he/she/you would have put*
habríamos	hecho	*we would have done*
habríais	escrito	*you would have written*
habrían	dicho	*they/you would have said*

Yo no **habría hecho** eso. *I wouldn't have done that.*

¿Qué **habrían dicho** Uds.? *What would you have said?*

Actividad

Compromisos. En parejas, digan lo que cada uno de Uds. y las siguientes personas ya habrán hecho o no habrán hecho todavía para las fechas u horas indicadas.

1. Para mañana a las seis de la tarde, yo...
2. Para septiembre, mis amigos y yo...
3. Para el año próximo, mis padres...
4. Para el año 2010, mis compañeros de clase...
5. Para el próximo fin de semana, tú...
6. Para mañana al mediodía, mi amiga...
7. Para el domingo, Uds...
8. Para la próxima Navidad, mi familia y yo...

Para conversar

¿Y Uds.? Esto es lo que María Elena hizo en Costa Rica. En parejas, digan lo que Uds., sus amigos y algunos miembros de su familia habrían hecho.

María Elena...

1. vivió en San José.
2. alquiló un apartamento.
3. tomó clases de arte.
4. consiguió una beca.
5. pintó con acuarela.
6. no vendió ninguno de sus cuadros.
7. asistió a una exposición.
8. hizo varias excursiones.
9. visitó varios lugares de interés en San José.
10. les escribió a sus padres todas las semanas.

Una invitación

Fernando Peña Real, un muchacho salvadoreño que vive en el mismo edificio de apartamentos donde vive María Elena, la invita a un concierto. Fernando es músico y toca varios instrumentos.

Fernando —María Elena, acabo de enterarme de que este viernes a las ocho de la noche la Orquesta Sinfónica da un concierto en el Teatro Nacional. ¿Te gustaría ir?

M. Elena —Me encantaría, pero Mónica, la chica de quien te hablé, me invitó a cenar el viernes. No me atrevo a decirle que no puedo ir.

Fernando —Podemos llevarla con nosotros.

M. Elena —Buena idea. ¿Puedes encontrarte con nosotras en el restaurante San Remo?

Fernando —Sí, tengo una idea. ¿Te acuerdas del muchacho que conocimos en la universidad, cuyos padres son músicos? Voy a invitarlo también.

M. Elena —¡Perfecto! Nos vemos a las seis.

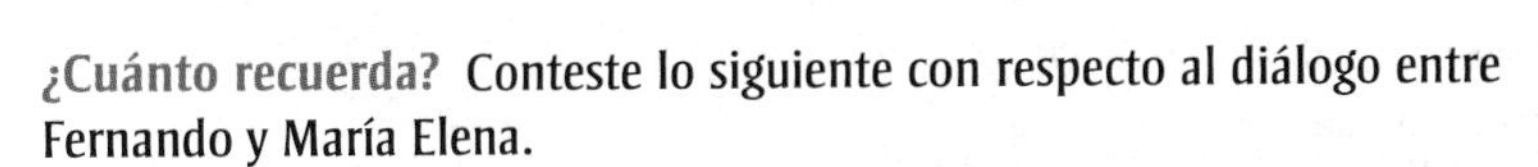

¿Cuánto recuerda? Conteste lo siguiente con respecto al diálogo entre Fernando y María Elena.

1. ¿Dónde nació Fernando Peña Real?
2. ¿Cuál es la profesión de Fernando?
3. ¿Dónde y cuándo es el concierto de la Orquesta Sinfónica?
4. ¿Con quién planeaba ir a cenar María Elena?
5. ¿Qué le dice Fernando a María Elena?
6. ¿Dónde van a encontrarse María Elena y Fernando?
7. ¿Dónde conocieron al muchacho cuyos padres son músicos?
8. ¿A qué hora se van a encontrar los chicos?

¿Verdadero o falso? Prepare ocho afirmaciones sobre la conversación entre María Elena y Fernando. Vea si su compañero(a) puede indicar si son verdaderas o falsas.

Estructura

Los pronombres relativos

Relative pronouns are used to combine and relate two sentences that have a common element, usually a noun or pronoun.

A. El pronombre relativo que

common element

Hay **muchas personas.**	**Muchas personas** irán a ese concierto.
Hay muchas personas **que** irán a ese concierto.	*There are many people who will go to that concert.*

common element

El Sr. Paz es concertista. **El Sr. Paz** vive aquí.

NO COMMA → El Sr. Paz es el concertista **que** vive aquí. *Mr. Paz is the soloist who lives here.*

✦ Note that the relative pronoun **que** helps combine each pair of sentences above by replacing the common element **muchas personas** in the first case and **el Sr. Paz** in the second.

common element

Compré un **violín.** El **violín** es bueno.

El violín **que** compré es bueno. *The violin (that) I bought is good.*

★ ✦ The relative pronoun **que** is invariable and is used for both persons and things. It is the Spanish equivalent of *who*, *that*, or *which*. Unlike its English equivalents **que** is never omitted.

B. El pronombre relativo quien (quienes)

El escultor **con quien** hablé va a tener una exposición.
The sculptor with whom I spoke is going to have an exhibition.

El hombre **de quien** te hablé es el nuevo director.
The man about whom I spoke to you is the new conductor.

✦ The relative pronoun **quien** is only used with people.

✦ The plural of **quien** is **quienes. Quien** does not change for gender, only for number.

★ ✦ **Quien** is generally used after prepositions: for example, **con quien, de quienes, para quien,** etc. **Quien** is the Spanish equivalent of *whom, that,* or *who.*

★ If you use quien all by itself, it must be followed by a comma.

C. El pronombre relativo cuyo

El señor **cuya** hija está en el hospital es el dueño de la galería de arte.
The gentleman whose daughter is in the hospital is the art gallery owner.

El compositor **cuyas** canciones escuchaste es muy famoso.
The composer whose songs you listened to is very famous.

✦ The relative pronoun **cuyo** (**cuya, cuyos, cuyas**) means *whose*. It agrees in gender and number with the noun that follows it, not with the possessor.

¡ATENCIÓN! In a question, the interrogative *whose*? is expressed by **¿de quién** (es)**...?**

¿De quién es esta flauta? *Whose flute is this?*

Actividad

Online Study Center

Un mensaje electrónico. El Sr. Carlos Vega, que es músico, recibió este mensaje electrónico de su hija que, a veces, le sirve de secretaria. Complételo usando los pronombres relativos correspondientes.

Papá: El guitarrista ___que___ tenía la entrevista contigo a las tres no puede venir.
El contrato ___que___ tienes que firmar está en el escritorio.
Las cantantes de ___quienes___ te hablaron ayer van a estar aquí a las cinco.
El pianista ___cuya___ hija está en el hospital llamó para decir que no va a estar en el club hoy.
El violinista con ___quien___ tenías una cita (*appointment*) llamó para cancelarla.

Para conversar

 **Dime. . .** Con un(a) compañero(a) conteste las siguientes preguntas.

1. De todas las personas que tú conoces, ¿quién tiene más talento musical?
2. ¿Todavía ves a la primera persona de quien te enamoraste?
3. ¿Quién es la persona con quien tú sales más frecuentemente?
4. ¿Quién es la persona cuya opinión tú respetas más?
5. ¿Cuál es el instrumento musical que más te gusta?
6. ¿Quién es el pintor que más te gusta?
7. ¿Cuál es el género literario que prefieres?
8. ¿Quién es el novelista norteamericano cuyas novelas se conocen en todo el mundo?

Un dicho

Perro que ladra no muerde. (*The dog's bark is worse than its bite.*)

Una conferencia

En el Centro Nacional de Arte y Cultura tuvo lugar el jueves pasado la conferencia del profesor hondureño Miguel Ángel Covarrubias sobre la obra del escritor español Federico García Lorca. La conferencia fue patrocinada por la Asociación de Profesores de Literatura de la universidad.

El Dr. Covarrubias habló de la poesía de Lorca, y afirmó que sus temas, aunque profundamente españoles, son también universales.

El conocido actor Ricardo Alarcón fue muy aplaudido cuando recitó dos de los poemas más famosos de Lorca. El conferenciante habló también sobre el teatro lorquiano haciendo énfasis en la obra *La casa de Bernarda Alba,* que él considera la mejor del famoso dramaturgo.

La próxima conferencia del profesor Covarrubias será presentada el 28 de enero y tendrá como tema la novela española actual.

¿Cuánto recuerda? Conteste lo siguiente con respecto a la conferencia del profesor Covarrubias.

1. ¿Dónde y cuándo tuvo lugar la conferencia?
2. ¿Quién ofreció la conferencia? ¿Cuál es la nacionalidad del profesor?
3. ¿Cuál fue el tema de la conferencia?
4. ¿Por qué asociación fue patrocinada (*sponsored*)?
5. ¿Quién es Ricardo Alarcón y qué hizo?
6. ¿Qué obra teatral considera el profesor Covarrubias la mejor de Lorca?
7. ¿En qué fecha será presentada su próxima conferencia?
8. ¿Cuál será el tema?

¿Verdadero o falso? Prepare ocho afirmaciones teniendo en cuenta la información sobre la conferencia. Vea si su compañero(a) puede indicar si son verdaderas o falsas.

Estructura

La voz pasiva

✦ In the passive voice, the subject of the sentence does not perform the action of the verb but is acted upon.

La conferencia **fue patrocinada** por la Asociación de Profesores.
The lecture was sponsored by the Faculty Association.

✦ The passive voice is formed in the following way.

subject	+	ser	+	past participle	+	por	+	agent
El poema	+	**fue**	+	**leído**	+	**por**	+	**el actor.**

The auxiliary verb used is always the verb **ser**. Since the past participle is used as an adjective, it must agree with the subject in gender and number.

La conferencia	**será**	**presentada**	por	el profesor Lara.
The lecture	*will be*	*given*	*by*	*Professor Lara.*

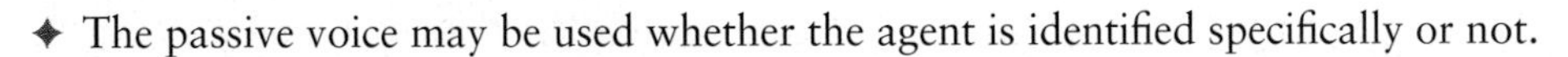

✦ The passive voice may be used whether the agent is identified specifically or not.

La conferencia **será presentada** el 28 de enero.
The lecture will be given on January 28.

¡ATENCIÓN! As in English, the tense of the verb **ser** in the passive voice matches the tense of the verb in the active voice.

El profesor	**ofrecerá**	la conferencia.
La conferencia	**será ofrecida**	por el profesor.

Actividad

Online Study Center

Sobre literatura. En parejas, túrnense para contestar las siguientes preguntas. Usen en sus respuestas la voz pasiva y la información dada entre paréntesis.

MODELO: ¿Qué editorial publicó ese libro? (Losada)
Ese libro **fue publicado por** la Editorial Losada.

1. ¿Quién escribió la novela *Cien años de soledad?* (García Márquez)
2. ¿En qué año publicaron la obra teatral *La casa de Bernarda Alba?* (1936)
3. ¿Cuándo presentarán las conferencias? (en enero)
4. ¿Quién escribe la sección literaria del periódico? (Susana del Valle)
5. ¿Quién ha entrevistado a las autoras? (Mario Venegas)
6. ¿Quién recitaba los poemas? (Marisol Araújo)
7. ¿Cuándo dijo el profesor que fundarían la asociación? (el año próximo)
8. ¿Cuándo habrán terminado los ensayos? (para marzo)

Para conversar

Las Bellas Artes. Ud. y su compañero(a) van a preparar una clase sobre pintura, escultura, música y literatura. Usen la voz pasiva para indicar quiénes fueron los autores de cada obra.

1. El poema "El cuervo"
2. La estatua *El pensador*
3. El *Ave María*
4. El techo (*ceiling*) de la Capilla Sixtina
5. La novela *El viejo y el mar*
6. Los valses vieneses
7. La novela *Don Quijote*
8. El cuadro *Whistler's Mother*

Una exposición de escultura

Mónica, la amiga de María Elena, habla con Pablo, su compañero de clase.

Mónica —Pablo, ¿quieres acompañarme a la galería de arte esta noche? Hay una exhibición de la escultora guatemalteca Aída Reyes. Yo creo que será algo digno de verse.

Pablo —Parece mentira, yo te iba a llamar para ver si querías ir. Exhiben muchas de sus esculturas en bronce y en mármol. Los críticos dicen que son las mejores.

Mónica —Excelente. Como sabes, la exhibición se cierra esta noche de modo que tenemos que ir hoy, sin falta, si queremos adquirir algunas de las piezas exhibidas.

Pablo —En ese caso puedo matar dos pájaros de un tiro: ver la exposición y comprar alguna pieza para regalársela a papá.

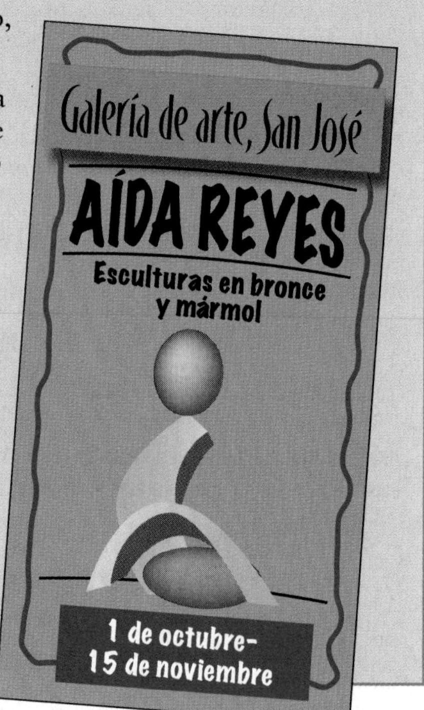

¿Cuánto recuerda? Conteste lo siguiente con respecto al diálogo entre Mónica y Pablo.

1. ¿Adónde quiere ir Mónica esta noche?
2. ¿Cómo se llama la escultora y de dónde es?
3. ¿Qué cree Mónica de la exposición?
4. ¿Para qué iba a llamar Pablo a Mónica?
5. ¿De qué son las esculturas que exhiben?
6. ¿Por qué dice Mónica que tienen que ir a la exposición hoy sin falta?
7. ¿Por qué dice Pablo que va a matar dos pájaros de un tiro?

¿Verdadero o falso? Prepare ocho afirmaciones teniendo en cuenta la conversación entre Mónica y Pablo. Vea si su compañero (a) puede indicar si son verdaderas o falsas.

Estructura

Algunas expresiones idiomáticas

You have learned many phrases or expressions that cannot be translated literally into English. Following are the ones that appear in the dialogue.

acompañar a alguien *to go with someone*
digno(a) de verse *worth seeing*
matar dos pájaros de un tiro *to kill two birds with one stone*
parecer mentira *to seem incredible*

Otras expresiones idiomáticas comunes

a la larga *in the long run*
al contrario *on the contrary*
al fin y al cabo *after all*
caerle bien (mal) a uno *(not) to like someone* 3rd person singular / plural usually (me cae)
cambiar de idea *to change one's mind*
dar en el clavo *to hit the nail on the head*
darle rabia a uno *to make one furious*
de ninguna manera, de ningún modo *no way*
en ninguna otra parte *nowhere else*
en todo caso *in any case*
entre la espada y la pared *between a rock and a hard place*
hacer una pregunta *to ask a question*
no tener pelos en la lengua *to be outspoken*
no ver la hora de *not to be able to wait*
perderse algo *to miss out on something*
por otro lado *on the other hand*
tener la culpa *to be one's fault*
todo el mundo *everybody*
tomarle el pelo a alguien *to pull somebody's leg*
volverse loco(a) *to go crazy*

Un dicho

De poeta y de loco, todo el mundo tiene un poco.

Actividad

Online Study Center

Expresiones. En parejas, túrnense para decir qué expresiones idiomáticas pueden sustituir las frases que aparecen en bastardilla (*italics*).

1. *Después de todo*, ellos son los mejores escultores.
2. Elena siempre *dice exactamente lo que piensa.*
3. *No puedo creer* que Marcelo haya ido al concierto.
4. Visité a mis amigos y fui a una exhibición. *Hice dos cosas a la vez.*
5. Tengo que *preguntarle muchas cosas.*
6. Hagas lo que hagas, *tus dos alternativas son malas.*
7. *Con el paso del tiempo* verás que tengo razón.
8. Los chicos siempre *se burlan de él.*

Para conversar

A ver. . . **En parejas, túrnense para contestar las siguientes preguntas. Usen en sus respuestas las expresiones idiomáticas aprendidas.**

1. ¿Tienes muchas ganas de que lleguen las vacaciones? No veo la hora de...
2. ¿Te gustaría ver las esculturas de Miguel Ángel?
3. ¿Tú podrías tallar en madera?
4. ¿Tú crees que te aburrirías si fueras a una galería de arte? Al contrario, me divertiría
5. ¿Has ido a todas las fiestas a las que te han invitado?
6. La última vez que fuiste al cine, ¿había mucha gente? Sí, todo el mundo estaba allí.
7. ¿Puedes ir conmigo a una exposición de escultura?
8. ¿Tú crees que los estudiantes de esta clase son simpáticos? Sí, me caen muy bien.
9. ¿Hay algo que te ponga furioso(a)?
10. Cuando tomas una decisión, ¿siempre la mantienes? No, a veces cambio de idea

La Galería de Arte Moderno Latinoamericano

presenta

Una exposición de la obra del pintor cubano

Guido Llinás

de la época anterior a la revolución cubana.

Óleos, acuarelas y grabados realizados entre 1942 y 1959

El pintor estará presente
la noche de la apertura
para contestar preguntas
de los asistentes.

La exposición estará abierta de 8 a 10 p.m.
del viernes 2 al miércoles 7 de este mes.

Los cuadros expuestos son propiedad de varios coleccionistas que los han prestado para esta exposición y no están a la venta.

Galería de Arte Moderno Latinoamericano
San José #321, San José

Una exposición de arte

En parejas, túrnense para leer el siguiente anuncio, y después contesten las preguntas que aparecen a continuación.

1. ¿Quién es el pintor que presenta la exposición?
2. ¿Cuál es su nacionalidad?
3. ¿Dónde y cuándo se presenta la exposición?
4. Los cuadros presentados, ¿son de su obra actual? ¿De qué época son?
5. ¿Qué tipos de pintura se incluyen en la exposición?
6. Me interesa hablar con el pintor. ¿Podré hacerlo? ¿Cuándo?
7. ¿Pueden verse los cuadros durante el día? ¿Por qué?
8. ¿Puedo comprar algunos de los cuadros que se exhiben? ¿Por qué?

Conversaciones

¿Cuánto sabemos de pintura, de música y de literatura? Demuestra tus conocimientos del mundo de la pintura, de la música y de la literatura. Trabaja con dos o tres compañeros(as) para encontrar la información en la columna B que corresponde a la que aparece en la columna A.

A	B
______ 1. Este escritor norteamericano escribió el poema "El cuervo".	a. Miguel Ángel
______ 2. Este gran pintor italiano pintó *La última cena.*	b. Pablo Picasso
______ 3. Escribió *El viejo y el mar.*	c. Federico García Lorca
______ 4. Este escultor italiano creó la estatua de David.	d. William Shakespeare
______ 5. Famoso muralista mexicano.	e. Augusto Rodín
______ 6. Famosa poetisa norteamericana del siglo XIX.	f. Ernest Hemingway
______ 7. El cuadro *Los tres músicos* pertenece al período cubista de este gran pintor español.	g. Gabriel García Márquez
______ 8. Escribió la obra maestra de la literatura española.	h. Plácido Domingo
______ 9. De él es la famosa frase "Ser o no ser".	i. Emily Dickinson
______10. Escritor colombiano, autor de *Cien años de soledad.*	j. Salvador Dalí
______11. De él es la famosa escultura *El pensador.*	k. Julio Verne
______12. Famoso cantante de ópera.	l. Leonardo da Vinci
______13. Autor norteamericano de *Las viñas de la ira.*	m. Edgar Allan Poe
______14. Escritor francés, autor de *20,000 leguas de viaje submarino.*	n. Miguel de Cervantes
______15. Famoso poeta español del siglo XX.	o. Diego Rivera
______16. Gran pintor surrealista español.	p. John Steinbeck

Ahora contesten las siguientes preguntas.

1. ¿Sobre cuál de las artes sabían más, la música, la literatura, o la pintura y la escultura?
2. ¿Qué es lo que la mayoría de los estudiantes sabía y qué es lo que no sabía la mayor parte de la clase?
3. ¿Qué aprendieron Uds. al hacer esta actividad?

Quiero saber. . . En parejas, túrnense para hacerse las siguientes preguntas.

1. Cuando viajas, ¿te gusta visitar museos? ¿Has asistido a una galería de arte últimamente? ¿Te habría gustado ser pintor(a) ¿Te gusta la pintura abstracta o prefieres la pintura tradicional? ¿Han pintado alguna vez un retrato tuyo?
2. ¿Qué tipo de música te gustaba escuchar cuando tenías doce años? ¿Cuál prefieres escuchar ahora? ¿Quiénes son tus compositores favoritos? Un amigo tuyo fue a un concierto de Rock, ¿tú lo habrías acompañado? ¿Tocas algún instrumento musical? ¿Cuál? ¿Qué instrumento te gustaría aprender a tocar? ¿Quién es tu cantante favorito?
3. ¿Qué género literario prefieres: el cuento, la novela, la poesía o el ensayo? Cuando vas al teatro, ¿prefieres ver una comedia o un drama? ¿Quién es tu dramaturgo favorito? ¿y tu poeta favorito? ¿Has escrito un poema alguna vez?

4. Además de la estatua de David, ¿qué otra escultura famosa de Miguel Ángel conoces? ¿Prefieres las esculturas hechas de mármol o de bronce? ¿Te habría gustado ser escultor(a)? ¿Te gustaría aprender a tallar en madera?

Una encuesta

Entreviste a sus compañeros de clase y a su profesor(a) para identificar a aquellas personas que...

1. saben pintar con acuarela. ____________
2. han visitado un museo famoso. ____________
3. han visto pinturas de Salvador Dalí. ____________
4. dibujan bien. ____________
5. tocan un instrumento musical. ____________
6. prefieren escuchar música clásica. ____________
7. cantan muy bien. ____________
8. prefieren los cuentos de ciencia ficción. ____________
9. han leído las fábulas de Esopo. ____________
10. han visto muchas obras teatrales. ____________

Para escribir

Te va a gustar. . .

Ud. tiene un amigo que sabe mucho de ciencias, pero que no sabe nada sobre las Bellas Artes y Ud. se propone despertar en él interés por la pintura. Escriba un plan detallado de cómo va a lograr su propósito.

Lluvia de ideas. Haga una lista de todas las actividades que Ud. considera apropiadas y colóquelas en orden de importancia.

Para persuadir. Utilice frases como:

Estoy seguro(a) de que te gustaría...
Sería muy interesante...
Es digno de verse...

Teniendo en cuenta la personalidad y los gustos de su amigo escoja cuatro o cinco pintores famosos cuyos cuadros Ud. piensa que él encontraría interesantes.

Primer borrador. Escriba el plan y luego léalo cuidadosamente para asegurarse de que no hay errores gramaticales, de que las ideas fluyen y de que tiene una buena conclusión.

Después de escribir. Ud. y un(a) compañero(a) intercambien sus composiciones y edítenlas. Luego, escriba la versión final.

Lecturas periodísticas

El período cubista en la obra del pintor mexicano Diego Rivera

(ADAPTADO)

Una importante exhibición titulada "Diego Rivera: los años cubistas", circuló por varios museos de los Estados Unidos, en una gira que concluyó en el Museo de Arte Moderno de la Ciudad de México.

Esta exposición tuvo una gran importancia histórica y artística, ya que[1] incluyó más de 75 obras del extraordinario pintor mexicano, todas creadas entre los años 1913 y 1917, parte de su poco conocida etapa[2] cubista.

Diego Rivera vivió por más de diez años en Europa, precisamente durante la época en que el arte moderno comenzaba a ser reconocido como una fuerza de gran influencia en el mundo entero. Fueron años muy productivos, durante los cuales Rivera produjo cientos de pinturas y dibujos. En París conoció a Picasso y a Braque, considerados como los pioneros del Cubismo. Durante ese tiempo el pintor mexicano sintió la influencia de aquel movimiento artístico, y sus pinturas de ese período son evidencia de este fenómeno inevitable[3].

No obstante, a la obra cubista de Diego Rivera no se le ha dado la importancia que realmente tiene, tal vez por la magnitud de sus trabajos posteriores[4]. Pero esta etapa en la carrera del genial artista no puede ser ignorada. Entre las obras que lo consagraron entre los demás cubistas de París están su importante *Mujer joven con alcachofas*[5], *El joven de la estilográfica*, *Azoteas*[6] *de París*, *El libro y la coliflor*, y *Naturaleza muerta española*, todas ejecutadas entre 1913 y 1915, la época más importante de su período cubista.

De la revista *Vanidades* (Ciudad de Panamá)

[1]**ya...** since [2]period [3]unavoidable [4]later [5]artichokes [6]flat roofs (*of houses*)

Online Study Center

La Red Visita la página de ***Entre nosotros*, 2e** en *college.hmco.com/pic/entrenosotros2e* para aprender más sobre los artistas y el arte en los países hispanos.

Sobre el artículo. Conteste las siguientes preguntas basándose en la información que aparece en la lectura periodística.

1. ¿Dónde concluyó la gira de la exposición de Diego Rivera?
2. ¿Cuántas obras incluyó la exposición y a qué etapa de la obra de Rivera correspondían?
3. ¿Cuántos años vivió Rivera en Europa? ¿A quiénes conoció allí?
4. ¿Qué influencia sintió el pintor en Europa?
5. ¿Por qué no se le ha dado importancia al período cubista de Diego Rivera?
6. Mencione algunas de las obras que lo consagraron entre los cubistas de París.
7. ¿Cuál es la época más importante del período cubista del pintor?

Ahora. . . En grupos de tres o cuatro hablen sobre la primera vez que visitaron un museo o una galería de arte. ¿Qué les impresionó más? Actualmente, ¿qué tipo de pintura prefieren? Imaginen que alguien les va a regalar un cuadro de un famoso pintor. ¿Cuál escogerían? ¿Por qué?

Cruzando fronteras

Online Study Center

Nuestro viaje continúa. . .

De Panamá, seguiremos hacia el norte hasta llegar a Costa Rica. De allí emprenderemos viaje a Nicaragua, El Salvador y Honduras, y terminaremos esta etapa de nuestro recorrido en Guatemala.

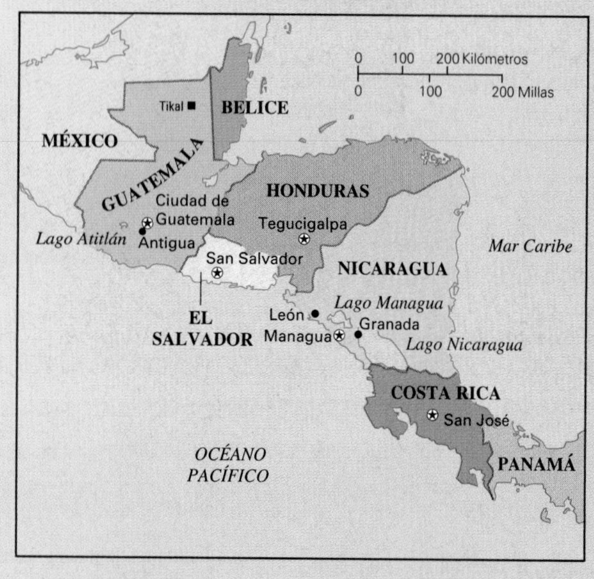

Costa Rica

Costa Rica es un país muy pequeño. Su superficie es un poco menor de la mitad del estado de Virginia. El 60 por ciento de su territorio está cubierto de bosques, inclusive selvas pluviales vírgenes que el Gobierno trata de conservar con estrictas leyes°. Costa Rica tiene 24 parques nacionales y reservas ecológicas que ocupan el 15 por ciento de su superficie. Como estos parques y reservas están abiertos al público, el país cuenta con un creciente° ecoturismo.

El país carece de° minerales y de muchos otros recursos naturales y, sin embargo, su economía es de las más florecientes° de la región. Aunque menos del 30 por ciento de la población trabaja en la agricultura, casi el 60 por ciento de los ingresos del país provienen de la exportación de bananas, café, azúcar, carne de res°, piñas, cacao y flores. Actualmente Costa Rica es el mayor exportador mundial de bananas después de Ecuador. En los últimos años el país ha hecho un esfuerzo por diversificar su economía, atrayendo las inversiones° extranjeras en la industria y el turismo.

laws / growing / *carece...* lacks / flourishing / *carne...* beef / investments

Costa Rica no tiene grandes ciudades; aun su capital, San José, tiene poco más de 300.000 habitantes, y en ella no se encuentran los edificios altos que caracterizan a la mayor parte de las capitales del mundo actual. El país tiene una larga tradición democrática. No tiene ejército°, y tiene el mejor sistema educativo de Centroamérica que es, además, uno de los mejores de toda Latinoamérica. El 95 por ciento de su población sabe leer y escribir.

army

Nicaragua

Nicaragua, con una superficie un poco mayor que la del estado de Nueva York, es el país más extenso de América Central, pero menos de una décima parte de su territorio es cultivable.

Nicaragua es la tierra de los lagos y de los volcanes. Dos grandes lagos, el Nicaragua y el Managua, casi dividen al país en dos, y entre estos lagos y la costa del Pacífico se extiende una cadena° de volcanes. El lago Nicaragua es uno de los mayores lagos de agua dulce° de todo el mundo, y en él hay tiburones° y otros peces que sólo viven en agua salada en otras regiones.

chain
fresh / sharks

La mayor parte de su población vive en el oeste del país, junto a los lagos Nicaragua y Managua, y al océano Pacífico. Allí están las tres ciudades más importantes del país: Managua, la capital, León y Granada. La mitad° de su territorio próxima al océano Atlántico está muy poco poblada, en su mayor parte no es cultivable, y agrega poco a la economía del país.

half

La economía de Nicaragua se basa en la agricultura, y en esta actividad trabaja casi la mitad de su población. Sus principales productos de exportación son café, algodón°, carne de res y madera. El país tiene una selva virgen mucho más extensa que la de Costa Rica, pero lamentablemente no está debidamente° protegida contra su explotación excesiva.

cotton
duly

El Salvador

El Salvador es la nación más pequeña y la más densamente poblada de América Central. Además, es la única que no tiene costas en el Caribe. El centro del país es una alta meseta situada entre dos cadenas de volcanes. En el país hay más de 200 volcanes, por lo que se le ha llamado la "Tierra de los volcanes". Aunque la mayor parte de ellos están apagados°, el país sufre frecuentes erupciones volcánicas y terremotos.

inactive

Todo el territorio salvadoreño está en el trópico, pero el clima varía con la altura° de cada región.

altitude

La economía de El Salvador está basada en la agricultura, y su mayor producto de exportación es el café. Sin embargo, en las últimas décadas, El Salvador ha hecho un gran esfuerzo por industrializarse. Aprovechando que la meseta central está cortada° por ríos y valles, ha construido plantas hidroeléctricas que producen electricidad abundante y barata. Así, el país ha podido atraer múltiples industrias manufactureras. La capital del país, San Salvador, es la más industrializada de las ciudades de América Central.

divided

Honduras

Cuando Colón llegó a las costas de esta región de Centroamérica, quedó soprendido por la profundidad de las aguas junto a la tierra, así que la llamó "Honduras°". Aquí floreció° el imperio maya unos 500 años antes de la llegada de los conquistadores. Hoy Honduras, con una superficie poco mayor que la del estado de Tennessee, tiene más de cinco millones de habitantes.

"Depths" / flourished

Honduras es el único país centroamericano que no tiene volcanes, pero esto no le ha favorecido, pues las tierras volcánicas son, por lo general, fértiles y buenas para la agricultura. Como la economía del país se basa en la agricultura y el 60 por ciento de la población depende de esta actividad, Honduras es hoy uno de los países más pobres de América.

Por otra parte, la pobreza de la tierra ha dado lugar a la agricultura migratoria y esto, y la explotación maderera°, han ocasionado la pérdida de casi la tercera parte de los bosques° del país en los últimos 25 años. A pesar de esto, Honduras cuenta hoy con el mayor bosque de pinos del mundo.

lumber
forests

La capital de Honduras es Tegucigalpa, palabra que significa "colina° de plata". La mayor atracción turística del país es Copán, nombre que en el idioma indígena significa "puente° de madera".

hill
bridge

Guatemala

Guatemala es otro de los países centroamericanos cuyo territorio fue parte del imperio maya que floreció, por más de mil años, en lo que hoy es Guatemala, Honduras y parte de México. De estos tres países, Guatemala fue el foco cultural más importante de la civilización de este imperio. El lenguaje oficial del país es el español, pero la mayor parte de los indígenas hablan sus propias lenguas.

Guatemala es un país de volcanes, de montañas y de bellísimos paisajes. Su clima es extremadamente agradable, y por esta razón es llamado "el país de la eterna primavera".

jungle

El 40 por ciento del territorio de Guatemala está cubierto de bosques. La región de Petén, al noroeste, es una selva° tropical en medio de la cual se conservan las ruinas de la ciudad maya de Tikal, uno de los sitios arqueólogicos más interesantes de toda América.

Otro gran centro de atracción turística es Antigua, a la que el escritor inglés Aldous Huxley calificó como una de las ciudades más románticas del mundo. Antigua fue la capital del país hasta que fue destruida por un terremoto en el año 1773. La actual capital es Ciudad Guatemala.

¿Cuánto hemos aprendido?

¿Cierto o no? Ud. y otro(a) estudiante túrnense para indicar si la información que sigue es correcta(C) o incorrecta(I).

_____ 1. El gobierno de Costa Rica tiene leyes muy estrictas para conservar las selvas pluviales del país.
_____ 2. Costa Rica tiene muchos minerales.
_____ 3. Costa Rica tiene un excelente sistema educativo.
_____ 4. De los países centroamericanos, Nicaragua es el más pequeño.
_____ 5. El territorio que está próximo al océano Atlántico es el más importante para la economía de Nicaragua.
_____ 6. La capital de Nicaragua es Managua.
_____ 7. El Salvador tiene muchos volcanes.
_____ 8. El café es el mayor producto de exportación de El Salvador.
_____ 9. Comparada con otras ciudades centroamericanas la capital salvadoreña no tiene muchas industrias.
_____ 10. Honduras es más pequeño que el estado de Tennessee.
_____ 11. Honduras es un país muy pobre.
_____ 12. Copán es un centro de atracción turística de Honduras.
_____ 13. El foco más importante de la civilización maya fue Guatemala.
_____ 14. La capital de Guatemala es Tikal.
_____ 15. Guatemala tiene inviernos extremadamente fríos.

Preguntas y respuestas. La clase se dividirá en cinco grupos. Cada grupo preparará unas cinco preguntas sobre uno de los países visitados para hacérselas al resto de la clase.

Comentarios. En parejas hablen de lo siguiente.

1. algunos aspectos históricos de Costa Rica, Nicaragua, El Salvador, Honduras y Nicaragua
2. ¿En cuál de estos países les gustaría pasar unos meses? ¿Por qué?
3. algunas razones por las cuales les resultaría difícil vivir en estos países centroamericanos

¿Adónde vamos. . . ? Ahora decidan a cuál de estos países les gustaría viajar y expliquen por qué.

Ventana al mundo literario

Aquileo J. Echeverría
Costa Rica
1866–1909

Aquileo J. Echeverría pertenece° al grupo de autores que han pasado a ser considerados los primeros clásicos literarios de Costa Rica.

La imagen de la sociedad nacional que ofrecen las obras de estos autores es la de una sociedad en transición, donde los valores patriarcales se encuentran en proceso de disolución para ser sustituidos por nuevos valores.

En la obra de Echeverría se presenta con frecuencia el tema de las costumbres rituales de la vida campesina, como se puede ver en su libro Concherías. *La selección que aparece a continuación, que es una crónica o artículo de costumbres, fue incluida en la edición póstuma de* Crónicas y cuentos míos *(1934).*

belongs

Preparación. **"La Presa" relata las aventuras de un grupo de "diablillos"° que, llenos de imaginación, iban a jugar a orillas de un río. ¿Qué travesuras° recuerda Ud. cuando piensa en su niñez? Al leer el primer párrafo, ¿qué cree Ud. que va a decir el autor sobre esos alegres y "bulliciosos muchachos"?**

(*little devils*)
(*pranks*)

La Presa *(Adaptado)*

Allí, donde hoy está el lavadero° público, era hace pocos años el centro de reunión de los alegres y bulliciosos° muchachos de San José.

Lo llamábamos "La Presa°" porque hay una construida para elevar las aguas al nivel° del terreno en que está colocada° una maquinaria de cortar maderas.

En "La Presa" hemos aprendido a nadar todos los muchachos de San José; progresando a tal punto que de entre nosotros salieron muchos excelentes nadadores.

"La Presa" era nuestro baño favorito, por ser "Torres" el río más cercano a San José, y por ofrecer muchas comodidades°, pues hay en sus riberas° piedras donde uno puede divertirse y poner la ropa.

Cuando un muchacho se escapaba de la escuela, era casi seguro que iba a "La Presa", que era el punto de reunión de los vagos°.

En la orilla opuesta a la que nos desvestíamos tenía un viejecito un huerto° en el que crecían° varios guayabos, naranjos y mangos que eran nuestra constante tentación. El dueño era un hombre de pocas pulgas° y nosotros le temíamos más que al pecado°, atreviéndonos a entrar en sus propiedades solamente cuando éramos muchos. Uno de los muchachos era el Jefe, y designaba a los que debían quedarse de centinelas°, listos para dar la voz de alarma cuando divisaba al enemigo, y los demás se repartían° en dos grupos: los más ágiles subían a los árboles y los otros recogían las frutas que aquéllos arrojaban°. Una vez verificado el robo nos sentábamos a la orilla del río para repartirnos el botín°.

Después, los muchachos atravesaban el río, algunos hasta con tres guayabas en la boca, y un par de mangos verdes en las manos.

Pero no siempre la empresa salía bien°; y muchas veces el viejecito nos perseguía con su machete largo en la mano. Entonces era el gritar°, el correr de aquí para allí, el saltar zanjas° y el atropellarse° los unos a los otros. El que caía se levantaba como podía, pues nadie se ocupaba de los demás: lo primero era salvar el propio pellejo°.

Apuesto a° que ninguno de mis compañeros se ha olvidado de las famosas batallas navales; de aquel ardor bélico con que defendían y atacaban el castillo, aquella piedra memorable donde aprendimos las primeras lecciones del arte de la guerra.

¿Y quién ha olvidado el juego del coco, el barrizal° donde nos emporcábamos° retozando° en sus tibias aguas, y en fin, todos esos juegos inocentes y sencillos° como eran nuestros corazones.

washing place
noisy
dam / level /
placed
comforts / shores
hookey players
orchard / grew
de... bad tempered / sin
guards / se... were divided
threw
loot
salía... turned out well
scream / ditches / run into
skin
Apuesto... I'll bet
mire / *nos*... got filthy / frolicking / simple

Hace pocos días fui a "La Presa" y me entristecí recordando aquellos tiempos felices. Nada ha variado; todo está en su puesto. Las lavanderas que hoy charlan y lavan ropa en el lavadero, veían admiradas a un hombre que, con la cara triste y muy apesadumbrado°, andaba como buscando algo entre aquellas piedras.

weighed down

En efecto, buscaba algo: la felicidad de aquellos deliciosos días que ya no volverán; y a no haberme contenido° la presencia de las mujeres, tal vez habría llorado sobre aquellas piedras, mudas testigos° de mi alegría, que parecían reconocerme y preguntarme por sus antiguos visitantes.

a... had it not been for / witnesses

Triste, muy triste me retiré de aquel lugar donde se han borrado° ya las huellas de aquel grupo de diablillos y en donde no resonarán más sus alegres algarabías y carcajadas°.

se... have been erased / *algarabías...* noise and laughter / locket

"La Presa" será siempre para nosotros el relicario° donde guardaremos muchos de los dulces recuerdos de nuestra niñez.

Díganos. . .

1. El lugar que es hoy un lavadero, ¿qué era hace pocos años?
2. ¿Qué aprendieron a hacer los muchachos en la presa?
3. ¿Qué había en el huerto del viejecito?
4. ¿Qué dice el autor sobre el viejecito?
5. ¿Qué hacían los muchachos cuando entraban en el huerto del viejo?
6. A veces la "empresa" no les salía bien, ¿qué hacían entonces?
7. ¿Qué sintió el autor cuando, ya hombre, volvió a la presa?
8. ¿Qué buscaba entre las piedras?
9. ¿Qué significará siempre la presa para el autor y sus amigos?

Desde su mundo. En parejas, hablen de los lugares en los que Uds. jugaban con sus amigos cuando eran niños. ¿Qué recuerdos tienen de aquella época? ¿Han vuelto a esos lugares alguna vez?

Para escribir. Escriba uno o dos párrafos sobre uno de los siguientes temas.

1. Veranos de mi niñez
2. Mis travesuras de niño(a)

Rubén Darío
Nicaragua
1867–1916

Rubén Darío, la figura principal del movimiento modernista, comenzó a escribir versos desde los trece años. Su primer libro importante, Azul, *publicado en 1888, tiene una gran influencia francesa, y fue el que lo dio a conocer en España.*

En 1896 se publicó Prosas profanas, *que fue el primer libro realmente importante del Modernismo. En él, la mayor parte de los poemas son de evasión, "Arte por el arte°". Más tarde publicó* Cantos de vida y esperanza *(1905), donde aparecen sus poemas más profundos y universales.*

Su obra comprende no sólo poesía, sino también prosa. Como prosista escribió excelentes cuentos, artículos de crítica literaria, crónicas y libros de carácter biográfico.

Arte... Art for art's sake

Preparación. Lea los cuatro primeros versos del poema. ¿Qué cosas hay que hacen la vida difícil a veces?

Lo fatal

Dichoso° el árbol que es apenas° sensitivo,
y más la piedra dura°, porque ésa ya no siente,
pues no hay dolor más grande que el dolor de ser vivo,

ni mayor pesadumbre° que la vida consciente.

Ser, y no saber nada, y ser sin rumbo cierto°,
y el temor° de haber sido y un futuro terror...
y el espanto° seguro de estar mañana muerto,
y sufrir por la vida y por la sombra° y por
lo que no conocemos y apenas sospechamos,
y la carne que tienta con sus frescos racimos,
y la tumba° que aguarda° con sus fúnebres ramos,
y no saber adónde vamos,
¡Ni de dónde venimos...! (de *Cantos de vida y esperanza*)

Happy / barely
hard
grief
sin... without knowing one's way / fear
horror
shadow
grave / waits

Díganos. . .

1. ¿Por qué envidia (*envies*) el poeta el árbol y la piedra?
2. ¿Cuál es el dolor más grande? ¿Y la mayor pesadumbre?
3. ¿Qué es lo que le hace sentir terror al poeta?
4. ¿De qué está hablando el poeta cuando dice "la carne que tienta con sus frescos racimos"?
5. ¿Cuáles son las dos cosas que, según Darío, no sabemos los seres humanos?

Desde su mundo. En grupos de dos o tres, comparen la actitud del poeta frente a la vida y a la muerte con la de Uds. ¿Tienen Uds. una actitud más positiva que la de él?

Para escribir. Escriba uno o dos párrafos sobre uno de los siguientes temas.

1. Cosas que hago para darle sentido (*meaning*) a mi vida
2. ¿Qué cosas me preocupan?

Matilde Elena López
El Salvador
1922–

Matilde Elena López es autora de numerosos libros de cuentos, obras de teatro, poesía y ensayos. Como ensayista ocupa un lugar importante en las letras de su país. Algunos de sus ensayos de tipo histórico-social son sobre El Salvador, y otros son sobre la vida artística de Guatemala y de otros países de Centroamérica.

La escritora ha obtenido primeros premios en varios certámenes° internacionales, uno de ellos en Nueva York con un cuento surrealista, y otro en poesía, así como el primer premio en el Concurso universitario del Ecuador, en 1955.

La labor docente° de Matilde Elena López ha sido también muy importante, pues no sólo se ha destacado como profesora de la Facultad de Humanidades de la Universidad de El Salvador, sino que ha tenido importantes cargos° en varios institutos culturales.

contests / educational / positions

fight

Preparación. Lea los primeros cinco versos del poema. ¿A qué se refiere la poetisa cuando habla de su lucha° "contra molinos y gigantes reales"[1]? En parejas discutan las ocasiones en que Uds. han tratado de luchar contra situaciones que no se pueden cambiar.

La máscara al revés

De pronto me encontré
en medio de la lucha
dispuesta° a combatir, — ready
a no dar tregua°. — truce
¿Eran molinos° o gigantes reales? — windmills
¿Contra quién combatía
cuando asumía la justicia
y el fiel° de la balanza°? — pointer / scale

¡Diké,
Ángel de la Justicia,
Guardián de Eternidades!
Era yo misma
en medio del combate.

Soñé que liberaba
presos atados° en la cuerda°, — tied / rope
esclavos de galeras°. — *esclavos…* galley slaves
¿Acaso vi castillos
donde sólo había Ventas°? — Inns
¿Tuve errores de cálculo
cuando asalté Bastillas?

¡No! ¡No puede ser!
no es que viera el mundo
—la máscara al revés°—. — *al…* upside down
¡Es porque el mundo
está al revés de veras
y arreglarlo
hazaña° es de Quijotes! — feat

Díganos. . .

1. ¿Dónde se encontró de pronto la poetisa, y qué estaba dispuesta a hacer?
2. ¿Qué es lo que no sabía la autora?
3. ¿Quién es Diké?
4. ¿Qué soñó la poetisa?
5. ¿Qué vio donde quizás había sólo Ventas?
6. ¿Qué dice Matilde Elena López del mundo?
7. ¿Cómo se sabe que ella opina que arreglar el mundo sería muy difícil?

Desde su mundo. En grupos de tres o cuatro, hablen sobre las cosas que querrían cambiar en este país, tanto en el aspecto político como en el económico-social.

[1]El poema se refiere a los molinos de viento contra los cuales, creyendo que eran gigantes, trató de luchar Don Quijote.

Para escribir. **Escriba uno o dos párrafos sobre uno de los siguientes temas.**

1. Las cosas que, en mi opinión, están "al revés" en este país
2. ¿Qué personas o instituciones están tratando de resolver algunos de los problemas sociales de este país?

Nery Alexis Gaytán
Honduras
1961–

Nery Alexis Gaytán, autor hondureño, es conocido por su libro Reloj de arena *(1989). Sus relatos se han publicado en revistas como* Sobrevuelo, Tragaluz *y* Arte. *En algunos de sus relatos se ve la influencia del famoso escritor argentino Jorge Luis Borges.*

Preparación. **Lea las primeras cuatro oraciones. ¿Cuál es el problema de la protagonista? ¿Quién la ayuda a resolverlo? ¿Qué sensaciones se describen en estas líneas? ¿De qué cree Ud. que va a tratar el cuento?**

Como si fuera la madre

Al acariciarlo, deposita en ese ser° toda la ternura de su alma maternal. Los rizos° dorados del infante se balancean en sus manos como nubes en un cielo de paz. ¡Cuánta felicidad trajo él a su vida! Ahora tiene cómo hacerle frente° a la soledad. El pequeño le tiende los bracitos y, en el calor del abrazo (ese abrazo que te ata° a lo que no te pertenece, no lo olvides) se esfuman los rescoldos° de su desamparo°. Él es su niño. Y evocando el momento de su inmensa alegría, recuerda cómo le llegó a la casa: el timbre° que suena, la canastilla° en la puerta, él, cubierto con una mantita, sufriendo de frío. Sí, es suyo y nadie podrá quitárselo. Por eso lo esconde°, nunca sale a la calle con él, no se arriesgará a que se lo quiten ahora que está grande y sano°; quizás después, en una época cuando ya nadie lo recuerde, pueda pasearse con su chiquillo sin ningún temor°. Sin embargo, sus sentimientos maternales le hacen pensar que si lo dejaron en la puerta de su casa fue porque no lo querían, y deseaban que ella lo protegiera. Quizás lo mejor sería que se fuera a vivir a otro lugar, pero no puede; esa casa es lo único que tiene y no la abandonará; además, ahí están todos sus recuerdos, ¿qué haría ella sin su pasado?, no quiere ni pensarlo. Aunque ya no están, siente la presencia de sus padres, de su hermana Luisa, quien murió de fiebres extrañas —ella sabe la verdadera causa, pero nunca la dirá, no va a traicionar la fe que su hermana le tenía—. Es como si desde el otro mundo estuvieran siempre pendientes de ella todos los que aún la aman. ¡No, ésa es la casa de su familia y nunca la abandonará! Eso es lo único que no haría por su niñito. Pero, cuando la mira y le sonríe, piensa que nunca podrá negarle° nada, en esos momentos él se apodera° de su vida toda. Su vocecita° infantil le estremece° el alma: "¡Mami, te quiero!... ¡Mami!... ¡Mami!... " Después de todo, ella sólo es una vieja ridícula, tal vez pueda irse a vivir a otro lugar donde no haya ningún peligro de perder a su tesorito°, a su pobre nene°. ¿Quién lo cuidará y protegerá como lo hace ella? ¡Nadie, por supuesto!, en este mundo plagado por la prisa°, ya no hay lugar para los buenos sentimientos. ¡Qué tiempos tan hermosos los de antes, cuando se podía confiar en los demás!, pero ya no existen, la crueldad del hombre de ahora los ha negado. Lo único que le queda° de ese entonces son sus recuerdos, su casa; aunque quiera no la puede abandonar, ¡sería como dejar atrás su corazón, y eso es imposible! Pobre nene, está condenado a vivir aquí para siempre. Entonces piensa que es una mujer cruel, porque le está negando el mundo. Sí, es cierto que es una vida triste la de afuera°, pero él tiene derecho a conocerla, a compartir° ese encuentro de lo cotidiano° con niños de su misma edad. Y sintiendo que él ha de partir,° viene a ella la tristeza, porque sabe que con el paso del tiempo tendrá que enfrentar ese dilema, forzosamente... ¡pero eso ya lo verá después, todavía no existe ese momento!, y asomándole la alegría por

being / curls
hacerle... face
te... binds / ashes
neglect
doorbell / basket
hides
healthy
fear
deny him / *se...* takes over / little voice / shakes
little treasure / baby
plagado... burdened by haste
le... is left for her
outside / share
lo... daily life
ha... he will leave

	una esquinita del alma, abraza a su pequeñito —entre risas tristes— olvidando la soledad y el temor; él,
offer	como sabiendo que es el único que le puede brindar° cariño, le replica con su vocecita: "Mami, te quiero!...
emptiness	¡Mami!... ¡Mami!... " (Sí, te abrazas a ese pequeño, escapando el vacío° de tus días; oyes que te habla, ¡si
barkings	pudiera, claro!, pero él hace lo mejor que puede y, en sus ladridos°, es seguro que canta el amor.)

Díganos. . .

1. ¿Cómo llegó a la mujer el ser que le trajo tanta felicidad?
2. ¿Por qué no sale nunca a la calle con él?
3. ¿Por qué no quiere irse a vivir a otro lugar?
4. ¿Qué presencias siente la mujer?
5. ¿Qué pasa cuando oye la vocecita infantil?
6. ¿Qué piensa la mujer del mundo actual?
7. ¿Por qué piensa ella que es una mujer cruel?
8. ¿Es inesperado (*unexpected*) el final del cuento? ¿Por qué?

Desde su mundo. En grupos de dos o tres, hablen de los animales que Uds. tenían cuando eran niños(as). ¿Qué sentían por ellos? ¿Jugaban con ellos? ¿Tienen animales ahora? Si nunca tuvieron animales, digan por qué.

Algunos animales: gato (*cat*); perro (*dog*); peces de colores (*goldfish*); pájaro (*bird*); loro (*parrot*); periquito (*parakeet*); conejillo de Indias (*Guinea pig*)

Para escribir. Escriba uno o dos párrafos sobre uno de los siguientes temas.

1. "Cuando yo me siento solo(a)... "
2. La casa de mi infancia

Augusto Monterroso
Guatemala
1921–2003

Este conocido escritor, nacido° en Honduras, pasó su infancia y su juventud° en Guatemala y siempre se consideró guatemalteco. Además de escritor fue profesor y diplomático. Sus cuentos son cortos y de carácter irónico. Escribe sobre algunos aspectos de la sociedad contemporánea, o sobre momentos históricos de su país.

Su primer libro fue Obras completas y otros cuentos *(1959), pero su obra más conocida es* La oveja° negra y demás fábulas *(1969), de donde es este cuento. En las fábulas, el autor presenta a los animales como superiores a los seres humanos.*

born / youth / sheep

Preparación. Como Ud. debe recordar, Penélope es el símbolo de la fidelidad, pues durante años ella tejía mientras esperaba a su esposo Ulises. Tenga esto en cuenta al leer la narración.

La tela de Penélope o quién engaña a quién

Hace muchos años vivía en Grecia un hombre llamado Ulises (quien a pesar de ser bastante sabio° era muy astuto), casado con Penélope, mujer bella y singularmente dotada cuyo único defecto era su gran afición a tejer°, costumbre gracias a la cual pudo pasar sola largas temporadas.

Dice la leyenda que en cada ocasión en que Ulises con su astucia observaba que a pesar de sus prohibiciones ella se disponía° una vez más a iniciar uno de sus interminables tejidos, se le podía ver por las noches preparando sus botas y una buena barca, hasta que sin decirle nada se iba a recorrer el mundo y a buscarse a sí mismo.

De esta manera ella conseguía mantenerlo alejado mientras coqueteaba° con sus pretendientes, haciéndoles creer que tejía mientras Ulises viajaba y no que Ulises viajaba mientras ella tejía, como pudo haber imaginado Homero, que, como se sabe, a veces dormía y no se daba cuenta de nada.

sabio: wise
tejer: weave
se... got ready
coqueteaba: flirted

Díganos. . .

1. ¿Dónde vivía Ulises?
2. ¿Quién era Penélope y cómo era?
3. ¿Cuál era el único defecto de Penélope?
4. ¿Qué hacía Ulises cuando ella empezaba uno de sus interminables tejidos?
5. ¿Qué hacía Penélope mientras Ulises viajaba?
6. ¿Qué dice de Homero el autor?

Desde su mundo. En inglés se dice: "*Absence makes the heart grow fonder*", pero en español se dice: "Ausencia quiere decir olvido". En parejas, den su opinión sobre estos dichos. ¿Con cuál de estas ideas están Uds. de acuerdo? ¿Creen que la ausencia aumenta (*increases*) el amor o que puede destruir una relación amorosa?

Para escribir. Escriba uno o dos párrafos sobre uno de los siguientes temas.

1. Yo soy (no soy) capaz (*able*) de ser completamente fiel.
2. Yo confío (no confío) plenamente en la persona a quien amo.

LECCIÓN 5

Un familia mexicana desayunando antes de empezar sus actividades

La familia hispana de hoy

Objetivos

Estructura: El modo subjuntivo y el subjuntivo usado con verbos y expresiones de voluntad y emoción ✦ El subjuntivo para expresar duda, incredulidad y negación ✦ El subjuntivo para expresar lo indefinido y lo no existente ✦ Expresiones que requieren el subjuntivo o el indicativo ✦ El imperativo: **Ud.** y **Uds.**

Temas para la comunicación: La familia ✦ Las relaciones familiares ✦ Las relaciones entre el hombre y la mujer ✦ Problemas sociales ✦ La educación

Lecturas periodísticas: El credo de la mujer casada

Cruzando fronteras: México ✦ Los mexicoamericanos ✦ Los puertorriqueños ✦ Los cubanoamericanos

Ventana al mundo literario: Amado Nervo ✦ Sabine Ulibarrí ✦ Julia de Burgos ✦ Josefina González

Para describir acciones

aconsejar, dar consejos *to give advice*
apoyar *to support, to be supportive*
aprobar (o:ue) *to pass (an exam or a class)*
comprenderse *to understand each other*
comunicarse *to communicate (with each other)*
cooperar *to cooperate*
criar *to raise (e.g., children)*
disciplinar *to discipline*
enojarse (con), enfadarse (con) *to get angry (at)*
especializarse (en) *to major (in)*
graduarse *to graduate*
inscribirse *to enroll (e.g., in a class)*
malcriar *to spoil*
mantener (conj. like ***tener*****)** *to support (financially); to maintain (e.g., a GPA)*
matricularse *to register (at a college or university)*
meterse *to meddle*
mimar *to pamper*
molestar *to bother*
querer (e:ie), amar *to love*
regañar *to scold*
resolver (o:ue), solucionar *to solve*
respetar *to respect*

Para hablar del tema: Vocabulario

Las relaciones entre el hombre y la mujer

el amor, el cariño *love*
la boda, el casamiento *wedding*
el compromiso *engagement*
la crianza *raising, education (of children)*
la luna de miel *honeymoon*
el matrimonio *marriage, married couple*
la novia *bride*
el novio *groom*
la pareja *couple*

Otros parientes (*Other relatives*)

la hermanastra *stepsister*
el hermanastro *stepbrother*
la hijastra *stepdaughter*
el hijastro *stepson*
la madrastra *stepmother*
el padrastro *stepfather*

Los parientes políticos (*The in-laws*)

la cuñada *sister-in-law*
el cuñado *brother-in-law*
la nuera *daughter-in-law*
la suegra *mother-in-law*
el suegro *father-in-law*
el yerno *son-in-law*

Problemas sociales

el crimen *crime*
la delincuencia *delinquency*
—juvenil *juvenile delinquency*
el (la) delincuente *delinquent*
el desempleo *unemployment*
la deserción escolar, el abandono de los estudios *dropping out*
el (la) drogadicto(a) *drug addict*
las drogas *drugs*
el embarazo de las adolescentes *teen pregnancy*
la enfermedad venérea *venereal disease*
la pobreza *poverty*
el SIDA[1] *AIDS*
el subempleo *underemployment*
la violencia *violence*

La educación

la beca *scholarship*
la carrera *career*
el (la) catedrático(a) *university professor*
el (la) consejero(a) *advisor, counselor*
el (la) decano(a) *dean*
el doctorado *doctorate*
la escuela elemental (primaria) *grade school*
la escuela secundaria *junior high and high school*
el examen de ingreso *entrance examination*
el examen final *final examination*
el examen parcial (de mitad de curso) *midterm examination*
la facultad *school (e.g., school of medicine, engineering, etc.)*
la inscripción, la matrícula *tuition*
la maestría *master's degree*
la nota *grade*
el (la) rector(a) *president of a university*
el requisito *requirement*
el sistema educativo *educational system*
el título universitario *college degree*

Las finanzas familiares

el (la) consejero(a) financiero(a) *financial consultant*
la deuda *debt*
el gasto *expense*
la hipoteca *mortgage*
los impuestos *taxes*
el pago *payment*
el presupuesto *budget*

Expresiones útiles

comprometido(a) *engaged*
contraer matrimonio *to get married*
dar un abrazo, abrazar *to give a hug, to hug*
llevarse bien *to get along*
quedar suspendido(a) (en) *to fail (a test or a class)*
quedarse con *to keep*
recién casados *newlyweds*
ser unidos(as) *to be close*

[1]Síndrome de inmunodeficienca adquirida.

Para practicar el vocabulario

El equivalente. Dé el equivalente de lo siguiente.

1. amor
2. boda
3. deserción escolar
4. escuela elemental
5. examen de mitad de curso
6. matrícula
7. aconsejar
8. enojarse
9. querer
10. profesor universitario
11. asignatura obligatoria
12. adicto a las drogas
13. SIDA, por ejemplo
14. persona que aconseja a los estudiantes
15. opuesto de aprobar
16. resolver

Minidiálogos. Complete los siguientes minidiálogos.

1. — ¿Tú te _________ bien con tu suegra, Nora?
   — Sí, ella dice que yo soy su _________ favorita. Y mi mamá dice que mi esposo es su _________ favorito.
2. — ¿Olga y Sergio son _________ casados?
   — Sí, contrajeron _________ la semana pasada. Fueron de _________ de miel a Acapulco.
3. — ¿Tú te vas a _________ en la clase de física?
   — Sí, porque yo me _________ en ciencias.
   — ¿Cuándo terminas tu carrera?
   — Me _________ el año próximo.
4. — ¿Qué _________ universitario tiene Rafael?
   — Creo que tiene una _________ o un doctorado.
5. — ¿Qué _________ sacaste en el _________ final?
   — Una "A". Y la necesito, porque tengo una beca.
6. — Pablo y Lucía rompieron su compromiso.
   — Bueno... ellos nunca se _________ ni se _________.
   — Y dicen que ella se _________ con el anillo (*ring*).
7. — La _________ juvenil es un problema muy serio, ¿verdad?
   — Sí, y también el desempleo y el _________ de las adolescentes.
8. — Tu cuñada _________ mucho a sus hijos.
   — Sí, nunca los disciplina. Realmente no sabe nada sobre la _________ de los niños.

Preguntas y respuestas. Busque en la columna B las respuestas a las preguntas de la columna A.

	A	B
______	1. ¿Jorge es tu hermanastro?	a. ¡Porque se mete en todo!
______	2. ¿Cuáles son los peores problemas sociales?	b. No, mi esposo lo mantiene.
		c. La pobreza, la violencia y el crimen.
______	3. ¿Te dio un abrazo?	d. ¡Excelente!
______	4. ¿Por qué te molesta tu madrastra?	e. Sí, y un beso.
______	5. ¿Ellos no te apoyan?	f. Sí, se casa en mayo.
______	6. ¿Tu hijastro trabaja?	g. No, a la secundaria.
______	7. ¿Tu abuela te regaña a veces?	h. Sí, es el hijo mayor de mi padrastro.
______	8. ¿Cómo es el sistema educativo?	i. No, no cooperan conmigo en nada.
______	9. ¿Asiste a la escuela primaria?	j. ¡Al contrario! Me mima mucho.
______	10. ¿Diego está comprometido?	

¿Pertenece o no? Indique la palabra o frase que no pertenece al grupo.

1. matrimonio	pareja	delincuente
2. boda	rector	novios
3. facultad	decano	yerno
4. criar	matricularse	examen de ingreso
5. ser unidos	enfadarse	llevarse bien
6. comprenderse	respetar	molestar
7. deuda	pago	nota
8. gastos	pareja	presupuesto
9. boda	impuestos	consejero financiero
10. hipoteca	casa	beca

¡Hablemos. . .!

En familia. En grupos de dos o tres, hablen de las relaciones que existen —o se piensa que existen— entre los diferentes miembros de una familia. Por ejemplo, una nuera y su suegra, ¿generalmente se llevan bien o no? ¿Y los esposos? ¿Se comprenden? Piensen en las personas que Uds. conocen. ¿Qué tipo de relación tienen? ¡Comenten!

Sociales. Ud. y un(a) compañero(a) tienen que darle a un cronista social la información sobre el compromiso y la futura boda de dos amigos de Uds.: Sergio Guzmán y Ana Luisa Villegas. Hablen sobre los planes de los novios, incluyendo las fechas, fiestas, el viaje de luna de miel, etc.

Dos informes. Ud. y un(a) compañero(a) están en una clase de sociología y tienen que dar informes orales. Uno(a) de Uds. va a hablar sobre la violencia y el otro (la otra) va a hablar sobre problemas económicos. ¿Qué va a mencionar cada uno(a)?

De la escuela elemental a la universidad. En grupos de tres o cuatro, traten de seguir los pasos de un estudiante desde la escuela elemental hasta que se gradúe de la universidad. Hablen de lo que tiene que hacer en cada etapa y de los títulos que puede obtener.

Los consejeros financieros. En grupos de dos o tres, hablen de los problemas económicos que tiene la gente y de cómo pueden resolverse o evitarse (*be avoided*).

Mi familia

Sandra, la hija del embajador norteamericano en México, está de vacaciones en la capital mexicana. Hoy está conversando con una de sus amigas mexicanas, Julia Ochoa de la Cruz. Sandra quiere que ella le hable sobre la relación que tiene con su familia.

Sandra — Julia, quiero que me expliques algo: ¿Por qué usas dos apellidos?

Julia — Porque en nuestros países usamos, además del apellido paterno, el apellido materno.

Sandra — ¡Qué interesante! Yo quiero que mis hijos usen mi apellido de soltera, pero eso no sucede en los Estados Unidos… Sin embargo, la sociedad de Uds. es muy patriarcal, ¿no?

Julia — ¡Ah, sí! Mi papá es, sin duda alguna, el jefe de la familia. Mis hermanos y yo lo respetamos y lo obedecemos.

Sandra — ¡Espero que tú puedas tomar algunas decisiones sin su permiso… !

Julia — (*se ríe*) Bueno, para darte un ejemplo, mi papá no me "sugiere" que asista a la universidad… ¡me ordena que estudie y tenga una carrera!

Sandra — ¿Y tu mamá? ¿Cuál es el papel de ella?

Julia — Ella tiene más responsabilidad en la crianza de los niños y más influencia en la vida diaria de la familia. Eso sí, ella quiere que todos sus hijos estudien.

Sandra — Tus abuelos viven con Uds., ¿verdad?

Julia — Sí, y también una cuñada de mi mamá, que es viuda.

Sandra — Es sorprendente que todos puedan llevarse bien, cuando son tantos en la casa. Los lazos familiares deben ser muy fuertes.

Julia — ¡Sí, somos todos muy unidos! La familia es lo más importante para nosotros.

¿Cuánto recuerda? Conteste lo siguiente, teniendo en cuenta la conversación entre Sandra y Julia.

1. ¿Quién es el papá de Sandra?
2. ¿De qué quiere Sandra que le hable Julia?
3. ¿Qué apellidos usan en los países de habla hispana?
4. ¿Qué espera Sandra que Julia pueda hacer?
5. ¿Cuál es el papel de la madre de Julia?
6. ¿Quiénes viven con la familia de Julia?
7. ¿De qué se sorprende Sandra?
8. ¿Qué dice Julia de su familia?

Verdadero o falso? Prepare ocho afirmaciones sobre la conversación entre Julia y Sandra. Vea si su compañero(a) puede indicar si son verdaderas o falsas.

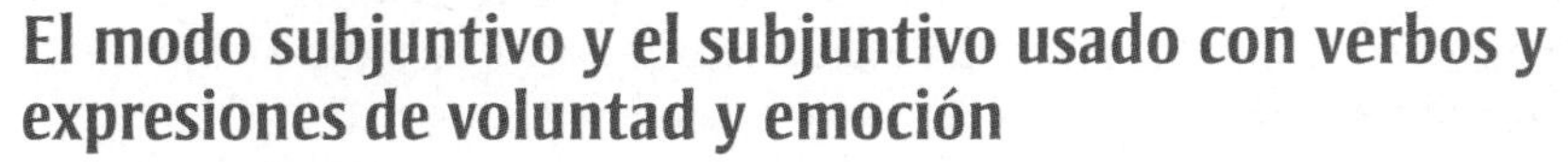

El modo subjuntivo y el subjuntivo usado con verbos y expresiones de voluntad y emoción

A. Introducción

When describing events that are factual and definite, the *indicative mood* is used in Spanish. When referring to events or conditions that are subjective in relation to the speaker's reality or experience, the *subjunctive* mood is used.

The Spanish subjunctive is most often used in subordinate or dependent clauses, which are introduced by the word **que**. The subjunctive is also used in English, although not as often as it is in Spanish. For example: *We suggest* that she *apply* for the position. The expression that requires the use of the subjunctive is in the main clause: *We suggest.* The subjunctive appears in the dependent clause: *that she apply for the position.* The subjunctive mood is used because the expressed action is not real; it is only what is *suggested* that she do.

B. Formas del presente de subjuntivo
Verbos regulares

✦ To form the present subjunctive of regular verbs, the following endings are added to the stem of the first person singular of the present indicative.

Subject	-ar verbs	-er verbs	-ir verbs
yo	llame	coma	viva
tú	llames	comas	vivas
Ud., él, ella	llame	coma	viva
nosotros(as)	llamemos	comamos	vivamos
vosotros(as)	llaméis	comáis	viváis
Uds., ellos(as)	llamen	coman	vivan

✦ If the verb is irregular in the first person singular of the present indicative, this irregularity is maintained in all other persons of the present subjunctive.

Verb	First person singular (present indicative)	Stem	First person singular (present subjunctive)
conducir	conduzco	conduzc-	**conduzca**
salir	salgo	salg-	**salga**
caber	quepo	quep-	**quepa**
decir	digo	dig-	**diga**
hacer	hago	hag-	**haga**
tener	tengo	teng-	**tenga**
ver	veo	ve-	**vea**

¡ATENCIÓN! Verbs ending in **-car, -gar,** and **-zar** change the **c** to **qu,** the **g** to **gu,** and the **z** to **c** before **e** in the present subjunctive.

buscar: bus**que** pagar: pa**gue** gozar: go**ce**

El subjuntivo de los verbos de cambios radicales

✦ The -**ar** and -**er** verbs maintain the basic pattern of the present indicative; they change the **e** to **ie** and the **o** to **ue**.

pensar		**almorzar**	
piense	pensemos	almuerce	almorcemos
pienses	penséis	almuerces	almorcéis
piense	piensen	almuerce	almuercen

entender		**mover**	
entienda	entendamos	mueva	movamos
entiendas	entendáis	muevas	mováis
entienda	entiendan	mueva	muevan

✦ The -**ir** verbs that change the **e** to **ie** and the **o** to **ue** in the present indicative change the **e** to **i** and the **o** to **u** in the first and second persons plural of the present subjunctive. All other forms maintain the change found in the present indicative.

sugerir		**dormir**	
sugiera	sugiramos	duerma	durmamos
sugieras	sugiráis	duermas	durmáis
sugiera	sugieran	duerma	duerman

✦ The -**ir** verbs that change the **e** to **i** in the present indicative maintain this change in *all* persons of the present subjunctive.

repetir	
repita	repitamos
repitas	repitáis
repita	repitan

Verbos irregulares

✦ The following verbs are irregular in the present subjunctive.

dar	dé, des, dé, demos, deis, den
estar	esté, estés, esté, estemos, estéis, estén
saber	sepa, sepas, sepa, sepamos, sepáis, sepan
ser	sea, seas, sea, seamos, seáis, sean
ir	vaya, vayas, vaya, vayamos, vayáis, vayan

¡ATENCIÓN! The present subjunctive of **hay** (impersonal form of **haber**) is **haya**.

Actividad

Online Study Center

advice

Consejos. Las frases "Es necesario que… ", "Es mejor que… " y "Es importante que… " necesitan el subjuntivo. En grupos de dos o tres, túrnense para decir lo que es necesario, es mejor o es importante que haga cada uno de Uds., sus amigos o miembros de su familia con respecto a lo siguiente.

1. asistir a clase
2. llegar temprano a la universidad
3. estar en la universidad a las ocho
4. traer el diccionario a clase
5. ser más puntual
6. darle la tarea al profesor (a la profesora)
7. hacer la tarea
8. ir a la biblioteca
9. venir a la universidad el sábado
10. conducir más despacio
11. cerrar la puerta del coche con llave
12. volver a casa temprano
13. dormir ocho horas
14. comunicarse con sus padres
15. llevarse bien con sus parientes políticos
16. disciplinar a los niños

C. El subjuntivo usado con verbos y expresiones de voluntad y emoción

1. Con verbos que expresan voluntad o deseo

✦ All impositions of will, as well as indirect or implied commands, require the subjunctive in subordinate clauses. The subject in the main clause must be different from the subject in the subordinate clause.

Main clause		*Subordinate clause*
Yo quiero	que	mis hijos **usen** mi apellido.
I want		*my children to use my last name.*

✦ If there is no change in subject, the infinitive is used.

Yo quiero **usar** mi apellido. *I want to use my last name.*

✦ Some verbs of volition are:

aconsejar	necesitar
desear	pedir
decir	recomendar
exigir (*to demand*)	rogar (*to beg*)
insistir (en)	sugerir
mandar (*to order, to command*)	

Quiero que (tú) me **expliques** algo.	*I want you to explain something to me.*
Ella me **sugiere**[1] que **asista** a la universidad.	*She suggests that I attend college.*

[1]The indirect object pronoun is used with the verbs **sugerir, pedir, aconsejar, recomendar, permitir,** and **decir.**

✦ Either the subjunctive or the infinitive may be used with the verbs **prohibir** (*to forbid*), **mandar, ordenar** (*to order*), and **permitir** (*to allow*).

Mi papá me **ordena que estudie.**	(Mi papá me ordena **estudiar.**)
Yo no les **permito que regañen** a los niños.	(Yo no les permito **regañar** a los niños.)
Mi padre me **prohíbe que salga** sola.	(Mi padre me prohíbe **salir** sola.)

2. El subjuntivo con verbos de emoción

✦ In Spanish, the subjunctive is always used in the subordinate clause when the verb in the main clause expresses any kind of emotion, such as happiness, hope, pity, fear, surprise, and so forth.

Espero que tú **puedas** tomar algunas decisiones.	*I hope that you can make some decisions.*

✦ Some common verbs that express emotion are:

alegrarse (de)	sentir
esperar (to hope)	sorprenderse (de)
lamentar	temer

Main clause		*Subordinate clause*
(Yo) **espero**	que	tú **puedas** tomar algunas decisiones.

✦ The subject of the subordinate clause must be different from that of the main clause in order for the subjunctive to be used. If there is no change of subject, the infinitive is used.

Yo espero **poder** tomar algunas decisiones.	*I hope that I can make some decisions.*

Online Study Center

Actividades

Opiniones. En parejas, combinen los elementos que aparecen en las dos columnas para indicar lo que Uds. lamentan, temen, esperan, etc., o lo que necesitan, quieren, sugieren, etc., que hagan distintos miembros de su familia. Agreguen los elementos necesarios.

MODELO: Sugiero disciplinar
Te sugiero que **disciplines a los niños.**

1. Quiero	a. dar un beso
2. Temo	b. dar un abrazo
3. Me alegro	c. comunicarse mejor
4. Espero	d. llevarse bien
5. Sugiero	e. llevarse mal
6. Aconsejo	f. mantener
7. Necesito	g. ser unidos
8. Recomiendo	h. comprenderse
9. Lamento	i. apoyar
10. Siento	j. disciplinar
11. Me sorprende	k. regañar
12. Insisto en	l. enojarse
13. Ruego	m. querer

Para conversar

¿Qué nos sugieren? Ud. y un(a) compañero(a) tienen un programa de radio en el cual reciben llamadas (*calls*) de los oyentes. Éstos les piden consejos a Uds. sobre problemas familiares. Túrnense para aconsejarlos.

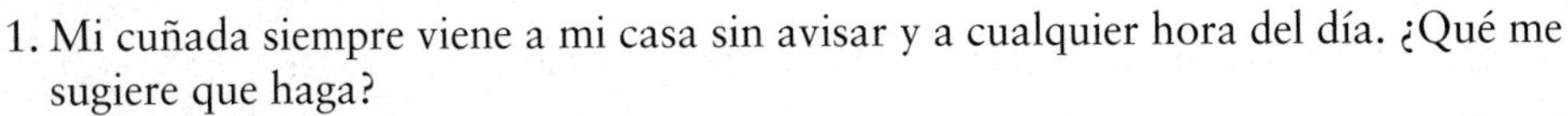

1. Mi cuñada siempre viene a mi casa sin avisar y a cualquier hora del día. ¿Qué me sugiere que haga?
2. Mi suegro quiere venir a vivir con nosotros, pero nuestra casa es muy pequeña. ¿Qué nos recomienda que hagamos?
3. Mis dos hermanos no son muy unidos y no se llevan bien. ¿Qué me aconseja que haga?
4. Mi yerno siempre regaña a los niños y eso me molesta. ¿Qué me sugiere que haga?
5. Tengo una tía que siempre se mete en todo y nos dice a mis hermanas y a mí lo que debemos hacer. ¿Qué nos aconseja que hagamos?
6. Mis hijastros siempre le están pidiendo dinero a mi esposo y nosotros no ganamos mucho. ¿Qué nos sugiere que hagamos?
7. Mi nuera se enoja conmigo cuando yo le doy consejos. ¿Qué me recomienda que haga?
8. Mi hija adoptiva, que vive en otra ciudad, no me visita nunca. ¿Qué me sugiere que haga?
9. Tengo una amiga que siempre me pide dinero prestado y nunca me lo devuelve. ¿Qué me aconseja que haga?
10. A mi madrastra no le gustan mis amigos y no quiere que salga con ellos. ¿Qué me sugiere que haga?

Cosas de la vida. En grupos de tres o cuatro, hablen de cómo se sienten Uds. con respecto a diferentes situaciones en su vida. Usen expresiones como temo que, me alegro de que, siento que, ojalá que, es una suerte que, etc.

Una canción de cuna
(A lullaby)

Duérmete, mi niño,
duérmete mi sol;
duérmete, pedazo de mi corazón.

Este niño lindo, que nació de noche,
quiere que lo **lleven**
a pasear en coche.

Esta niña linda, que nació de día,
quiere que la **lleven**
a la dulcería.

Duérmete, mi niño,
duérmete, mi sol;
duérmete, pedazo de mi corazón.

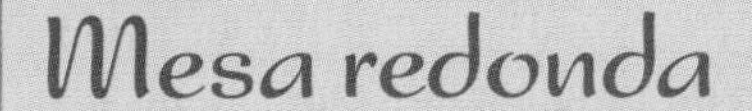

Mesa redonda

En la Universidad Internacional de la Florida están celebrando la semana de la cultura hispanoamericana. Hoy el Club de Español presenta una mesa redonda con estudiantes de Honduras, de Guatemala y de México. El tema a discutir es la relación que existe hoy en día entre la mujer y el hombre en los países latinoamericanos. Los estudiantes norteamericanos que están tomando clases avanzadas de español hacen las preguntas.

Michelle — Tengo entendido que, en México, cuando una pareja va a alguna parte, necesita una chaperona.

Lorena — No, no es verdad que un chico y una chica no puedan salir solos, especialmente en las grandes ciudades, pero generalmente salen en grupos.

John — Quizás es así en la Ciudad de México o en Guadalajara, pero no creo que las chicas tengan mucha libertad en los pueblos pequeños.

Alma — Pues yo soy de Honduras, y es cierto que las jóvenes de hoy en día somos mucho más independientes que nuestras abuelas. Estoy hablando de la capital, por supuesto.

Vicky — ¿Y qué piensan los muchachos latinoamericanos de las chicas que asisten a la universidad y quieren tener una carrera?

José Luis — Bueno, no hay duda de que, en Guatemala, por ejemplo, cada vez hay más estudiantes universitarias.

Alma — Sí, pero no creo que todos los hombres acepten de buena gana estos cambios en los papeles tradicionales del hombre y de la mujer.

Lorena — Dudo que todos los acepten de buena gana, pero tendrán que acostumbrarse a la idea de que la mujer tiene los mismos derechos que el hombre.

José Luis — Yo creo que la incorporación de la mujer a la fuerza laboral se debe principalmente a factores económicos.

Alma — Y también sociales. Cada vez hay más igualdad entre el hombre y la mujer.

José Luis — Y también más respeto mutuo y más cooperación. Las mujeres ayudan a mantener el hogar y los hombres cooperan un poco más en los quehaceres de la casa y en la crianza de los niños.

¿Cuánto recuerda? Conteste lo siguiente con respecto a la mesa redonda.

1. ¿Qué celebran los estudiantes de la Universidad Internacional esta semana?
2. ¿Qué países latinoamericanos están representados en la mesa redonda?
3. ¿De qué tema van a hablar los miembros de la mesa redonda?
4. En las grandes ciudades, ¿pueden salir solos los jóvenes solteros?
5. ¿Qué piensa John de las chicas que viven en pueblos pequeños?
6. ¿Qué diferencias hay entre las chicas hondureñas de hoy y sus abuelas?
7. ¿Qué es lo que, según Alma, los hombres no van a aceptar de buena gana?
8. ¿Cuál es la opinión de Lorena?
9. Según José Luis, ¿cuál es la razón principal por la cual se ha incorporado la mujer a la fuerza laboral?
10. ¿Qué dicen Alma y José Luis sobre la relación actual entre los hombres y las mujeres de Latinoamérica?

¿Verdadero o falso? Prepare ocho afirmaciones sobre la mesa redonda. Vea si su compañero(a) puede indicar si son verdaderas o falsas.

Estructura

El subjuntivo para expresar duda, incredulidad y negación

A. El subjuntivo para expresar duda o incredulidad

✦ When the verb of the main clause expresses doubt or uncertainty, the verb in the subordinate clause is in the subjunctive.

Dudo que los acepten de buena gana. — *I doubt that they accept them willingly.*

¡ATENCIÓN! The subjunctive always follows the verb **dudar,** even if there is no change of subject. The indicative is used in the subordinate clause when no doubt is expressed.

Yo **dudo** que pueda ir a la boda.
I doubt that I can go to the wedding.

No hay duda de que cada vez **hay** más estudiantes universitarias.
There is no doubt that there are more and more female college students.

✦ Certain impersonal expressions that indicate doubt are followed by the subjunctive. For example:

es difícil	*it is unlikely*
es dudoso	*it is doubtful*
es (im)posible	*it is (im)possible*
es (im)probable	*it is (im)probable*
puede ser	*it may be*

Es dudoso que él **coopere** en la crianza de los niños.
It is doubtful that he'll cooperate in the raising of the children.

Es posible que ellos **estén** comprometidos, pero **es improbable** que **contraigan** matrimonio.
It's possible that they are engaged, but it is improbable that they'll get married.

✦ The verb **creer** is followed by the subjunctive when it is used in negative sentences to express disbelief. It is followed by the indicative in affirmative sentences when it expresses belief or conviction.

No creo que las chicas **tengan** mucha libertad.
I don't think (believe) that girls have much freedom.

Creo que eso **se debe** a factores económicos.
I think (believe) that that is due to economic factors.

¡ATENCIÓN! When the verb **creer** is used in a question, the indicative is used if no doubt or opinion is expressed.

¿**Crees** que ellos **se llevan** bien?
Do you think they get along?

When expressing doubt about what is being said in the subordinate clause, the subjunctive is used.

¿**Crees** que ellos **se lleven** bien?
Do you think they get along? (I doubt it!)

B. El subjuntivo para expresar negación

✦ When the verb in the main clause denies what is being said in the subordinate clause, the subjunctive is used.

No es verdad que un chico y una chica no **puedan** salir solos.
It's not true that a young man and a young woman cannot go out by themselves.

Yo **niego** que ellos **estén** criando a mis hijos.
I deny that they are raising my children.

¡ATENCIÓN! When the verb in the main clause does not deny, but rather confirms what is said in the subordinate clause, the indicative is used.

Es verdad que la boda **es** en septiembre.
It is true that the wedding is in September.

Yo **no niego** que **siento** amor por él.
I don't deny that I feel love for him.

Online Study Center

Actividades

¿Qué cree Ud.? En parejas, túrnense para contestar las siguientes preguntas. Comiencen diciendo Creo o No creo, Dudo o No dudo, o usen algunas de las expresiones que indican duda.

1. ¿Cree Ud. que existe completa igualdad entre los hombres y las mujeres de los Estados Unidos?
   a. en cuanto a las oportunidades de trabajo   b. en cuanto al salario
2. ¿Cree Ud. que las parejas jóvenes deben tener chaperones?
   a. chicos de 14 a 16 años   b. chicos de 17 a 19 años
3. ¿Cree Ud. que las chicas de los pueblos pequeños tienen menos libertad que las de las ciudades grandes?
4. ¿Cree Ud. que hay más hombres o más mujeres que asisten a la universidad?
5. ¿Cree Ud. que todos los hombres norteamericanos ayudan a sus esposas en las tareas de la casa?
6. ¿Cree Ud. que en este país hay muchas mujeres que prefieren ser amas de casa *(housewives)*?
7. ¿Cree Ud. que una mujer que tiene una profesión puede ser buena esposa y madre?
8. ¿Cree Ud. que el sistema educativo de este país es muy bueno?

Mi compañero(a) y yo. Éstas son las afirmaciones que se hacen con respecto a Ud. y a su compañero(a). Digan cuáles son ciertas y cuáles no. Empiecen diciendo Es verdad (cierto) o No es verdad (cierto) o Niego o No niego, según corresponda.

Uds...

1. son muy puntuales.
2. se enojan fácilmente.
3. respetan los derechos de los demás.
4. siempre les dan consejos a sus amigos.
5. se meten en la vida de los demás.
6. no se llevan bien con algunas de las personas con quienes trabajan.
7. están comprometidos para casarse.
8. nunca salen solos(as).
9. tienen mucho tiempo libre.
10. no ayudan con los quehaceres de la casa.
11. a veces regañan a sus amigos.
12. tienen muchos parientes políticos.

Para conversar

¿Estamos de acuerdo. . . ? Muchas mujeres piensan que, en la actualidad, los hombres todavía tienen más ventajas que ellas en el mundo del trabajo y en el hogar (*home*). Muchos hombres piensan lo contrario. En grupos de tres o cuatro, den su opinión con respecto a esto. Hablen de lo que Uds. creen o no creen, y de lo que piensan que es verdad o no.

La juventud opina: Cartas al editor

A continuación aparecen comentarios escritos por tres lectores sobre artículos publicados en la revista **La época** acerca de los problemas que confronta la juventud actual.

Estoy de acuerdo con ustedes. No hay muchos padres que sepan comunicarse con sus hijos y explicarles los peligros de usar drogas. Les dan un sermón en vez de darles información sobre lo que pasa cuando alguien las toma o se las inyecta. Se necesita un programa que les enseñe a los padres a reconocer las señales que les indican que sus hijos están tomando drogas.

David Luján

El excelente artículo de Jorge Andrade sobre el desempleo entre los jóvenes debería ser leído por todos los miembros del gobierno. ¿Hay alguien que pueda negar que muchos profesionales están sin trabajo o subempleados? ¿Hay alguien que no vea la relación que existe entre el crimen y la falta de trabajo en los barrios pobres? Hay muchos jóvenes que se convierten en delincuentes porque nadie les ha dado una oportunidad. Es responsabilidad del gobierno desarrollar programas que solucionen estos problemas.

María Leonor Alcalá

En su columna del viernes pasado, Margarita Paván afirma que no hay ningún programa que les dé a los estudiantes de las escuelas secundarias toda la información necesaria para evitar los embarazos y las enfermedades venéreas. Ella da muchas sugerencias para resolver el problema, pero omite la que, en mi opinión, es la más importante: la abstinencia.

Ana María Hernández

¿Cuánto recuerda? Conteste lo siguiente, teniendo en cuenta la opinión de los lectores de la revista *La época*.

1. ¿Qué dice David Luján que muchos padres no saben hacer?
2. ¿Qué les dan en vez de información sobre las drogas?
3. ¿Qué dice David que necesitan los padres?
4. ¿Qué opina María Leonor sobre el artículo de Jorge Andrade?
5. ¿Qué problema dice María Leonor que tienen muchos profesionales?
6. ¿Por qué se convierten muchos jóvenes en delincuentes?
7. ¿Qué afirma Margarita Paván en su columna?
8. Según Ana María Hernández, ¿cuál es la mejor forma de evitar los embarazos y las enfermedades venéreas?

¿Verdadero o falso? Prepare ocho afirmaciones sobre la opinión de los lectores. Vea si su compañero(a) puede indicar si son verdaderas o falsas.

Alguien dijo

Espera lo mejor... Prepárate para lo peor...
Acepta lo que venga

Estructura

El subjuntivo para expresar lo indefinido y lo no existente

✦ When the subordinate clause refers to an indefinite, hypothetical, or nonexistent object, place, or person, the subjunctive is always used in Spanish.

¿Hay alguien que no **tenga** trabajo?
Is there anyone who doesn't have a job?

No hay muchos padres que **sepan** comunicarse con sus hijos.
There aren't many parents who know how to communicate with their children.

Buscamos una secretaria que **sea** bilingüe.
We're looking for a secretary who is bilingual.

✦ If the subordinate clause refers to existent, definite, or specified objects, places, or persons, the indicative is used.

Hay muchas personas que no **tienen** trabajo.
There are many people who don't have jobs.

Hay muchos padres que **saben** comunicarse con sus hijos.
There are many parents who know how to communicate with their children.

Tenemos una secretaria que **es** bilingüe.
We have a secretary who is bilingual.

Online Study Center

Actividad

Programas de ayuda. A continuación presentamos una lista de los diferentes tipos de ayuda social que existen en nuestra ciudad. En grupos de dos o tres, pregúntense si existen estos tipos de ayuda en la ciudad en que Uds. viven o digan si no los hay.

En la ciudad donde nosotros vivimos existen organizaciones y programas que...

1. les dan información a los jóvenes sobre las enfermedades venéreas.
2. les enseñan a los padres a comunicarse con sus hijos adolescentes.
3. les hablan a los jóvenes sobre los peligros de las drogas.
4. ayudan a combatir el crimen.
5. les buscan trabajo a los estudiantes durante las vacaciones.
6. entrenan a los jóvenes en el uso de las computadoras.
7. combaten la deserción escolar.
8. les dan educación sexual a los adolescentes.
9. rehabilitan a los delincuentes juveniles.
10. ofrecen conferencias sobre problemas sociales.

Para conversar

Busco. . . En grupos de tres o cuatro, hablen de lo que buscan, quieren o necesitan en relación a lo siguiente.

1. en una mujer (un hombre)
2. en un trabajo
3. en un(a) empleado(a)
4. en una casa (un apartamento)
5. en un(a) secretario(a)
6. en un(a) compañero(a) de cuarto
7. en un coche

Sobre la educación

Rolando, Nora y Silvia, tres estudiantes puertorriqueños, están conversando en la cafetería de una universidad en Nueva York.

Rolando — Cuando yo hablo con personas norteamericanas, siempre me preguntan algo sobre la educación en nuestros países.

Silvia — (*bromeando*) Voy a tener que prepararme en caso de que me hagan preguntas a mí.

Nora — Yo siempre les digo que es más fácil asistir a una universidad aquí, porque no tienen exámenes de ingreso tan rigurosos como en nuestros países.

Rolando — A menos que los padres tengan dinero y puedan enviar a sus hijos a una universidad privada...

Silvia — Yo siempre les hablo de que nosotros no tenemos que tomar requisitos generales, como aquí, y de que los estudiantes van directamente a las distintas facultades, según la carrera que quieren estudiar.

Nora — ¡Sí, pero tomamos todos los requisitos en la escuela secundaria!

Silvia — En algunos países muchos niños no asisten a la escuela secundaria y muchos ni siquiera a la primaria.

Rolando — Para que esos países puedan resolver los problemas de la educación, tendrán que resolver primero los problemas de la economía.

Silvia — Por eso los estudiantes latinoamericanos son tan activos en la política, no como los de aquí, que no se interesan mucho en ese tipo de problema.

Nora — (*Mira su reloj.*) ¡Uy, qué tarde es! Me voy porque, en cuanto llegue a casa, tengo que ponerme a estudiar. Mañana tengo un examen parcial.

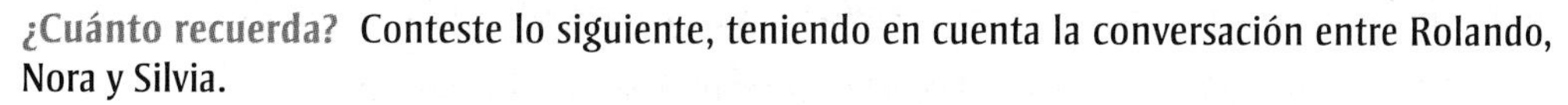

¿Cuánto recuerda? Conteste lo siguiente, teniendo en cuenta la conversación entre Rolando, Nora y Silvia.

1. ¿Cuál es un tema que les interesa a los norteamericanos?
2. ¿Silvia se siente preparada para contestar preguntas sobre el sistema educativo de los países latinoamericanos?
3. ¿Cómo son los exámenes de ingreso en Latinoamérica?
4. ¿Qué pueden hacer los padres si sus hijos no pueden asistir a una universidad del estado?
5. ¿Dónde toman los estudiantes latinoamericanos los requisitos generales?
6. ¿Qué piensa Rolando que se debe hacer antes de tratar de solucionar los problemas educativos?
7. ¿Qué les interesa a los estudiantes latinoamericanos que los estudiantes norteamericanos no parecen encontrar muy interesante?
8. ¿Quién tiene un examen mañana?
9. ¿Qué tiene que ponerse a hacer en cuanto llegue a su casa?
10. ¿Nora tiene un examen final?

¿Verdadero o falso? Prepare ocho afirmaciones sobre la conversación entre Rolando, Nora y Silvia. Vea si su compañero(a) puede indicar si son verdaderas o falsas.

Estructura

Expresiones que requieren el subjuntivo o el indicativo

A. Expresiones que siempre requieren el subjuntivo

✦ Some expressions are always followed by the subjunctive. Here are the most common ones.

a fin de que	*in order that*	en caso de que	*in case*
a menos que	*unless*	para que	*so that*
antes (de) que	*before*	sin que	*without*
con tal (de) que	*provided that*		

Voy a tener que prepararme **en caso de que** me **hagan** preguntas.
I'm going to have to prepare myself in case they ask me questions.

No pueden asistir **a menos que** los padres **tengan** dinero.
They can't attend unless their parents have money.

Para que puedan resolver los problemas de la educación, tendrán que resolver los problemas de la economía.
So that they can solve education problems, they'll have to solve economic problems.

B. Expresiones que requieren el subjuntivo o el indicativo

✦ The subjunctive is used after certain conjunctions of time when the main clause expresses a future action or is a command. Some conjunctions of time are:

cuando	*when*
después (de) que	*after*
en cuanto, tan pronto como	*as soon as*
hasta que	*until*

✦ Notice that, in the following examples, the action in the subordinate clause has not yet occurred.

Cuando terminen las clases, voy a volver a Puerto Rico.
When classes end, I'm going to return to Puerto Rico.

En cuanto llegue a mi casa, tengo que ponerme a estudiar.
As soon as I get home, I have to start studying.

Voy a hablar con el rector **después de que** los estudiantes se vayan.
I am going to speak with the (college) president after the students leave.

Vamos a esperar hasta que él termine el examen.
We are going to wait until he finishes the exam.

If there is no indication of a future action, the indicative is used.

Cuando yo **hablo** con personas norteamericanas, **siempre** me preguntan eso.
When I speak with American people, they always ask me about that.

Siempre me pongo a estudiar **en cuanto llego** a mi casa.
I always start studying as soon as I get home.

✦ The conjunctions **quizás** and **tal vez** (*perhaps*) and **aunque** (*even though* or *even if*) are followed by the subjunctive when they express doubt or uncertainty. If they do not, they are followed by the indicative.

> **Quizás** David **consiga** una beca, pero **lo dudo.**
> *Perhaps David will get a scholarship, but I doubt it.*
>
> **Tal vez** sus padres **pueden** pagarle los estudios, porque tienen muchísimo dinero.
> *Perhaps his parents can pay for his schooling, because they have a lot of money.*

✦ When **aunque** means *even if*, it is followed by the subjunctive.

> No sé si Carlos se va a graduar o no pero, **aunque se gradúe,** no va a conseguir trabajo.
> *I don't know if Carlos is going to graduate or not but, even if he graduates, he's not going to get a job.*

✦ When **aunque** is the equivalent of *even though*, it is followed by the indicative.

> **Aunque** Selena tiene sólo once años, asiste a la escuela secundaria.
> *Even though Selena is only eleven years old, she attends junior high school.*

Actividad

Online Study Center

La vida universitaria. Rosario Mercado es una estudiante mexicana que asiste a la UNAM[1]. Tiene mucho trabajo y muchos problemas. A continuación se presentan algunos de ellos. En parejas, túrnense para terminar cada oración, usando verbos en el presente de subjuntivo o de indicativo.

1. Tendrá que estudiar para un examen en cuanto...
2. No podrá matricularse sin que sus padres...
3. No se va a graduar a menos que...
4. Va a hablar con su consejera para que...
5. Se va a inscribir en una clase de literatura tan pronto como...
6. Siempre llama a su novio en cuanto...
7. Tiene que trabajar tiempo completo aunque...
8. Va a aprobar el examen de matemáticas con tal que...
9. No tiene dinero para libros, pero quizás...
10. Siempre estudia en la biblioteca hasta que...
11. Va a hablar con sus padres cuando...
12. Esta noche va a estudiar hasta que su compañera de cuarto...

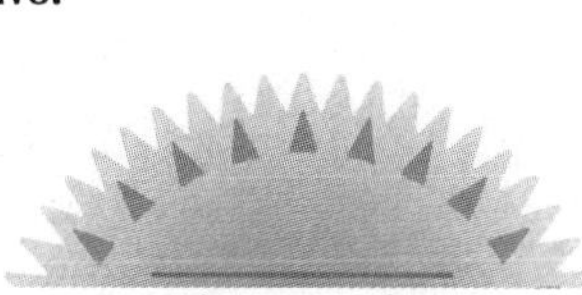

Alguien dijo

Las ideas no funcionan a menos que uno trabaje.

Para conversar

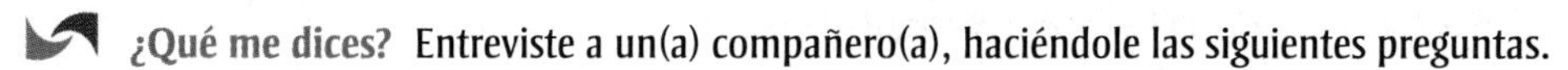

¿Qué me dices? Entreviste a un(a) compañero(a), haciéndole las siguientes preguntas.

1. Generalmente, ¿qué haces cuando llegas a la universidad?
2. Cuando tomes el próximo examen, ¿crees que lo vas a aprobar o que vas a quedar suspendido(a)?
3. ¿Tú estás trabajando ya o vas a esperar hasta que te gradúes?
4. ¿Tú puedes pagar la matrícula sin que tus padres te ayuden?
5. Generalmente, ¿hablas con tu consejero para que te diga qué clases debes tomar?
6. ¿Qué vas a hacer en cuanto termine esta clase?
7. ¿Qué vas a hacer en cuanto llegues a tu casa?
8. ¿Qué piensas hacer tan pronto como termine este semestre?

[1]Universidad Nacional Autónoma de México

Las finanzas familiares

Estela y Ramiro son un matrimonio cubanoamericano joven y tienen muchos problemas económicos. Como ellos no saben cómo resolverlos, deciden consultar a un consejero financiero. Ahora están en la oficina del Sr. Hernández.

Ramiro — Dígame, Sr. Hernández, ¿qué podemos hacer para no tener que pagar tanto en intereses mensualmente?

Estela — Por favor, dénos algunas sugerencias.

Consejero — Si tienen muchas tarjetas de crédito, eliminen la mayoría de ellas y quédense con una o dos. Traten de consolidar los pagos.

Ramiro — Es que tenemos tantas deudas...

Consejero — No se preocupen. Todo se puede solucionar. Vayan a su casa y hagan una lista de todos sus gastos: la hipoteca, los gastos de la casa, el transporte, etc.

Estela — ¿Cuándo podemos hablar con Ud. otra vez?

Consejero — Estén aquí mañana a las ocho y tráiganme la lista.

¿Cuánto recuerda? Conteste las siguientes preguntas, teniendo en cuenta la conversación entre el consejero y el matrimonio.

1. ¿Qué tipo de problemas tienen Estela y Ramiro?
2. ¿Qué hacen para tratar de resolverlos?
3. ¿Qué quiere saber Ramiro?
4. ¿Qué le pide Estela al consejero?
5. ¿Qué les dice el consejero que hagan con las tarjetas de crédito?
6. ¿Qué deben hacer Estela y Ramiro cuando vayan a su casa?
7. ¿Cuándo deben volver a la oficina del consejero?
8. ¿Qué deben traerle al consejero?

¿Verdadero o falso? Prepare ocho afirmaciones sobre la conversación que Estela y Ramiro tienen con el consejero. Vea si su compañero(a) puede indicar si son verdaderas o falsas.

Estructura

El imperativo: Ud. y Uds.

As you will recall the command forms for **Ud.** and **Uds.** are identical to the corresponding present subjunctive forms.

A. Formas regulares

		Ud.	Uds.
-**ar** verbs	mirar	mir -**e**	mir -**en**
-**er** verbs	comer	com -**a**	com -**an**
-**ir** verbs	abrir	abr -**a**	abr -**an**

Elimine las tarjetas de crédito.	*Eliminate the credit cards.*
Hagan una lista de sus gastos.	*Make a list of your expenses.*

¡ATENCIÓN! Negative **Ud.** and **Uds.** commands are formed by placing **no** in front of the verb.

No elimine todas las tarjetas de crédito.	*Don't eliminate all the credit cards.*

B. Formas irregulares

	dar	estar	ser	ir
Ud.	dé	esté	sea	vaya
Uds.	den	estén	sean	vayan

Vayan a la oficina del consejero.	*Go to the advisor's office.*
Esté aquí a las dos.	*Be here at two.*

C. Posición de las formas pronominales con el imperativo

✦ With *affirmative commands*, the direct and indirect object pronouns and the reflexive pronouns are *attached to the end of the verb*, thus forming only one word.

Dénos algunas sugerencias.	*Give us some suggestions.*

¡ATENCIÓN! Note the use of the written accent mark.

Tráigamela.	*Bring it to me.*
Siéntense.	*Sit down.*

✦ With *negative commands*, the pronouns are placed *before* the verb and *after* the word no.

No me diga que no hay solución.	*Don't tell me that there's no solution.*
No se preocupen.	*Don't worry.*

Actividad

Con la consejera matrimonial. En parejas, túrnense para dar las siguientes órdenes que una consejera le da a una pareja.

A ella
1. ser paciente y comprensiva
2. interesarse en el trabajo de él
3. decirle que lo ama
4. cocinar algo especial
5. no quejarse continuamente

A él
1. ayudarla con los niños
2. escucharla
3. no limitarle la libertad
4. traerle flores
5. servirle el desayuno en la cama

A los dos
1. tener actividades juntos
2. no gastar excesivamente
3. hacer un presupuesto
4. respetarse
5. ir de vacaciones juntos

Para conversar

¿Qué hago...? Eva Peña nunca puede tomar una decisión. En grupos de tres, túrnense para decirle lo que tiene que hacer en cuanto a sus estudios, a su familia, a su presupuerto y a sus actividades.

ACADEMIA JUÁREZ

ESCUELA DE VERANO

Cursos de Informática e Idiomas Extranjeros

Para recibir su diploma debe haber completado todos los requisitos y haber aprobado los exámenes finales.

¿Necesita prepararse para los exámenes de ingreso?

Venga a nuestra Escuela de Verano

Ofrecemos clases en las materias más difíciles:

- **Matemáticas**
- **Biología**
- **Física**
- **Idiomas**
- **Química**
- **Sociología**

MATRÍCULA ABIERTA DESDE EL 1º DE JUNIO

Puede inscribirse de lunes a viernes, de 8:00 a 4:00

Tenemos becas para estudiantes que tengan un promedio de "B" o más.

Para más información llámenos al 845–6758

Clases de verano. Los siguientes estudiantes están interesados en asistir a la Academia Juárez. Con un(a) compañero(a), decidan qué les van a sugerir o aconsejar en cuanto a la posibilidad de tomar clases en la escuela de verano, teniendo en cuenta las circunstancias de cada uno.

1. Ana María Estévez: Tiene un promedio de A. No tiene dinero para pagar la matrícula.
2. José Luis Andrade: Siempre ha sacado notas muy bajas en matemáticas y en física.
3. Roberto Peña: Trabaja todos los días hábiles (*weekdays*) y sólo tiene libres los sábados y domingos.
4. Gloria Chávez: Necesita hacerles muchas preguntas a las personas encargadas del programa de verano.
5. Gustavo Alvarado: No tiene conocimientos de computadoras.
6. Ana Luisa Quintana: No habla ninguna lengua extranjera y no sabe cuál tomar. Ella piensa especializarse en administración de empresas.
7. Miguel Ángel Soto: Quiere ingresar en la facultad de medicina.

Conversaciones

Opiniones y experiencias. En grupos de dos o tres, hablen de sus experiencias o sus opiniones con respecto a lo siguiente.

1. recuerdos de la escuela secundaria
2. su primer novio (su primera novia)
3. la comunicación entre las generaciones
4. los parientes políticos
5. problemas económicos
6. problemas sociales
7. la violencia en este país

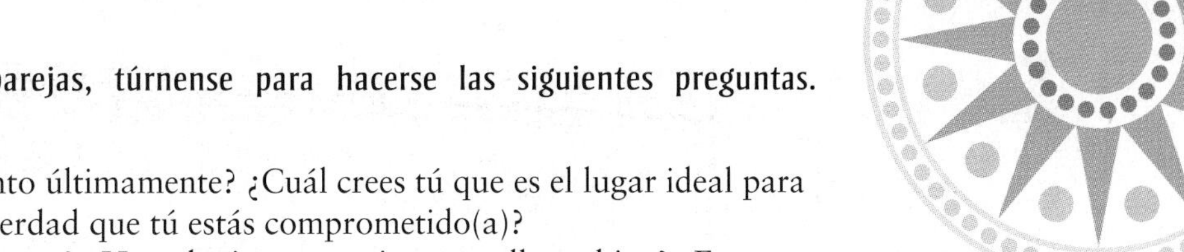

 **Quiero saber. . .** En parejas, túrnense para hacerse las siguientes preguntas.

1. ¿Has asistido a un casamiento últimamente? ¿Cuál crees tú que es el lugar ideal para pasar la luna de miel? ¿Es verdad que tú estás comprometido(a)?
2. ¿Te llevas bien con tus parientes? ¿Hay alguien con quien no te lleves bien? ¿Es verdad que tú te enojas fácilmente? Cuando tú eras niño(a), ¿tus abuelos te mimaban o te malcriaban? ¿Alguno de tus parientes se mete en tu vida? ¿Quién?
3. ¿Cuál crees tú que es el problema más serio entre los adolescentes? ¿Crees que se puede resolver fácilmente? ¿Cuáles crees tú que son las dos causas principales de la delincuencia juvenil? ¿Hay mucho desempleo en este estado?
4. ¿Ya te has matriculado para el próximo semestre? ¿Qué nota sacaste en el último examen de español? ¿Piensas solicitar una beca? ¿Qué carrera te interesa?
5. Si alginen tiene muchos problemas económicos, ¿qué deber hacer? ¿Cuáles son tus mayores gastos? ¿Cuántas tarjetas de crédito tienes? ¿Crees que necesitas eliminar algunas?

Para escribir

Imagínese que Ud. escribe una columna en un periódico, en la cual les da consejos a los lectores. Contéstele a una muchacha que tiene el siguiente problema: Ella y su futura suegra no se llevan bien.

Lluvia de ideas. Haga una lista de todo lo que Ud. cree que la muchacha debe hacer para resolver el problema que tiene con su futura suegra. Seleccione las mejores ideas.

Consejos. En su respuesta, utilice el imperativo y también frases como "Le sugiero que...", "Le aconsejo que...", "es mejor", "es importante", etc.

Primer borrador. Escriba cada consejo teniendo en cuenta los usos del imperativo y del subjuntivo. Redacte la columna, léala cuidadosamente y asegúrese de que no tiene errores.

Después de escribir. Ud. y un(a) compañero(a), intercambien sus columnas y edítenlas. Luego, escriba la versión final.

Una encuesta

Entreviste a sus compañeros de clase para identificar a aquellas personas que...

1. están comprometidas. ____________
2. piensan contraer matrimonio pronto. ____________
3. se llevan bien con sus parientes políticos. ____________
4. tienen hermanastros. ____________
5. piensan inscribirse en otra clase de español. ____________
6. sacan siempre buenas notas. ____________
7. tienen muchos gastos. ____________
8. pagan muchos impuestos. ____________

Lecturas periodísticas

El credo de la mujer casada

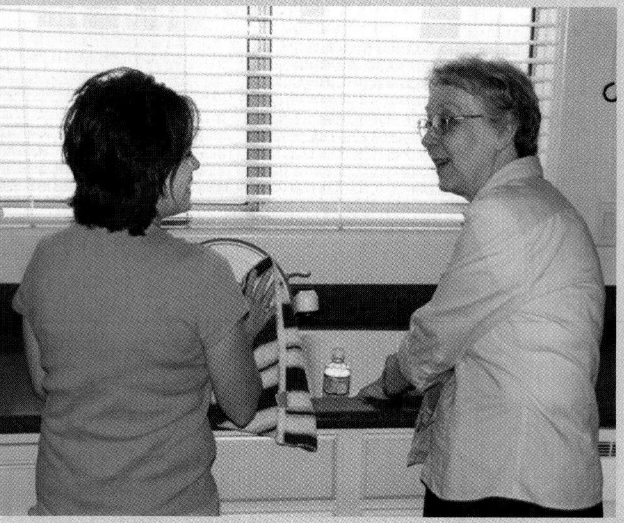

(En su artículo "El credo de la mujer casada", Elizabeth Subercaseaux presenta dos "credos": uno, escrito por su abuela, que representa a la mujer de otros tiempos y otro, escrito por su tía, que representa a la mujer moderna.)

El credo de la abuela

Creo en un solo amor todopoderoso y en la sagrada institución del matrimonio, su natural consecuencia.

Creo en la santa paciencia con los maridos, en la comunión de los intereses y en que nunca ¡jamás! hay que soltarles los pocos ahorros que una tiene, porque se los gastan con otras mujeres.

Creo en la resurrección del romanticismo y en que más vale una flor que un insulto.

Creo que cuando viene la depresión hay que tomar rápido un avión a España y quedarse allá hasta que la depresión ceda el paso[1] a las ganas de volver.

Creo en la verdad, pero estoy completamente segura de que mi esposo no me la dice nunca.

Creo en la fidelidad conyugal, creo que el amor y el sexo forman un binomio indestructible y también creo que los maridos se comportan como si creyesen[2] lo contrario.

Creo que el matrimonio es un sacramento sólo de dos y que cuando entra un tercero hay que excomulgarlo[3] sin misericordia.

Creo que la vida juntos sigue siendo mejor que la vida separados.

El credo de la tía

Creo en un solo amor todopoderoso, pero siempre y cuando el solo amor todopoderoso crea exactamente lo mismo que yo.

Creo en el matrimonio, pero no creo que una mujer tenga que cargar[4] para siempre con un marido machista y egoísta.

Creo que a un marido abusador hay que abandonarlo de inmediato.

Creo en la tolerancia y en la paciencia, pero no creo en la estupidez.

Creo en la confianza, pero también creo en el valor de los secretos.

Creo que cuando viene la depresión hay que tomar un avión a España y no regresar, a menos que el marido vuele a buscarla.

Creo en que hay que tener un espacio propio, un trabajo propio, un financiamiento propio y, por supuesto, una dignidad propia.

Y creo con firmeza que si el marido cree honestamente en estas mismas cosas, el matrimonio no tiene por qué no funcionar.

[1]*ceda...* yields / [2]*como...* as if they believed / [3]excommunicate him / [4]put up

Online Study Center

La Red Visite la página de ***Entre nosotros*, 2e** en *college.hmco.com/pic/entrenosotros2e* para aprender más sobre las familias hispanas, especialmente sobre el rol de la mujer.

Sobre el artículo. Conteste las siguientes preguntas sobre el artículo.

1. Según la abuela, ¿por qué no hay que darles dinero a los maridos?
2. ¿Qué dice la abuela que hay que hacer cuando viene la depresión?
3. ¿De qué está segura la abuela?
4. Según la abuela, ¿qué hay que hacer cuando en el matrimonio entra un tercero?
5. ¿La abuela prefiere la vida juntos o la vida separados?
6. ¿Qué cree la tía que se debe hacer con un marido abusador?
7. ¿En qué no cree la tía?
8. ¿Qué cree la tía que hay que tener?

Ahora... **En grupos de tres o cuatro, hablen de los dos "credos". ¿Con qué ideas se identifica Ud.? ¿Y su mamá? ¿Y su mejor amiga? ¿Y su esposo(a) o novio(a)? ¿Qué ideas creen Uds. que son las más acertadas? ¿Cuáles no les gustan? ¿Cuáles creen Uds. que tendrán validez en el futuro? ¿Pueden Uds. añadir algunas ideas al "credo" de la mujer moderna?**

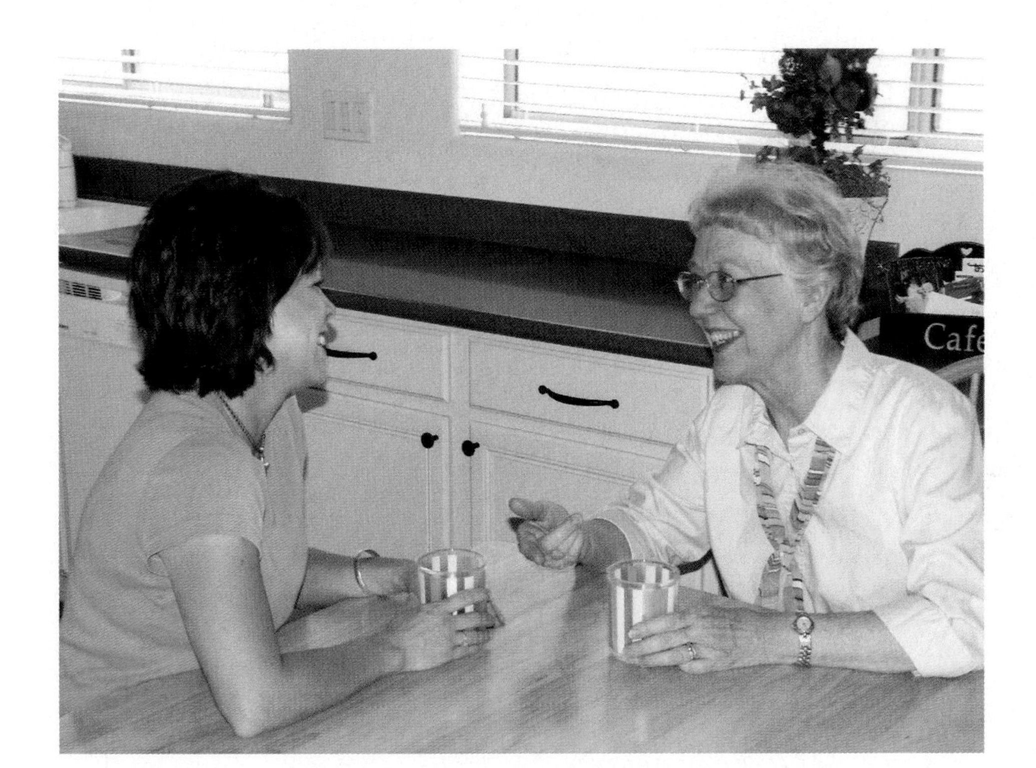

Cruzando fronteras

Online Study Center

Otra vez de viaje...

¡Cuánto hemos recorrido ya! ¡Parece mentira que ya estemos en México! Después de pasar unos días en el hermoso país azteca, vamos a emprender viaje hacia los Estados Unidos.

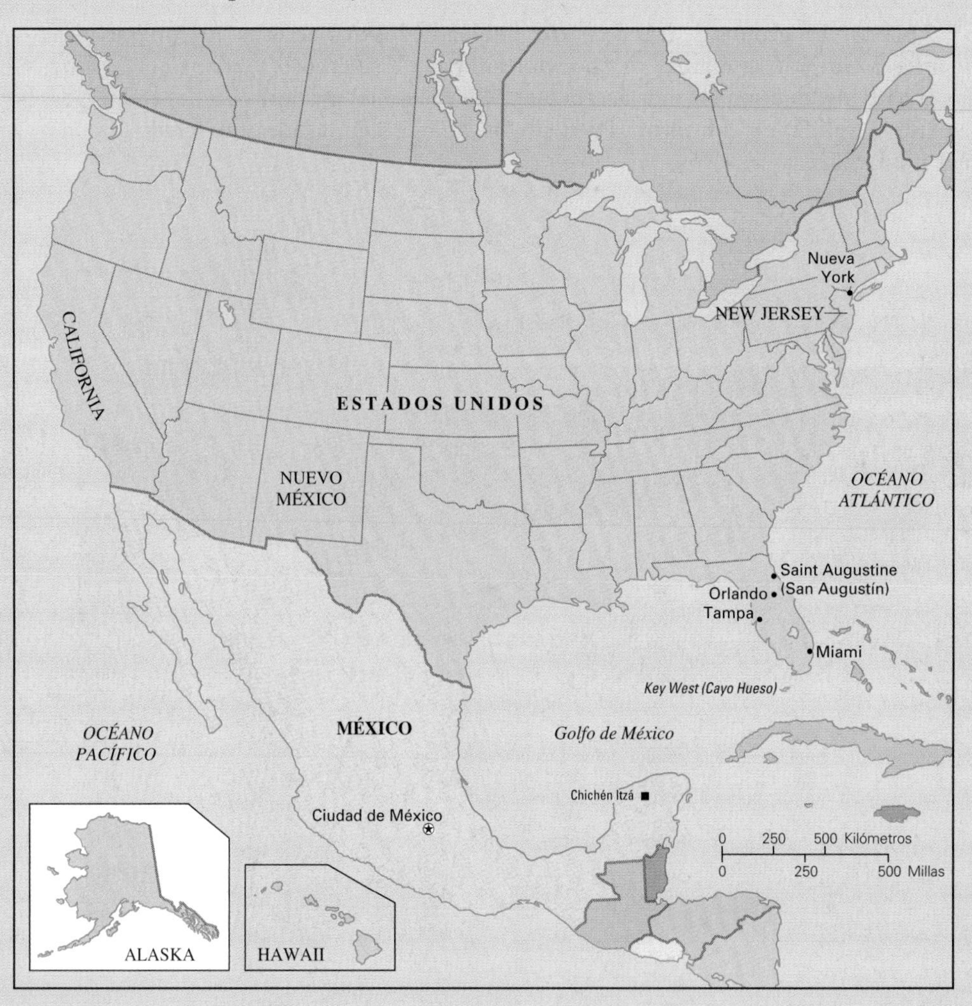

México

Con más de 760.000 millas cuadradas de superficie, México tiene una población de unos 100.3 millones de habitantes. El idioma oficial del país es el español, pero los indígenas todavía hablan entre ellos sus lenguas nativas.

México fue asiento de algunas de las más grandes y tempranas culturas antiguas, cuyas realizaciones° son comparables a las de los egipcios y a las de los europeos primitivos. La cultura maya se desarrolló° unos seis siglos antes de nuestra era y construyó ciudades increíbles en México y en Centroamérica. La cultura que más influyó en México fue la de los aztecas, que entendieron la astronomía, tenían un calendario bastante° preciso, eran artesanos hábiles y construyeron un gran imperio.

accomplishments
se... developed
quite

Hoy México es un país en avanzado proceso de industrialización que, según el *Informe sobre el desarrollo humano* de la Organización de las Naciones Unidas de 1997 ocupa, por su desarrollo, el lugar número 53 entre las 180 naciones del mundo. En 1994, sin embargo, México sufrió una terrible recesión económica que puso al país al borde de la quiebra°. A pesar de que esta crisis económica provocó conflictos sociales aún no resueltos, el país está recuperándose económicamente y la crisis provocó cambios políticos que están haciendo de México una nación más democrática. Desde la firma del Tratado de Libre Comercio de Norteamérica (*NAFTA*, por sus siglas° en inglés), la inversión extranjera aumenta aceleradamente, y más mexicanos encuentran buenos trabajos en las *maquiladoras*[1] y en otras industrias de exportación.

bankruptcy

acronym

México ha invadido el mundo con su música y con sus comidas, y al mundo hispánico y a los Estados Unidos de habla hispana con sus telenovelas. Hoy en día hay restaurantes de comida mexicana en París, se escucha a los mariachis en Japón, y Televisa es la empresa de televisión de habla hispana más poderosa del mundo.

Llegamos a los Estados Unidos. . .

Nuestro viaje por la América Latina ha concluido, pero aún nos falta visitar los Estados Unidos, donde 30 millones de hispanos han hecho posible que algunos hablen de los Estados Unidos hispánicos.

Los nombres *hispano* y *latino*, y el adjetivo *hispánico* son los términos usados más comunmente para referirse a la que en pocos años será la mayor de las minorías de este país. ¿Quiénes son los hispanos, hispánicos o latinos? En realidad, es más fácil comenzar por decir lo que no son.

Los hispanos **no son una raza;** hay hispanos blancos, negros, asiáticos y amerindios. No todos los hispanos hablan español. No todos son católicos. No todos tienen las mismas costumbres y tradiciones, ni comen las mismas comidas, ni pertenecen al Partido Demócrata, y algunos son descendientes de españoles que ya estaban aquí cuando llegó el *Mayflower*. San Agustín (hoy Saint Augustine), en la Florida, fue fundada° por los españoles en 1565, es decir, 55 años antes de la llegada del *Mayflower*. ¿Qué es entonces lo que une a ese grupo tan mal identificado? Una tradición cultural llegada directamente de España, o indirectamente a través de los países de América colonizados por los españoles, pero aun el grado en que esa tradición cultural está presente en los hispanos varía grandemente, de acuerdo con° su país de origen y con la mayor o menor asimilación a la cultura estadounidense.

founded

de... according to

Los mexicoamericanos

El 66 por ciento de todos los "hispanos" residentes en los EE.UU. provienen° de México. Unos residían en Texas, Nuevo México, California y otros estados cuando estos territorios pasaron de México a los Estados Unidos como resultado de la guerra° entre los dos países. Otros llegaron huyendo° de la guerra civil de México[2], los más° impulsados por la falta° de trabajo o los bajos salarios de su país. De estos dos últimos grupos, la mayoría simplemente atravesó la frontera y, últimamente, su presencia en este país ha sido motivo de controversia. Sin embargo, la fuerza laboral barata que estos inmigrantes han proporcionado°, ha sido factor importantísimo en el desarrollo° de la agricultura en este país, y hoy satisface buena parte de las necesidades de mano de obra° en la prestación de servicios.

come

war

fleeing / *los...* the mayority / lack

furnished

development

mano... labor

[1]Empresas extranjeras establecidas en México cerca de la frontera con los Estados Unidos, que producen exclusivamente para exportar.

[2]Revolución mexicana de 1911 a 1920

El grado de asimilación a la cultura americana de los mexicoamericanos es muy diverso, pero la gran mayoría conserva su lengua, sus tradiciones, su unidad familiar y sus conceptos morales.

Muchos mexicoamericanos se han destacado° en la política, en la educación, en las artes y en la literatura. No pocos han ganado merecidos honores en las fuerzas armadas de este país.

se... have been successful

Los puertorriqueños

Los puertorriqueños son el 9 por ciento de los hispanos residentes en los EE.UU. Como° Puerto Rico es un Estado Libre Asociado a este país, los puertorriqueños son ciudadanos norteamericanos, lo que les permite moverse libremente° de un país a otro. Esta movilidad hace que muchos de ellos vean su estancia° aquí como algo temporal, y que no lleguen a integrarse totalmente a esta sociedad.

Nueva York, puerta de entrada tradicional de los inmigrantes europeos, ha sido también el primer destino de los puertorriqueños en este país. Sucesivamente Nueva York se ha beneficiado de la mano de obra barata del último grupo de inmigrantes llegados a la ciudad. Desde la Segunda Guerra Mundial° los puertorriqueños sustituyeron a los italianos y a los judíos como fuente de mano de obra barata, pero en los últimos años muchos han ido subiendo en la escala social. Aunque el 70 por ciento de los puertorriqueños siguen viviendo en Nueva York, hoy hay muchos que viven en otros estados de la Unión. Al igual que los mexicoamericanos, los puertorriqueños se encuentran en diversos grados de asimilación al modo de vida americano. Muchos han logrado incorporarse a trabajos estables y más o menos bien remunerados°, pero mantienen en casa la lengua, la cultura, las tradiciones y el modo de vida de su país de origen. Por otra parte, gran número de puertorriqueños ingresan todos los años en las fuerzas armadas americanas, y muchos de ellos alcanzan altos grados y distinciones.

Since
freely / stay
Segunda... Second World War
paid

Los cubanoamericanos

Desde el siglo XIX, había pequeñas colonias cubanas en Cayo Hueso°, Tampa y Nueva York, pero estos núcleos aumentaron muy poco antes de 1959, fecha en la que la Revolución castrista llegó al poder° en Cuba. A partir de entonces, comenzó la invasión cubana de Miami. Los problemas políticos obligaron a la élite de la vida económica del país a emigrar, y los Estados Unidos le abrieron las puertas a este segmento de la población cuyo valor económico, Castro no supo apreciar. A este grupo pertenecen° los cubanos que transformaron a la pequeña ciudad turística que era Miami en 1959, en la gran metrópolis industrial y comercial actual°. Como la puerta de entrada quedó abierta a todos los que huían del comunismo, en los años transcurridos desde 1959, se han sumado a la élite inicial, cubanos de todos los niveles económicos, sociales y culturales. También se han sumado en cantidad creciente° latinoamericanos de todos los países, pero la vida de la ciudad quedó marcada por un sabor° cubano. Los cubanos controlan no sólo la vida económica de la ciudad, sino la política.

Los cubanos son el 4 por ciento de los hispanos de este país, y como buena parte de ellos vinieron por razones políticas —y no económicas— son los inmigrantes hispanos más conservadores, con mayor nivel de escolaridad y mayor ingreso° per cápita.

Key West (Fl.)
power
belong
current
growing
flavor
income

¿Cuánto hemos aprendido?

Preguntas y respuestas. La clase se dividirá en cinco grupos. Cada grupo preparará unas cinco preguntas para hacérselas al resto de la clase. El primer grupo hará sus preguntas sobre México, el segundo sobre la introducción, el tercero sobre los mexicoamericanos, el cuarto sobre los puertorriqueños y el último sobre los cubanoamericanos.

¿Cierto o no? Con otro(a) estudiante, túrnense para indicar si la información que sigue es correcta (C) o incorrecta (I).

______ 1. La cultura que más influyó en México fue la de los mayas.
______ 2. Por su desarrollo, México ocupa el décimo lugar entre las 175 naciones del mundo.
______ 3. La empresa de televisión de habla hispana más poderosa del mundo es Televisa.
______ 4. Todos los hispanos son de una misma raza.
______ 5. En los Estados Unidos ya había españoles antes de la llegada del *Mayflower.*
______ 6. Lo que une a los hispanos es una tradición cultural llegada de España.
______ 7. El mayor número de hispanos residentes en los Estados Unidos provienen de México.
______ 8. La falta de trabajo es la razón por la cual viene la mayoría de los mexicanos.
______ 9. Ningún mexicoamericano se ha destacado nunca en la literatura.
______ 10. Todos los puertorriqueños viven en Nueva York.
______ 11. No todos los puertorriqueños se integran a la forma de vida de los Estados Unidos.
______ 12. No hay puertorriqueños en las fuerzas armadas norteamericanas.
______ 13. Los cubanos comenzaron a llegar a los Estados Unidos en el año 1959.
______ 14. Los cubanos transformaron a Miami en una metrópolis industrial.
______ 15. Los inmigrantes cubanos son los más conservadores entre los hispanos.

Comentarios...

A. En parejas, hablen sobre el pasado indígena y la economía de México.

B. Establezcan comparaciones ente los tres grandes grupos hispanos de los Estados Unidos. Hablen de lo siguiente.

1. las diferencias entre los hispanos
2. el porcentaje que cada grupo representa dentro de la población hispana de los Estados Unidos
3. razones por las cuales vinieron a los Estados Unidos
4. su grado de aculturación
5. sus contribuciones a la economía de este país
6. el grado en que conservan su cultura, su lengua y sus tradiciones

Ventana al mundo literario

Amado Nervo
México
1870–1919

Amado Nervo fue uno de los poetas más conocidos de su tiempo. Dejó una enorme obra poética, en la que predominan los temas de la religión, la filosofía y el amor. Entre estos temas, es el amor el que aparece más frecuentemente. Su poesía presenta un amor puro y casto porque su pasión es más espiritual que carnal. Entre sus mejores libros de poemas están Serenidad, La amada inmóvil y El arquero divino.

Preparacion. Lea las tres primeras líneas del poema. Sabiendo que el título "En paz" significa "*Even*", ¿qué cree Ud. que el autor va a decir sobre cómo lo ha tratado la vida y por qué?

En paz

Muy cerca de mi ocaso°, yo te bendigo, Vida
porque nunca me diste ni esperanza fallida°
ni trabajos injustos, ni pena inmerecida;°
porque veo al final de mi rudo camino°
que yo fui el arquitecto de mi propio destino;
que si extraje las mieles o la hiel° de las cosas,
fue porque en ellas puse hiel o mieles sabrosas;
cuando planté rosales, coseché siempre rosas.
... Cierto, a mis lozanías° va a seguir el invierno:
¡mas° tú no me dijiste que mayo fuese eterno!
hallé sin duda largas las noches de mis penas;
mas no me prometiste tú sólo noches buenas;
y en cambio tuve algunas santamente serenas...
Amé, fui amado, el sol acarició mi faz°.
¡Vida, nada me debes! ¡Vida, estamos en paz!

setting sun
unfulfilled
pena... undeserved sorrow
rudo... rough way
bile
youth
but
face

Díganos... Conteste las siguientes preguntas, basándose en el poema.

1. ¿Es un joven el que escribe este poema?
2. ¿Por qué bendice el poeta la vida?
3. ¿Qué ve el poeta al final de su camino?
4. ¿Por qué dice el poeta «a mis lozanías va a seguir el invierno»?
5. ¿Por qué dice el poeta «Vida, estamos en paz»?

Desde su mundo. En grupos de dos o tres, hablen de las experiencias que Uds. han tenido con sus parientes y amigos y con otras personas con quienes han compartido su vida. ¿Cómo han sido?

Para escribir. Escriba uno o dos párrafos sobre uno de los siguientes temas.

1. "Yo soy (no soy) el arquitecto de mi propio destino..."
2. "Cuando planté rosales, coseché siempre rosas." Explique esta idea.

Sabine R. Ulibarrí

Nuevo México

1919–2003

Este conocido escritor costumbrista[1] nació en Tierra Amarilla, Nuevo México. Estudió el bachillerato y la maestría en su estado natal°, y recibió su doctorado en español de la Universidad de California, en Los Ángeles. Se le conoce como escritor de cuentos y de poesía. Entre sus obras merecen citarse las colecciones de cuentos publicadas en Tierra Amarilla *(1964) y* Mi abuela fumaba puros *(1977), y los poemas "Al cielo se sube a pie" (1966) y "Amor y Ecuador" (1966). También ha publicado libros de texto y de crítica literaria.*

°native

Preparación. Teniendo en cuenta que el título del relato (story) es "Se fue por clavos" (*He went for nails*) lea las primeras cinco oraciones. Roberto, el personaje principal, necesita irse de donde está para sentirse libre. ¿Qué cree Ud. que ocurrirá?

Se fue por clavos

Estaba Roberto martillando° en el portal°, clava que clava[2]. Rezonga que rezonga[3]. Sentía una honda inquietud°. Ganas de salir andando por esos mundos otra vez. Ya hacía mucho que había levantado ancla°. Roberto había estado en la marina° durante la guerra y había recorrido mucho mundo. Después de la guerra no podía echar raíces° en ninguna parte. Parecía que sus aventuras y experiencias por el planeta lo habían dejado con un ansia° constante de nuevos horizontes. Después de muchas andanzas° por fin volvió a Tierra Amarilla. Creo que la falta de fondos° influyó más que el sentimiento en su regreso. Todos nosotros encantados con el hermano errante°. Él con sus risas°, chistes°, bromas° y sus cuentos de tierras lejanas y gentes extrañas nos divertía y entretenía. Vivía con mi hermana Carmen y su esposo.

Los martillazos se ponían cada vez más° violentos. Las murmuraciones aumentaban. El desasosiego° crecía. De pronto, silencio. El martillo se quedó suspenso en el aire. Él, pensativo. Luego, bajó la escalera°, alzó la herramienta°, se quitó los guantes y se presentó en la puerta.

—Carmen, se me acabaron° los clavos. Voy al pueblo a traer. Pronto vuelvo.

—Bueno, hermanito. Le dices a Eduardo que traiga carne para la cena.

Caminaba despacio°. Iba pensando que tenía que salir de allí. Pero, ¿cómo? No quería pedirle dinero a su cuñado. Él nunca le pedía dinero a nadie. Cuando tenía se lo prestaba al que se lo pidiera.

Compró los clavos en la tienda de don Gregorio y entró en el café a ver si se distraía. Allí encontró a Horacio.

—¿Qué hay°, Roberto?

—Así nomás.°

—¿Qué estás haciendo hoy?

—Nada, como ayer.

—¿Por qué no vas conmigo a Española? Tengo que ir a traer un motor para el tractor. Volvemos esta misma tarde. Y a propósito°, aquí están los diez que te debo°.

—Bueno, vamos. A ver qué vientos nos dan.[4] Roberto le entregó° los clavos a Félix y le dijo que al regreso los recogería°. El billete de a diez le daba una extraña sensación de seguridad. Casi, casi lo podía sentir vibrar en el bolsillo°. Hacía tanto tiempo. Se preguntaba, "¿Me lanzo° con sólo diez? Otras veces he salido sin nada." Estas cavilaciones° le embargaban° el pensamiento y lo mantuvieron un poco más reservado que de costumbre durante el viaje a Española.

Horacio y Roberto entraron en una cantina° a echarse una cerveza[5]. Allí estaba Facundo Martínez.

—Roberto, ¡qué gusto de verte! ¡Qué bueno que vinieras! Ahora te pago lo que te debo.

hammering / porch
restlessness
había... had weighed anchor / navy
echar... settle down
longing
wanderings
funds
wandering / laughter / jokes / pranks
cada... more and more / restlessness / ladder / tool
se... I ran out of
slowly
¿Qué... How's it going / *Así...* So, so.
a... by the way / *te...* I owe you / gave / *los...* he would pick them up / pocket / *Me...* Shall I leave / speculations / overwhelmed
bar

[1]**costumbrista:** Escritor que en su obra presenta las costumbres típicas de un país o de una región.
[2]**clava que clava:** hammering like mad
[3]**Rezonga que rezonga:** Grumbling like mad
[4]**A... dan:** Let's see what happens.
[5]**echarse una cerveza:** to have a beer

Qué... Hello there, pal!
heaven
were burning
laughter
installment
Great/money
dark/uproar
Candy
Scoundrel
me... trust

—¿Qué hubo, compañero?°

—Te debo sesenta y tres dólares, pero te voy a dar setenta y tres por haber esperado tanto.

—Debería decirte que no, pero en este momento setenta y tres me caen como del cielo°.

Otra vez las ansias. Los ochenta y tres le quemaban° el bolsillo. Pero no, tenía que terminar el portal. Tal vez después.

Roberto entró en mi casa en Albuquerque como siempre entraba, como un terremoto. Abrazos, risotadas°.

—Qué bien que hayas venido, Roberto. Me acaban de pagar el último plazo° por el terreno de Las Nutrias que vendimos. Aquí tienes tu parte.

—¡Lindo°, hermano, lindo! ¡Que venga la plata°; que yo sabré qué hacer con ella!

Se despidió de nosotros con prisa, porque, dijo, tenía que terminar un portal.

Hubo quienes le preguntaran por Roberto a Carmen. Ella les contestaba, "Se fue por clavos".

Roberto volvió ya oscuro°. Entró en la casa con el barullo° de siempre. Bailando con Carmen. Luchando con Eduardo. Dulces° y besos para los niños.

—Carmen, aquí están los clavos.

—Sinvergüenza°, ¿por qué tardaste tanto?

—Hermanita, me entretuve un rato con los amigos.

—Entretenerse un rato está bien. Todos lo hacen, pero nadie como tú. Si me fío° de ti, se cae el portal.

—Hermanita, no es para tanto.

—¡Qué hermanita, ni qué hermanita! Te fuiste por clavos y volviste después de cuatro años. ¿Te parece poco?

Ahora, en la familia, cuando alguien pregunta por Roberto, todos decimos, "Se fue por clavos".

Díganos...

1. ¿Qué estaba haciendo Roberto en el portal y cómo se sentía?
2. ¿Qué había hecho Roberto durante la guerra y qué pasó después?
3. ¿Por qué volvió a Tierra Amarilla?
4. ¿Cómo era Roberto? ¿Con quiénes vivía?
5. ¿Adónde dijo Roberto que iba y para qué?
6. ¿Qué quería hacer Roberto y por qué no podía hacerlo?
7. ¿Quién fue el primero que le dio dinero y adónde lo invitó a ir?
8. ¿Qué pensaba Roberto durante el viaje a Española?
9. ¿Cuánto dinero le dio Facundo a Roberto?
10. ¿Por qué le dio dinero su hermano?
11. ¿Cómo describe el autor el regreso de Roberto?
12. ¿Cuánto tiempo demoró (*took*) Roberto en volver con los clavos? ¿Qué dicen ahora en la familia cuando alguien pregunta por él?

Desde su mundo. En grupos de tres o cuatro, hablen sobre los lugares que soñaban con visitar cuando eran adolescentes. ¿Tenían espíritu de aventureros(as) o eran más bien cautelosos (*cautious*)? ¿Soñaban con viajar a lugares lejanos y exóticos o se contentaban con visitar los centros turísticos populares?

Para escribir. Escriba uno o dos párrafos sobre uno de los siguientes temas.

1. Adónde iría yo si tuviera dinero
2. La importancia de tener sentido de responsabilidad

Julia de Burgos
Puerto Rico
1917–1953

Julia de Burgos está considerada como una de las mejores poetisas de Puerto Rico. Además, fue una ardiente defensora de su cultura y una verdadera patriota. En sus poemas canta las bellezas de su tierra, y su amor por la naturaleza y la libertad. Sus poemas reflejan su sensibilidad° y expresan sus sufrimientos, su amor, su desesperanza° y sus deseos con respecto a su país y a la humanidad. Viajó a diferentes países en busca de la armonía entre ella y su soledad. Su vida fue siempre una dicotomía entre la esperanza° y la desesperación, la felicidad y la tristeza, la compañía y la soledad. Vivió en el exilió por trece años y murió, triste y sola, en la ciudad de Nueva York. Entre sus obras merecen citarse: Poema en veinte surcos *(1938),* Canción de la verdad sencilla *(1939), que fue premiado por el Instituto de Literatura Puertorriqueña, y* El mar y tú.

sensitivity / despair / *en...* in search / hope

Preparación. **Fíjese Ud. en el título del poema. Si la autora le "habla" a Julia de Burgos, quiere decir que ella se siente dividida en dos personalidades. Teniendo esto en cuenta al leer, vea qué diferencias hay entre las "dos mujeres".**

A Julia de Burgos *(Fragmento)*

Ya las gentes murmuran que yo soy tu enemiga,
porque dicen que en versos doy al mundo tu yo.

Mienten, Julia de Burgos. Mienten, Julia de Burgos.
La que se alza° en mis versos no es tu voz; es mi voz,

porque tú eres ropaje° y la esencia soy yo;
y el más profundo abismo se tiende° entre las dos.

Tú eres fría muñeca° de mentira social,
y yo, viril destello° de la humana verdad.

Tú, miel° de cortesanas° hipocresías; yo no;
que en todos mis poemas desnudo el corazón.

Tú eres como tu mundo, egoísta; yo no;
que todo me lo juego a ser lo que soy yo.

Tú eres sólo la grave señora señorona°;
yo no; yo soy la vida, la fuerza, la mujer.

Tú eres de tu marido, de tu amo°; yo no;
yo de nadie, o de todos, porque a todos, a todos,
en mi limpio sentir y en mi pensar me doy.

Tú te rizas° el pelo y te pintas; yo no;
a mí me riza el viento; a mí me pinta el sol.

Tú eres dama casera°, resignada, sumisa°,
atada a los prejuicios de los hombres; yo no;
que yo soy Rocinante[1] corriendo desbocado°
olfateando° horizontes de justicia de Dios.

se... rises
clothing
se... stretches
doll
flash
honey / polite
great lady
master
curl
dama... lady of the house / meek
wildly
sniffing

[1]Don Quixote's horse

Díganos...

1. Según la poetisa, ¿qué murmura la gente?
2. Si la poetisa es la esencia, ¿qué es "la otra"?
3. Según la autora, ¿qué hace ella en sus poemas?
4. Si "la otra" es la señora, ¿qué es la poetisa?
5. ¿A quién pertenece la poetisa y a quién pertenece "la otra"?
6. En la última estrofa, ¿cómo expresa la autora la idea de que ella es libre y "la otra" no lo es?

Desde su mundo. En grupos de tres o cuatro, discutan esta idea: La personalidad de todos los seres humanos (*human beings*) tiene muchas facetas.

Para escribir. Escriba uno o dos párrafos sobre uno de los siguientes temas.

1. Mis diversas modalidades
2. ¿Qué cosas me hacen sentir verdaderamente libre?

Josefina González
Cuba
1945–

Josefina González llegó al exilio en 1962, cuando apenas acababa de terminar su primer año de la carrera de medicina, en la Universidad de La Habana. Vivió en Boston, pero no pudo terminar sus estudios hasta que se mudó a Miami en 1970. Las nuevas circunstancias la hicieron cambiar de rumbo° y, en la Universidad Internacional de la Florida, terminó su licenciatura y maestría y se graduó con un doctorado en Educación. Actualmente es profesora de The Union Institute y además pertenece a varias organizaciones que favorecen la caída° del régimen comunista en su país de origen. En su única obra publicada, "A pesar de todo", *recoge la lucha y la nostalgia de las mujeres cubanas en el exilio. De ella se ha dicho lo siguiente:*

"A pesar de todo" *es la memoria de una generación arrancada° de su país por la fuerza. Los sueños de juventud se convirtieron en nostalgias, las niñas se convirtieron en mujeres cuando todavía no era tiempo. A pesar de la injusticia, hicieron una vida digna y rodearon de felicidad a sus hijos. No olvidaron a su país y pretenden, a pesar de los muchos años, ocupar el espacio de servicio que les pertenece. No es una historia tranquila, pero sí llena de realizaciones y conquistas. Son "mucha mujer" estas muchachas de ayer que son parte esencial y fecunda del exilio cubano.*

direction / fall / uprooted

Preparación. Imagínese que Ud. tiene que salir de su país sin dinero, y dejar su casa, su familia y todo lo que posee, sin saber si podrá regresar algún día. Tiene que ir a tierras extrañas, y convivir con personas cuyo idioma no entiende y cuyas costumbres son diferentes. ¿Qué emociones experimentaría Ud.? ¿Temor, tristeza, angustia...? Ésta es la situación en que se encontró la autora.

A pesar de todo *(Fragmentos)*

"... Éramos un pueblo pequeño, próspero, orgulloso° y educado. Se vivía con optimismo, se respiraba alegría. Compartíamos° un entusiasmo colectivo que de algún modo llegó a ser parte de la idiosincrasia cubana..."

proud
We shared

El exilio

Salimos de Cuba con un nudo° en la garganta° y llegamos al exilio con un nudo en el estómago. Las que salieron acompañadas de su familia vieron preocupación y desasosiego° a su alrededor. Las inquietudes normales de una joven pasaron a convertirse en la incertidumbre° de no saber cómo ni de dónde saldría el dinero necesario para subsistir°. Había que buscar colegios, un medio de transporte, vivienda y, sobre todo, trabajo.

Vimos a los "mayores" (aquellos de la edad de nuestros padres) aceptar comida del gobierno y aceptar trabajos muy por debajo° de sus carreras o profesiones. La mantequilla de maní°, tan ajena a la dieta criolla hasta entonces, se convirtió en fuente° de proteína. Los quesos y el "casi jamón" enlatado° llegaron a ser bienvenidos en la mesa de comer. La leche en polvo° parecía hasta cremosa. El Refugio[1] se convirtió en lugar de tertulias°. Con orgullo, esos "mayores" se vistieron de uniforme; se convirtieron en choferes o camioneros°; lavaron platos, y recogieron cosechas°. Poco a poco los vimos buscar medios de usar su educación o de invertir los poquitos dólares que quizás algunos cuantos habían podido mantener en los Estados Unidos o traer consigo antes del cierre total de las salidas de divisas°. Los vimos compartir° con otros lo poco que tenían y recibir en sus casas a hijos ajenos para darles albergue° temporal. Los sofás-camas y las "colombinas[2]" florecían en los pequeños apartamentos donde en vez de dos o tres inquilinos°, había una docena de refugiados.

Son miles y miles las historias individuales y colectivas de acciones de rechazo° por parte de los norteamericanos que detestaban la llegada masiva de refugiados. Otras tantas de acciones nobles por parte de los que veían a los cubanos con lástima°. Muchos ofrecieron ayuda y acogieron° a sus nuevos vecinos; otros se negaban° incluso a alquilarles apartamentos disponibles°.

En medio de ese ambiente, aquéllos que tenían que proveer para sus hijos comenzaron a salvar los obstáculos uno por uno. Buscaban apoyo°, comprensión y consuelo en los que pasaban por lo mismo. Los vimos sentirse orgullosos y compadecer° a los que consideraban ignorantes de nuestra cultura y nuestra historia. El no tener dinero no los hacía inferiores, sino más desafiantes°. De ellos aprendimos el valor de poseer una buena educación y cómo sacarle partido° a las circunstancias utilizando la cooperación y la unión de los que resultan afines°.

knot / throat
unrest
uncertainty
survive
por... beneath / peanut
source
canned
La... Dry milk
conversations
truck drivers
harvest
hard currency / share
housing
renters
rejection
pity / received
se... refused / available
support
feel sorry
defying
sacarle... take advantage
close

Díganos...

1. ¿Cómo describe la autora a su gente?
2. Según la autora, ¿cómo se vivía en Cuba antes de Fidel Castro?
3. ¿Cómo se sentían los cubanos cuando salían para el exilio?
4. ¿Qué es lo único que trajeron con ellos?
5. ¿Cuáles fueron los primeros problemas que los exiliados tuvieron que resolver en los Estados Unidos?
6. ¿Cómo cambió la vida de los "mayores"?
7. ¿Qué tipos de alimentos recibían los cubanos del gobierno?
8. ¿Cómo se ayudaban los cubanos unos a otros?
9. ¿Cuáles fueron las reacciones de los norteamericanos ante la llegada de estos inmigrantes?
10. ¿Qué aprendieron los jóvenes de sus mayores?

Desde su mundo. **En grupos de dos o tres, discutan lo siguiente: Imaginen que dentro de seis meses Uds. tienen que dejar su país e ir a vivir a un país extranjero cuyo idioma no hablan y cuyas costumbres no conocen. ¿Qué harían Uds. para prepararse para esto?**

Para escribir. **Escriba uno o dos párrafos sobre uno de los siguientes temas.**

1. El momento más difícil de mi vida
2. ¿Qué problemas tendría yo si tuviera que vivir en un país extranjero?

[1]U.S.A. Cuban Relief Agency
[2]Folding bed (Cuba)

LECCIÓN 6

La actriz española Penélope Cruz comienza a ser famosa en los Estados Unidas, donde ya ha filmado varias películas.

Mirando televisión

OBJETIVOS

Estructuras: El imperativo: **tú** ✦ El imperativo de la primera persona del plural ✦ El imperfecto de subjuntivo ✦ Los tiempos compuestos del subjuntivo

Temas para la comunicación: La televisión ✦ Las telenovelas ✦ Las noticias ✦ La política ✦ La publicidad

Lecturas periodísticas: Reporte Especial: Jorge Ramos

Cruzando fronteras: España

Ventana al mundo literario: Cecilia Böhl de Faber ✦ Gustavo Adolfo Bécquer ✦ Antonio Machado ✦ Ana María Matute

Las telenovelas

la actuación *acting*
el (la) amante *lover*
el aparato de video, la videocasetera *V.C.R.*
el capítulo *chapter, episode*
el diálogo *dialogue*
la escena *scene*
el guión *script*
el papel *role*
—principal *leading role*

La política

el alcalde, la alcaldesa *mayor*
la campaña electoral *campaign*
el (la) candidato(a) *candidate*
el discurso *speech*
las elecciones *elections*
el (la) gobernador(a) *governor*
el gobierno *government*
la manifestación *demonstration*

Para hablar del tema: Vocabulario

Los desastres

el huracán *hurricane*
el terremoto *earthquake*

Las noticias (*News*)

el acontecimiento *event*
el (la) bombero *fire fighter*
los medios de difusión *media*
el noticiero, el telediario *news program*
la huelga *strike*
la prensa *press*
el (la) presentador(a), el (la) locutor(a) *announcer, anchor person*
el (la) reportero(a) *reporter*
la rueda (la conferencia) de prensa *press conference*
los titulares *headlines*

La televisión

el anuncio comercial, el comercial *ad, commercial*
la cadena (de televisión) *(television) network*
el canal *channel*
la censura *censorship*
los dibujos animados *cartoons*
el programa de concursos *game show*
el programa infantil *children's program*
la programación *programming*
el (la) televidente *TV viewer*
el control remoto *remote control*
la guía de televisión *TV guide*

La publicidad

la campaña de promoción publicitaria *publicity (promotional) campaign*
la competencia *competition*
el (la) dibujante comercial *commercial artist*
el emblema *emblem*
la envoltura *wrapper, packaging*
la investigación de la opinión pública *public opinion survey*
el lema *slogan*
la marca *brand*
el mercado *market*
el negocio *business*
el (la) patrocinador(a) *sponsor*
el poder adquisitivo *buying power*
el producto *product*
la propaganda *advertising*

Para describir acciones

actuar, representar *to act, to perform*
anunciar *to advertise, to announce*
apagar *to turn off*
aplaudir *to applaud*
elegir (e:i) *to elect*
grabar *to tape, to record*
poner, encender (e:ie) *to turn on*
postularse para *to run for (office)*
transmitir *to broadcast*
votar *to vote*

Para practicar el vocabulario

El equivalente. **Dé el equivalente de lo que sigue a continuación.**

1. aparato de video
2. noticiero
3. presentador
4. rueda de prensa
5. incendio
6. ABC o CBS, por ejemplo
7. se usa para cambiar el canal
8. *Jeopardy*, por ejemplo
9. *Plaza Sésamo*, por ejemplo
10. persona que se postula para un puesto político
11. actuar
12. opuesto de encender

Minidiálogos. **Complete los siguientes minidiálogos.**

1. — ¿Qué actor tiene el _________ principal en esa película?
   — Antonio Banderas.
2. — ¿Cuál es el _________ de difusión más importante?
   — La prensa.
3. — ¿Qué profesión tiene tu papá?
   — Es _________ comercial.
4. — ¿Van a hacer una _________ de la opinión _________?
   — Sí, queremos saber cuál es la _________ de jabón más popular.
5. — Este año ha habido muchos desastres naturales.
   — Sí, un _________ en la Florida, un _________ en California y varios _________ en Kansas.
6. — ¿Qué compañía es la _________ de ese programa?
   — La compañía IBM.

Preguntas y respuestas. **Busque en la columna B las respuestas a las preguntas de la columna A.**

A

_____ 1. ¿Qué miran los niños?
_____ 2. ¿A qué hora es el noticiero?
_____ 3. ¿Él es su esposo?
_____ 4. ¿Qué estás leyendo?
_____ 5. ¿Ella es la gobernadora?
_____ 6. ¿Los trabajadores están en huelga?
_____ 7. ¿Mañana son las elecciones?
_____ 8. ¿Se vende mucho este producto?
_____ 9. ¿Llovió mucho este año?
_____ 10. ¿Ya empezó la campaña electoral?

B

a. No, su amante.
b. No, la alcaldesa.
c. No, porque tiene mucha competencia.
d. Sí, tienes que ir a votar.
e. Sí, y hubo muchas inundaciones.
f. Los dibujos animados.
g. Sí, ya he oído varios discursos.
h. No sé; no tengo la guía de televisión.
i. Sí, hoy tienen una manifestación.
j. El capítulo 6 de la novela.

¿Pertenece o no? Indique la palabra o frase que no pertenece al grupo.

1. emblema	programación	televidente
2. escena	envoltura	actuación
3. diálogo	gobierno	guión
4. reportero	locutor	incendio
5. censura	negocios	poder adquisitivo
6. mercado	titulares	acontecimientos
7. aplaudir	anunciar	propaganda
8. grabar	postularse	elegir
9. cadena	papel	transmitir
10. comercial	bombero	lema

¡Hablemos. . .!

Selecciones. En grupos de tres o cuatro, imaginen que están encargados de seleccionar a todas las personas que van a trabajar en la creación de una telenovela. Usando a los miembros de la clase, digan quiénes van a hacer lo siguiente y expliquen por qué escogen a esas personas.

1. escribir el guión
2. tener el papel principal
3. ser actores y actrices
4. dirigir las escenas
5. aprobar la trama y los diálogos

El telediario de las once. Ud. y un(a) compañero(a) son locutores(as) del canal 33 y están encargados(as) del noticiero. Uno(a) va a dar las noticias que se refieren a la política y el otro (la otra) va a hablar sobre los últimos desastres naturales ocurridos en el mundo. Traten de dar la mayor información posible inclusive nombres, fechas y lugares.

Los televidentes opinan. En grupos de dos o tres, hablen de lo siguiente.

1. los programas de televisión que miran Uds. y otros miembros de su familia
2. lo que hacen durante los anuncios comerciales
3. quién es el "dueño" del control remoto y de la guía de televisión
4. ¿Qué canal creen Uds. que tiene la mejor programación? ¿Por qué? Den detalles.
5. ¿Cuáles son sus programas favoritos? ¿Por qué los prefieren? Den todos los detalles posibles sobre ellos.

Los consumidores. En grupos de dos o tres, hablen de lo siguiente.

1. los productos que Uds. usan, sus marcas favoritas, los lemas que Uds. conocen: ¿Cuáles prefieren, cuáles no les gustan?
2. las campañas publicitarias que Uds. consideran que son eficaces: Expliquen por qué.
3. el poder adquisitivo que Uds. tienen ahora y el poder adquisitivo que esperan tener en el futuro

El capítulo de hoy

Pilar y Graciela, dos chicas madrileñas que viven juntas en un apartamento, están listas para ver un nuevo capítulo de su telenovela favorita *Tardes de pasión.*

Pilar — Trae el control remoto y siéntate. No te pierdas el principio.
Graciela — ¡Ay sí! Hoy el esposo de Laura va a descubrir que ella tiene un amante.
Pilar — La última escena de ayer fue estupenda. ¡Fernando Lagar es un gran actor! Oye, hazme un favor, ve a la cocina y trae las palomitas de maíz[1].
Graciela — Bueno, enciende el televisor; en seguida vuelvo.

(*Durante los anuncios comerciales*)

Pilar — ¿Cómo se llama la actriz que hace el papel de la hermana de Laura?
Graciela — Marisol Ferrari... Yo la vi en otra telenovela en la que ella tenía el papel principal. Es muy buena actriz.
Pilar — ¡Ah! No te olvides de que mañana tenemos la cena en casa de Adolfo. Acuérdate de grabar el próximo capítulo.
Graciela — No te preocupes. Yo lo grabo.

¿Cuánto recuerda? Conteste lo siguiente con respecto al diálogo entre Pilar y Graciela.

1. ¿Cuál es la telenovela favorita de las chicas?
2. ¿Qué quiere Pilar que haga Graciela?
3. ¿Qué va a pasar hoy en la telenovela?
4. ¿Qué van a comer las chicas mientras miran la telenovela?
5. ¿Qué piensa Pilar de Fernando Lagar?
6. ¿Qué opinión tiene Graciela de Marisol Ferrari?
7. ¿De qué tiene que acordarse Graciela?
8. ¿Qué promete Graciela?

¿Verdadero o falso? Prepare ocho afirmaciones sobre la conversación de las dos chicas. Vea si su compañero(a) puede indicar si son verdaderas o falsas.

Un dicho

Haz bien y no mires a quién.

[1]Also, **rositas de maíz** = popcorn

Estructura

El imperativo: tú

✦ The affirmative command form for **tú** has the same form as the third person singular of the present indicative

Verb	Present indicative	Familiar command (tú)
hablar	él habla	**habla**
comer	él come	**come**
abrir	él abre	**abre**
empezar	él empieza	**empieza**
contar	él cuenta	**cuenta**
servir	él sirve	**sirve**

Trae el control remoto. *Bring the remote.*

✦ Eight verbs have irregular affirmative **tú** command forms.

poner	**pon**	salir	**sal**
tener	**ten**	decir	**di**
venir	**ven**	ser	**sé**
hacer	**haz**	ir	**ve**

Ve a la cocina. *Go to the kitchen.*

✦ The negative **tú** command uses the corresponding forms of the present subjunctive.

no **hables** no **comas** no **abras**

No **traigas** el control remoto. *Don't bring the remote.*

¡ATENCIÓN! Object and reflexive pronouns used with **tú** commands are positioned just as they are with formal commands.

Affirmative:	Siéntate.	*Sit down.*
Negative:	**No te** sientes.	*Don't sit down.*

Actividades

Online Study Center

Mandatos. A veces damos una sugerencia, en vez de (*instead of*) usar un imperativo. Por ejemplo. "¿Por qué no hablas con el director?" en vez de "Habla con el director". En parejas, túrnense para cambiar las siguientes sugerencias a imperativos.

1. ¿Por qué no entrevistas a esos actores?
2. ¿Por qué no lees la guía de televisión?
3. ¿Por qué no grabas el programa?
4. ¿Por qué no te encargas de los anuncios comerciales?
5. ¿Por qué no vienes a verme?

6. ¿Por qué no vas con ellos al estudio?
7. ¿Por qué no me haces un favor?
8. ¿Por qué no sales con tus amigos?
9. ¿Por qué no les dices a las chicas que vengan?
10. ¿Por qué no pones el guión en mi escritorio?

¡Hay mucho que hacer! Silvia, una chica puertorriqueña, está pasando unos días en casa de Magaly y Graciela. Magaly le dice a Silvia varias cosas que quiere que ella haga. Graciela nunca está de acuerdo y le dice que haga lo contrario y le sugiere otras posibilidades. En parejas, túrnense para hacer Uds. el papel de Graciela.

MODELO: Escríbele a Manuel.
No le escribas a Manuel. Escríbele a Marcos.

1. Llama a Jorge por la mañana.
2. Ve al mercado con Gloria.
3. Trae manzanas del mercado.
4. Haz una ensalada para la cena.
5. Dile a Rosalía que traiga pollo.
6. Pon las flores en el comedor.
7. Sal con Alberto.
8. Dale la llave del apartamento a Olga.
9. Invita a Fernando a cenar.
10. Graba el programa de las ocho.

Para conversar

¡Pobre Rita! Ud. y un(a) compañero(a) tienen una amiga, Rita, que es muy indecisa. Túrnense para decirle lo que debe hacer según las circunstancias.

1. No sabe adónde ir este fin de semana.
2. No sabe qué ponerse para ir a una fiesta.
3. Va a dar una fiesta y no sabe a quién invitar ni qué servir.
4. Su novio nunca la lleva a ningún lado.
5. Una amiga viene a pasar unos días con ella y no sabe cómo entretenerla.
6. Su hermano le pide dinero prestado y nunca se lo devuelve.
7. Su vecino se pasa la noche tocando la batería.
8. Necesita perder peso y no sabe cómo hacerlo.

Un buen consejo

Si conduces, no bebas.
Si bebes, no conduzcas.

¡Últimas noticias!

Estrella Rojas y Alejandro Vargas, presentadores del Canal 3 de Televisión Española, en Madrid, están listos para presentar el *Noticiero de las once* con las noticias locales, nacionales e internacionales.

Estrella — Bienvenidos al telediario de las once. Primero las noticias locales: En una rueda de prensa el alcalde habló hoy sobre los problemas de la delincuencia juvenil. "Unámonos —dijo— para combatir el crimen en nuestras ciudades" y agregó "Ayudemos a nuestros jóvenes a encontrar una vida mejor".

Alejandro — Los bomberos continúan luchando contra el incendio que consume un edificio en el centro de la ciudad.

Estrella — Noticias nacionales: Los empleados ferroviarios de varias estaciones de trenes del país se declararon en huelga. Piden aumento de salarios y más beneficios. El líder de los huelguistas les dijo a sus compañeros: "Luchemos juntos por nuestros derechos. No nos demos por vencidos.[1]"

Alejandro — Y ahora hablemos de los acontecimientos internacionales: En California hubo hoy un terremoto, pero fue de poca intensidad y no hubo muertos.

Estrella — En Venezuela las torrenciales lluvias han causado varias inundaciones.

Alejandro — Y ahora pasemos a comerciales con un mensaje de nuestros patrocinadores.

¿Cuánto recuerda? **Conteste lo siguiente con respecto a la información que aparece en el noticiero.**

1. ¿Dónde trabajan Estrella Rojas y Alejandro Vargas?
2. ¿Qué tipo de noticias se ofrecen a las once en el Canal 3?
3. ¿Cuál fue el tema de la rueda de prensa del alcalde?
4. ¿Qué problema hay en el centro de la ciudad?
5. ¿Por qué están en huelga los empleados ferroviarios (*railroad*)?
6. ¿Qué les pidió el líder de los empleados a sus compañeros?
7. ¿Qué pasó en California?
8. ¿Cree Ud. que llovió mucho en Venezuela? ¿Por qué?

¿Verdadero o falso? **Prepare ocho afirmaciones sobre las noticias del Canal 3. Vea si su compañero(a) puede indicar si son veraderas o falsas.**

Estructura

El imperativo de la primera persona del plural

A. Usos y formas

✦ The first person plural of an affirmative command (*let's* + verb) is expressed by using the first person plural of the present subjunctive.[2]

Hablemos de los acontecimientos internacionales.
Let's talk about international events.

[1]**No...** Let's not give up.
[2]It can also be expressed by using **vamos a** + *infinitive*: **Vamos a hablar** de los acontecimientos internacionales.

Un dicho

Si estamos entre locos, hagámonos los locos.

✦ To express a negative first person plural command, the subjunctive is also used.

No hablemos de los acontecimientos internacionales.
Let's not talk about international events.

✦ With the verb **ir**, the present indicative is used for the affirmative command; the subjunctive is used only for the negative.

Vamos.	*Let's go.*
No vayamos.	*Let's not go.*

B. Posición de las formas pronominales

✦ As with any other command forms, direct and indirect object pronouns and reflexive pronouns are attached to an affirmative command, but precede a negative command.

Affirmative:	Pidámos**les** ayuda a ellos. *Let's ask them for help.*
Negative:	No **les** pidamos ayuda a ellos. *Let's not ask them for help.*

✦ When the first person plural command is used with a reflexive verb, the final s of the verb is dropped before adding the reflexive pronoun **nos**.

unamo~~s~~ + **nos** **unámonos**

✦ The final s is also dropped before adding the indirect object pronoun **se**.

demo~~s~~ + **se** + lo démo**selo**

Actividad

Online Study Center

En el canal de televisión. Diego y Gustavo trabajan para un canal de televisión hispano. Éstas son las sugerencias que Diego le hace a Gustavo sobre lo que tienen que hacer hoy. En parejas, túrnense para cambiarlas al imperativo de la primera persona del plural.

1. pedirle una entrevista al gobernador
2. mandarle un fax al secretario del gobernador con una lista de las preguntas
3. asistir a la rueda de prensa del presidente, pero no ir con los fotógrafos
4. preparar los titulares para esta noche y dárselos al director
5. mandar a un reportero a entrevistar a los huelguistas
6. escribirle una carta al Sr. Palacios y preguntarle si podemos entrevistarlo
7. llamar a la alcaldesa y decirle que necesitamos hablar con ella
8. pedirle una entrevista al Dr. Bustamante y preguntarle si piensa postularse para senador en las próximas elecciones
9. buscar información sobre las inundaciones en California
10. entregarle a los reporteros la información sobre el huracán Diana

Para conversar

¡Nos visitan! Graciela y Magaly van a ir a visitar el lugar donde Uds. viven. En grupos de tres o cuatro, hagan planes para la visita de las chicas. Den sugerencias sobre todo lo que van a hacer; incluyan los lugares adonde las van a llevar, fiestas que van a dar en su honor, etc. Si uno de Uds. no está de acuerdo con lo sugerido, dé otras sugerencias. Usen el imperativo de la primera persona del plural.

Los televidentes comentan

Los siguientes mensajes electrónicos fueron recibidos por el director de programación del Canal 3 y representan opiniones sobre algunos de los programas que transmite ese canal.

 Borrar  Enviar  Responder  Reenviar  Prender

A: Director de programación
Asunto: Programas infantiles

18 de octubre

Señores:

Hace dos semanas les envié un mensaje en el que les decía que los programas infantiles que Uds. ofrecen dejaban mucho que desear. En mi mensaje les hacía las siguientes sugerencias, que aquí les repito,

1. que evitaran la violencia en los dibujos animados,
2. que ofrecieran más programas de tipo educativo,
3. que les dieran a los niños la oportunidad de escuchar buena música,
4. que limitaran el número de anuncios comerciales y que no trataran de venderles productos que no son adecuados para ellos.

¡No se olviden de que, si los padres no están contentos con la calidad de sus programas pueden, y van a cambiar de canal!

Mercedes Burgos
Oviedo, Asturias

A: Director de programación
Asunto: Violencia y sexo en sus programas

20 de octubre

Sr. Director:

Tengo cuatro hijos de entre ocho y catorce años de edad y frecuentemente miran la tele entre las seis y las nueve de la noche. Por eso, quería pedirle que no incluyera programas que contuvieran escenas de violencia o de sexo. Quisiera que tuviera en cuenta que a esas horas muchos niños y adolescentes están frente al televisor. ¡Y no me diga que es la responsabilidad de los padres vigilar los programas que ven los niños! No podemos estar con ellos 24 horas al día.

Gustavo Martínez
Sevilla, Andalucía

¿Cuánto recuerda? Conteste lo siguiente teniendo en cuenta los mensajes.

1. ¿Cuándo mandó la Sra. Burgos el primer mensaje?
2. ¿Qué quería que evitaran en los dibujos animados?
3. ¿Qué tipo de programa quería que ofrecieran?
4. ¿Qué quería que limitaran?
5. ¿Cuántos años tiene el hijo mayor del Sr. Martínez? ¿Cuántos tiene el menor?

6. ¿Qué tipos de programa no quería él que el director incluyera?
7. ¿Qué le pidió que tuviera en cuenta?
8. ¿Por qué dice el Sr. Martínez que los padres no pueden vigilar todos los programas que ven los niños?

¿Verdadero o falso? Prepare ocho afirmaciones sobre los mensajes electrónicos. Vea si su compañero(a) puede indicar si son verdaderas o falsas.

Estructura

El imperfecto de subjuntivo

A. Formas y usos

✦ The imperfect subjunctive of all verbs is formed by dropping the **-ron** ending of the third person plural of the preterit and adding the corresponding endings.

-ra endings[1]	
-ra	-ramos[2]
-ras	-rais
-ra	-ran

verb	third person plural preterit	stem	first person singular imperfect subjunctive
hablar	hablaron	**habla-**	hablara
comer	comieron	**comie-**	comiera
salir	salieron	**salie-**	saliera
ser	fueron	**fue-**	fuera
caber	cupieron	**cupie-**	cupiera
poder	pudieron	**pudie-**	pudiera
traer	trajeron	**traje-**	trajera
pedir	pidieron	**pidie-**	pidiera
tener	tuvieron	**tuvie-**	tuviera

✦ The imperfect subjunctive is used:

1. When the verb in the main clause is in a past tense (preterit, imperfect, or pluperfect) or in the conditional (or conditional perfect) and requires the subjunctive in the subordinate clause.

   Yo les **pedí** que **evitaran** la violencia.
   I asked you to avoid violence.

[1]The imperfect subjunctive has an alternative set of endings: the -se endings **-se, -ses, -se, -semos, -seis, -sen.**
[2]Notice the written accent mark on the first person plural form: **habláramos, comiéramos.**

Esperaba que Uds. **mejoraran** los programas.
I hoped you would improve the programs.

2. When the verb in the main clause is in the present, but the subordinate clause refers to the past.

   Siento que tú no **pudieras** ver el programa.
   I'm sorry you weren't able to see the program.

3. To express an impossible or improbable wish.

   ¡Ojalá no **tuviera** que volver tan pronto!
   I wish I didn't have to return so soon!

B. El imperfecto de subjuntivo en oraciones condicionales

✦ Conditional sentences that contain a subordinate clause starting with **si** (*if*) require the use of the imperfect subjunctive when the verb of the main clause is in the conditional tense. In this construction, the *if*-clause may express:

1. a contrary-to-fact situation (one that is not true)
2. a hypothetical situation
3. a supposition

Cond, Imp. Subj.		**Imp. Subj. Cond.**
Iría si **tuviera** dinero.	OR	Si **tuviera** dinero, iría.
I would go if I had money.		*If I had money I would go.*

Subordinate clause		Main clause
si + imperfect subjunctive	⟷	conditional

Si yo **pudiera,** cambiaría los programas.
If I could, I would change the programs.

¡ATENCIÓN! When the *if*-clause expresses something that is real or likely to happen, the indicative is used after **si** in the subordinate clause, and the present or the future is used in the main clause.

Ind. **Future**
Si **recibo** bastante dinero, **compraré** el televisor.
If I get enough money, I will buy the T.V. set.

Ind. **Present**
Si **recibo** bastante dinero, **compro** el televisor.
If I get enough money, I will buy the T.V. set.

✦ The imperfect subjunctive is used after the expression **como si...** (*as if...*) because this expression implies a contrary-to-fact condition.

Aquí me siento **como si** yo **fuera** español.
Here I feel as if I were a Spaniard.

Alguien dijo...
Trata a los demás como si tú fueras los demás.

Online Study Center

Actividades

Recomendaciones y consejos. En parejas, túrnense para combinar los elementos para formar oraciones completas. Usen el imperfecto de subjuntivo de los verbos entre paréntesis. Den varias posibilidades.

1. Mi papá me sugirió que (llegar...)
2. Nuestros padres querían que nosotros (ser...)
3. Tu amigo te recomendó que (traer...)
4. Mi hermana me dijo que (venir...)
5. Su amigo le pidió que no (conducir...)
6. Mi mamá esperaba que yo (ir...)
7. El director les ordenó que (incluir...)
8. Mi novio(a) dudaba que yo (poder...)
9. Allí no había nadie que (decir...)
10. Ellos buscaban a alguien que (tener...)

Si... Ud. y un(a) compañero(a) están hablando de lo que van a hacer o de lo que harían. Terminen lo siguiente según sus circunstancias. Usen verbos en el presente de indicativo o en el imperfecto de subjuntivo según corresponda.

1. Podemos mirar el programa si...
2. Tendremos suficiente dinero para comprar el televisor si...
3. Invitaríamos a nuestros amigos a ir con nosotros(as) si...
4. Podríamos grabar el programa si...
5. Vamos a hablar con el director si...
6. Pensamos participar en el programa de concurso si...
7. Nos quejaríamos de los programas si...
8. Vamos a mirar esa telenovela si...
9. Vamos a cambiar el canal si...
10. Me gustaría ser actor (actriz) si...

Para conversar

Consejos de nuestros padres. En grupos de tres o cuatro, hablen de las cosas que sus padres les dijeron que hicieran o que no hicieran la primera vez que Uds. solicitaron un trabajo o la primera vez que viajaron solos.

Vamos a una agencia de publicidad

Ester y Gloria Rovira son dueñas de una tienda de ropa en Barcelona. En este momento están hablando de los problemas que tienen en el negocio.

Ester — Si el año pasado le hubiéramos hecho una buena campaña de publicidad a la tienda habríamos ganado mucho más.

Gloria — No es verdad que no hayamos hecho propaganda. Pusimos anuncios en los periódicos locales y en algunas revistas.

Ester — Pero eso no bastó. Habría sido mejor si hubiéramos tenido anuncios en la televisión. Recuerda que hay muchos negocios que compiten con el nuestro.

Gloria — Eso es verdad. Bueno, espero que hayas llamado a la agencia publicitaria y hayas hecho una cita con un agente.

Ester — Sí, es esta tarde a las dos. Espero que el agente pueda darnos buenas ideas y un estimado de lo que costaría un anuncio en la televisión.

Gloria — ¡Probablemente un ojo de la cara!

¿Cuánto recuerda? **Conteste lo siguiente con respecto a la conversación entre Ester y Gloria.**

1. ¿Qué tipo de negocio tienen Ester y Gloria?
2. ¿Qué habría pasado si le hubieran hecho más publicidad a la tienda?
3. ¿Qué dice Gloria que no es verdad?
4. ¿Qué tipo de propaganda hicieron?
5. Según Ester, ¿qué habría sido mejor?
6. ¿Qué espera Gloria que haya hecho Ester?
7. ¿Qué espera Ester que pueda hacer el agente?
8. ¿Gloria cree que el anuncio en la televisión va a ser muy caro?

¿Verdadero o falso? **Prepare ocho afirmaciones sobre la conversación de las chicas. Vea si su compañero(a) puede indicar si son verdaderas o falsas.**

Estructura

Los tiempos compuestos del subjuntivo

A. El pretérito perfecto de subjuntivo

✦ The present perfect subjunctive is formed with the present subjunctive of the auxiliary verb **haber** + *the past participle of the main verb*. It is used in the same way as the present perfect in English, but only in sentences that require the subjunctive in the subordinate clause.

> No es verdad que no **hayamos hecho** propaganda.
> *It's not true that we haven't advertised.*
>
> Espero que **hayas llamado** a la agencia.
> *I hope you've called the agency.*

		Present subjunctive of haber	Past participle of main verb
que	yo	haya	hablado
	tú	hayas	comido
	Ud., él, ella	haya	salido
	nosotros(as)	hayamos	roto
	vosotros(as)	hayáis	puesto
	Uds., ellos, ellas	hayan	dicho

Un dicho

No hay árbol que el viento no haya sacudido.

Online Study Center

Actividad

Present Tense: [HABER]

he hemos
has habéis
ha han

Opiniones. En parejas, túrnense para hacer comentarios sobre lo siguiente. Usen expresiones como: me alegro de, siento, dudo, no creo, me sorprende, es una lástima, temo, lamento, espero, ojalá, no es verdad.

MODELO: Han vendido mucho.
Me alegro de que hayan vendido mucho.

1. Gloria y Ester no han tenido un buen año.
2. El agente les ha dado buenas ideas.
3. A mi amiga le ha gustado la ropa.
4. Gloria ha hecho una cita con el agente.
5. Han puesto un anuncio en el periódico.
6. El agente les ha cobrado solamente 20 euros.
7. Ellas no han podido competir con otras tiendas.
8. Ellas han perdido mucho dinero.
9. Gloria ha dicho que no pueden ir a la agencia.
10. Nosotros no hemos visto la ropa.

Para conversar

Esperamos que... En parejas, hablen de lo que Uds. esperan o no creen que algunos miembros de su familia y algunos de sus amigos hayan hecho.

B. El pluscuamperfecto de subjuntivo

✦ The pluperfect subjunctive is formed with the imperfect subjunctive of the auxiliary verb **haber** + *the past participle of the main verb*. It is used in the same way as the past perfect tense in English, but only in sentences that require the subjunctive in the subordinate clause.

Fue una lástima que no **hubiéramos hecho** más propaganda.
It was a pity that we hadn't advertised more.

✦ The pluperfect subjunctive is used instead of the imperfect subjunctive in an *if*-clause when the verb in the main clause is in the conditional perfect.

Habría venido si no **hubiera tenido** que trabajar.
I would have come if I hadn't had to work.

✦ The pluperfect subjunctive is used after the expression **como si...** to refer to a contrary-to-fact action in the past. This is expressed in English by the past perfect indicative (*had* + *past participle*).

		Imperfect subjunctive of haber	Past participle of the main verb
que	yo	**hubiera**	**hablado**
	tú	**hubieras**	**leído**
	Ud., él, ella	**hubiera**	**pedido**
	nosotros(as)	**hubiéramos**	**puesto**
	vosotros(as)	**hubierais**	**dicho**
	Uds., ellos, ellas	**hubieran**	**roto**

Estoy comiendo **como si** no **hubiera comido** nada.
I'm eating as if I hadn't eaten anything.

Actividades

Online Study Center

Un año después. Gloria y Ester ganaron mucho dinero el año pasado, abrieron otra tienda en Valencia y Ester se mudó a esa ciudad. Haga Ud. el papel de Gloria y diga cuál fue la reacción de las siguientes personas. Utilice el pluscuamperfecto de subjuntivo.

MODELO: yo sentí / mi hermana / no quedarse en Barcelona
Yo sentí **que** mi hermana no **se hubiera quedado** en Barcelona.

1. nuestros amigos / se alegraron / la tienda / tener éxito
2. nuestros padres / lamentaron / Ester / tener que mudarse
3. Ester / sintió / yo / no ir con ella
4. yo / sentí / nosotras / no poder estar juntas
5. nuestros padres / no creían / sus hijas / ganar tanto dinero

¿Qué habría hecho Ud.? Diga lo que Ud. habría hecho si las circunstancias hubieran sido diferentes.

MODELO: En la tienda había unos pantalones grises, pero yo quería unos azules.
Si los pantalones hubieran sido azules yo los habría comprado.

1. Ud. tenía una cita a las cinco, pero no llegó a tiempo porque salió tarde de su casa.
2. Ud. quería comprar unos zapatos de tenis, pero no tenían la marca que Ud. usa.
3. Uds. querían contratar a un dibujante comercial, pero él pedía un sueldo muy alto.
4. Uds. querían saber lo que pensaba la gente, pero no hicieron una investigación de la opinión pública.
5. Ud. quería vender más, pero tenía mucha competencia.

Vea hoy

Mar adentro
a la 1 p.m.; canal 2
Con ***Javier Bardem***
Premiada con un Oscar

María, llena eres de gracia
a las 9 p.m.; canal 1
Con ***Catalina Sandino***

Hola, juventud
a las 4:30 p.m.; canal 5
Programa de música variada

Programación

8:30 (2) Buenos días con música romántica
9:00 (2) Aeróbicos
9:30 (2) En ruta al mundial
10:00 (3) Música
11:00 (1) La botica de la abuela
12:00 (3) Mundo de juguete
12:00 (1) Telenoticias
1:00 (2) Tanda del Dos: "Mar adentro"
2:00 (1) Cocinando con tía Florita: Pastel de Cuaresma
2:00 (3) Teledeportes
2:30 (1) Plaza Sésamo
2:30 (5) Fútbol
3:00 (13) Club cristiano madrileño
3:30 (1) El mar y sus secretos
4:30 (5) Hola, juventud
(1) T.V. Educativa
(13) T.V. Religiosa
5:00 (2) Teleclub
(3) M.T.V.
(13) Don Quijote de la Mancha
5:30 (1) Scooby Doo
(2) En el zoológico
6:00 (5) Cenicienta
(1) Telenoticias
8:00 (13) Noches de ópera
9:00 (1) Cine del martes: "María, llena eres de gracia"
(5) Voleibol en vivo
10:00 (13) De compras
10:30 (5) Despedida
(13) Despedida y cierre
11:00 (1) Telenoticias y cierre

Hablemos de televisión. En parejas, fíjense en la guía de televisión que aparece a continuación y luego contesten las preguntas que siguen.

1. ¿A qué hora hay programas religiosos y cómo se llaman?
2. Necesito hacer ejercicio. ¿Qué programa puedo ver? ¿A qué hora es?
3. ¿Qué programa(s) le va(n) a interesar a la gente joven?
4. ¿En qué canales ponen películas? ¿Cómo se llaman y quiénes son los protagonistas?
5. ¿Qué programas creen Uds. que les gustaría ver a los niños?
6. ¿A qué hora puedo mirar la televisión para ver las noticias?
7. A mi hermano le gustan los deportes. ¿Qué programa creen Uds. que va a ver hoy? ¿A qué hora?
8. A mi mamá le gusta cocinar. ¿Qué programa le recomendarían?
9. ¿A qué hora comienza y a qué hora termina la programación de hoy?
10. ¿Qué programas les interesarían a Uds? ¿Por qué?

Conversaciones

Frente al televisor. En grupos de tres o cuatro, digan si les gustan o no los siguientes tipos de programas. Expliquen por qué.

1. los telediarios
2. las telenovelas
3. los de concursos
4. los dibujos animados
5. los de entrevistas
6. los de tema político

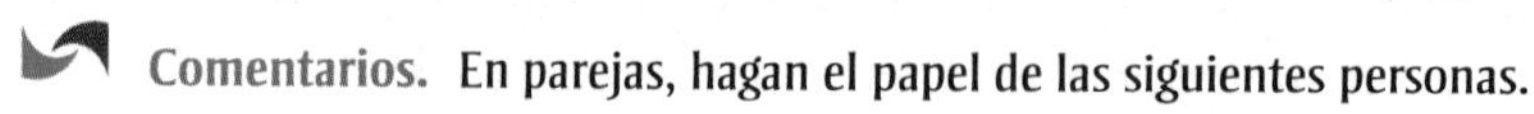

Comentarios. En parejas, hagan el papel de las siguientes personas.

1. dos amigos(as) que comentan las noticias del día
2. una persona que está haciendo una encuesta sobre varios productos y otra que contesta sus preguntas
3. dos personas que hablan sobre sus anuncios favoritos y sobre los que detestan, explicando por qué

Quiero saber... En parejas, túrnense para hacerse las siguientes preguntas.

1. Si te hubieran dado la oportunidad de ser actor (actriz), ¿la habrías aceptado? ¿Crees que habrías podido desempeñar el papel principal? Si pudieras conocer personal-

mente a un actor o a una actriz, ¿a quién te gustaría conocer? En la última película que viste, ¿hay alguna escena que te haya impresionado más? ¿Cuál?

2. ¿Qué canal crees tú que presenta el mejor noticiero? ¿Quién es tu locutor(a) favorito(a)? ¿Recuerdas algún acontecimiento importante que haya sucedido recientemente? ¿Cuál? ¿Lees todo el periódico o solamente los titulares? ¿Qué sección te interesa más?
3. ¿Qué compañía crees tú que tiene los mejores anuncios comerciales? ¿Y los peores? ¿Recuerdas el lema de algún producto? ¿Cuál? Cuando están haciendo una investigación de la opinión pública sobre algún producto, ¿participas o das una excusa para no hacerlo?
4. Durante la campaña electoral, ¿te interesan los programas políticos o los evitas? De los programas de concursos, ¿cuál consideras el mejor? ¿Y de los programas infantiles? ¿Tú crees que hay demasiada violencia en la televisión? ¿Estarías de acuerdo con la censura? ¿Por qué?

Una encuesta

Entreviste a sus compañeros de clase para identificar a aquellas personas que...

1. están subscritas a la guía de televisión. ____________
2. tienen un televisor en su cuarto. ____________
3. ponen el televisor en cuanto llegan a su casa. ____________
4. graban muchos programas de televisión. ____________
5. son adictas a las telenovelas. ____________
6. se duermen mirando la tele. ____________
7. se han postulado para alguna posición política. ____________
8. han participado en una manifestación. ____________
9. han vivido en lugares donde hay terremotos. ____________
10. creen que podrían escribir el guión de una película. ____________

Para escribir

Últimas noticias

Ud. está encargado(a) de escribir las noticias para que el locutor las lea. Dé los acontecimientos que tuvieron lugar la semana pasada, escoja el que Ud. considera el más importante.

Escriba lo que sucedió. **¿Qué, quién(es), dónde, cuándo? Al escribir su versión de lo ocurrido trate de contestar estas preguntas que todo buen periodista debe hacerse. Contéstelas lo más completamente posible.**

1. ¿Qué sucedió?
2. ¿Quiénes fueron las personas involucradas (*involved*)?
3. ¿Dónde ocurrió el hecho?
4. ¿Cuándo ocurrió?
5. Indique las causas de lo ocurrido y sus consecuencias.

Primer borrador. **Escriba primero una síntesis de lo que pasó y luego amplíe la versión agregando otros detalles.**

Después de escribir. **Ud. y un(a) compañero(a) intercambien lo escrito y edítenlo. Luego, escriba la versión final.**

Lecturas periodísticas

Reporte especial

(FRAGMENTO)

INMIGRANTE MESERO CAJERO ESTUDIANTE PERIODISTA ESCRITOR

Los títulos que Jorge Ramos ha tenido y que todavía tiene son muchos. Pero lo que hace que la historia de Jorge Ramos sea relevante para todos nosotros es que él es un ejemplo de lo que se puede... de que todo es posible si uno se aplica.

Nacido en México, Jorge completó una licenciatura en comunicación en la Universidad Iberoamericana en la Ciudad de México antes de conseguir trabajo como periodista en México. Pero por sentir que lo censuraron en su trabajo, decidió venir a este país. Lo pasó difícil, como nos ha tocado a muchos, pero salió adelante y se sacrificó para tomar un curso en televisión y periodismo en la Universidad de California en Los Ángeles.

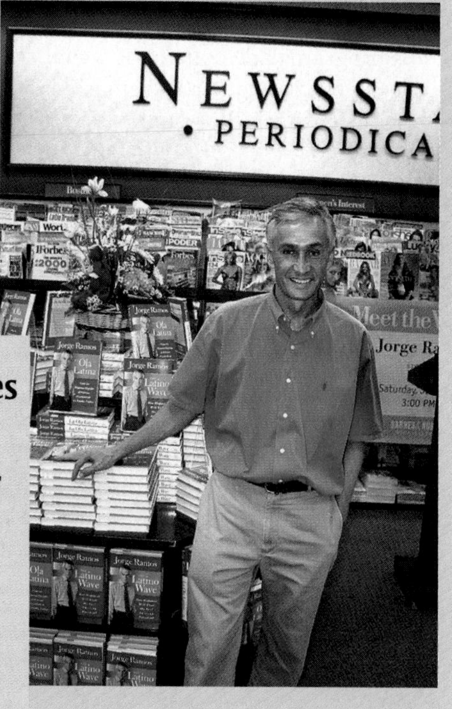

"Lo importante es estudiar lo más posible y hablar inglés: son dos ingredientes fundamentales para tener éxito en este país."

A los 28 años, Jorge Ramos llegó a ser el conductor más joven de un noticiero nacional en los Estados Unidos. Hoy, a los 44 años y como conductor titular del Noticiero Univisión, es una de las caras más reconocidas en este país. Ha recibido siete premios Emmy (individualmente o en grupo), el máximo reconocimiento televisivo en los Estados Unidos.

Inspiración y primeros pasos

La Voz: ¿Hubo un evento en su vida que haya sido clave para su éxito?

Ramos: El evento clave fue cuando decidí renunciar por censura a Televisa [en 1982], la empresa televisiva en la que trabajaba en México. Por no querer aceptar la censura decidí irme de México. Si hubiera aceptado eso, habría sido un periodista muy triste, muy censurado, muy frustrado, muy pobre, muy mal periodista. Afortunadamente tuve el valor de dejarlo todo y vine a Estados Unidos a rehacer mi vida. No fue fácil. Comencé como mesero y luego como cajero. Hasta que tuve mi primera oportunidad.

Charlas con los grandes

La Voz: A través de su carrera usted ha entrevistado a muchas personalidades famosas. ¿Qué características le parece que tienen en común que los han hecho tan exitosos?

Ramos: Son dos características. Los poderosos, casi sin excepción, tienen una enorme capacidad de concentración. Saben lo que quieren y viven cada momento plenamente. La segunda característica es la persistencia. En el poder —y en los medios de comunicación— no se destacan necesariamente los más inteligentes pero sí los más persistentes.

Cómo puedes triunfar

La Voz: ¿Cuáles son los pasos principales que deberían tomar los latinos para triunfar en este país?

Ramos: Primero, definir exactamente lo que (uno quiere). Segundo, hacer un plan de acción. Y tercero, no parar hasta lograrlo. De nuevo, quienes tienen éxito en este país no son necesariamente los más inteligentes ni los más ricos ni los que tienen mejores conexiones. No, los que tienen éxito son los que tienen un sueño y los más persistentes. Sin un sueño no hay nada que perseguir. Sin persistencia, nos quedamos al borde del camino.

La Voz: ¿Qué pueden hacer los padres hispanos para que sus hijos cumplan con el sueño americano por el que ellos tanto han sacrificado?

Ramos: Se ha repetido tanto que pierde fuerza. Pero la educación es fundamental para tener éxito. Pero sí quisiera enfatizar que es importante que los padres ayuden a los hijos a identificar su pasión, esa actividad que los apasiona, que los prende, que los hace vivir intensamente... No se trata sólo de estudiar sino de encontrar lo que te apasiona. No tengas miedo de seguir tus deseos. Y, sobre todo, no le copies a nadie. Sé el arquitecto de tu propio destino.

(*De LA VOZ*, una publicación de VERIZON)

Online Study Center

La Red Visite la página de ***Entre nosotros,* 2e** en *college.hmco.com/pic/entrenosotros2e* para aprender más sobre los latinos en los Estados Unidos.

Sobre el artículo. Conteste las siguientes preguntas basándose en la información que aparece en la lectura periodística.

1. ¿Dónde estudió Jorge Ramos en los Estados Unidos? ¿Qué estudió?
2. ¿A qué edad llegó a tener un puesto importante como periodista en este país?
3. ¿Qué premios ha recibido Ramos?
4. ¿Qué evento fue clave en el éxito de Jorge Ramos?
5. Segun él, ¿qué es lo más importante para que los inmigrantes tengan éxito en este país?
6. ¿Qué dos características tienen las personalidades famosas que él ha entrevistado?
7. ¿Cuáles son los tres pasos que deberían tomar los latinos para triunfar aquí?
8. Según Ramos, ¿qué es lo fundamental para tener éxito?
9. ¿Qué dice Ramos que debe ser cada persona?

Ahora... En grupos de tres o cuatro, preparen cuatro o cinco preguntas que les gustaría hacerle a Jorge Ramos. ¿Qué querrían saber Uds. sobre la vida personal y profesional del periodista, que no aparece en el artículo? Comparen sus preguntas con las de otros grupos y seleccionen las mejores para preparar una nueva entrevista.

Cruzando fronteras

Online Study Center

Última etapa. . .

Finalmente, estamos en España. Nuestro viaje, que comenzó en los Andes, termina en los Pirineos. Al igual que hemos hecho con los otros países, vamos a hablar un poco de España que es, para muchos hispanoamericanos, la madre patria.

España

España, que ocupa la mayor parte de la Península Ibérica, está separada de Francia por los Pirineos. Tiene una superficie° de poco menos de 195.000 millas cuadradas° y una población de unos treinta millones de habitantes.

Gracias al descubrimiento de América, España llegó a ser la primera potencia° mundial, pero a partir del siglo° XVII su posición comenzó a declinar y llegó a su punto más bajo en el período que va desde la pérdida° de sus últimas colonias (Cuba, Puerto Rico y las Filipinas), en 1898, hasta la guerra civil de 1936. A la guerra civil siguió la larga dictadura de Franco, que dio lugar al aislamiento° del país pero, desde la restauración de la democracia, España ha progresado a ritmo acelerado hasta volver a ocupar un sitio entre las naciones más prósperas del mundo. Actualmente a España, por su desarrollo humano, le corresponde el lugar número 11 entre los 177 países del mundo, de acuerdo con° el *Informe sobre el desarrollo humano* publicado por la Organización de las Naciones Unidas en 1997. Además, actualmente es uno de los miembros de la Unión Europea y de la Organización del Tratado del Atlántico Norte (OTAN°).

area / square / power / century / loss / isolation / *de...* according to / NATO

Hoy, España es una monarquía constitucional. Su rey°, Juan Carlos, es el símbolo de la nación, pero el verdadero gobierno es elegido por el pueblo democráticamente. Casi todos los españoles hablan español, pero ésta no es la primera lengua de todos ellos. Los catalanes y los vascos tienen sus propios° idiomas; el catalán y el vascuence son las lenguas habladas con preferencia en sus respectivas regiones. En menor grado°, en las regiones de Galicia y Asturias también se escuchan las respectivas lenguas autóctonas.

king

own

degree

España fue, tradicionalmente, un país agrícola, y todavía es el mayor proveedor de productos agrícolas de la Unión Europea, y uno de los mayores productores mundiales de vino y de aceite de oliva. Sin embargo°, actualmente sólo el 11 por ciento de los españoles trabajan en la agricultura, mientras que el 21 por ciento lo hace en la industria, y el sector de los servicios emplea casi el 60 por ciento de la población. El turismo ha pasado a ser° una de las grandes fuentes de ingresos° del país y, tanto en Madrid, la capital, como en Barcelona, Granada, Córdoba, Sevilla y otras ciudades españolas, los hoteles, los museos y otros lugares de interés están llenos de turistas de todas partes del mundo que visitan España todos los años. Van atraídos por su historia y sus tradiciones, por la arqui-

Sin... However

ha... has become / *fuentes...* sources of income

tectura de sus ciudades, por la pintura de sus museos, por la variedad de su música y de sus comidas regionales, por su sol, sus playas y paisajes, por los magníficos servicios que se les brindan y, sobre todo, por la tradicional hospitalidad del pueblo español.

A través de° toda su historia España ha contribuido grandemente a la cultura universal. Bajo el dominio de los moros (árabes), Córdoba se convirtió en la segunda ciudad más importante de Europa, superada sólo por Constantinopla. En sus grandes universidades se estudió medicina, matemáticas y filosofía a niveles° más altos que los del resto de Europa. Aristóteles y otros sabios de la antigüedad griega fueron leídos en Córdoba mucho antes de que fueran conocidos por el resto de la Europa cristiana, sobre todo gracias a los traductores de Toledo quienes sirvieron de puente° entre la cultura oriental y el mundo europeo. La Universidad de Salamanca, fundada en el siglo XIII, sirvió de modelo para la fundación de las universidades latinoamericanas, cuatro siglos después. Además, España se ha distinguido en la pintura, en la música y en la literatura. Goya, Velázquez, Dalí, Picasso...; Falla, Albéniz, Casals...; Cervantes, Machado, García Lorca..., son nombres que evocan belleza° en toda persona culta°.

A... Throughout

levels

bridge

beauty / educated

¿Cuánto hemos aprendido?

¿Cierto o no? Ud. y otro(a) estudiante túrnense para indicar si la información que sigue es correcta(C) o incorrecta(I).

______ 1. Los Alpes separan a España de Francia.
______ 2. Las últimas colonias españolas fueron Cuba, Puerto Rico y Filipinas.
______ 3. Franco fue un dictador.
______ 4. Por su desarrollo humano a España le corresponde el número 21 entre los 175 países del mundo.
______ 5. España es una república.
______ 6. La única lengua que se habla en España es el español.
______ 7. España es uno de los mayores productores de vino y de aceite de oliva del mundo.
______ 8. El turismo no es una fuente de ingreso importante en el país.
______ 9. En Córdoba se ve la influencia mora.
______ 10. Los traductores de Toledo fueron un puente entre la cultura oriental y el mundo europeo.
______ 11. Goya y Velázquez son grandes músicos españoles.
______ 12. Miguel de Cervantes es el máximo exponente de la literatura española.

Preguntas y respuestas. La clase se dividirá en tres grupos. Cada grupo preparará cinco preguntas sobre la lectura para hacérselas al resto de la clase.

Datos importantes. En parejas, completen la siguiente información sobre España.

ESPAÑA

Capital: ____________________

Superficie: ____________________

Población: ____________________

Lugar que ocupa en el mundo: ____________________

____

Forma de gobierno: ____________________

Lengua nacional: ____________________

Otras lenguas: ____________________

____

Principales productos: ____________________

____

Porcentaje que trabaja en:

a) la agricultura ____________________

b) la industria ____________________

c) el sector de los servicios ____________________

____

Pintores famosos: ____________________

____

Músicos famosos: ____________________

____

Escritores famosos: ____________________

____

Ventana al mundo literario

Fernán Caballero
España
1796–1877

A Fernán Caballero, cuyo verdadero nombre era Cecilia Böhl de Fáber, corresponde la gloria de haber iniciado el realismo en España y de haber señalado el camino para el renacimiento de la novela en su país. Su idea de lo que debe ser una novela queda expresada al decir: "La novela no se inventa; se observa". Su obra es el resultado de la fusión de dos elementos románticos: lo sentimental y el costumbrismo. Lo único nuevo en ella es la técnica realista. Su primera novela, y quizás la mejor de todas, fue La gaviota.
Los cuentos de Fernán Caballero tienen una temática muy variada, que va desde la exquisita espiritualidad poética hasta lo vulgar. Siente especial predilección por el relato de tipo moral, y su estilo es sencillo y natural. Sus cuentos fueron publicados en la colección que lleva el título de Cuadros de costumbres andaluzas.

Preparación. Este cuento trata de un hombre muy pobre que un día encontró mucho dinero. Piense Ud. en lo que haría una persona en estas circunstancias.

La bolsa

Un hombre muy pobre encontró un día una bolsa°, y dentro de ella cien onzas de oro. Las contó muy contento e hizo muchos planes, imaginando un futuro de abundancia y de felicidad. Después, sin embargo°, consideró que aquel dinero tenía dueño, sintió vergüenza al pensar en los planes que había hecho, escondió la bolsa y se fue a trabajar.

Cortó mucha leña°, pero no la pudo vender, de manera que aquella noche él y su familia no cenaron.

—Terrible es la tentación, –decía el pobre hombre— pero este dinero no es mío, y no debo gastarlo.

Por la mañana pregonaron° por las calles, como era costumbre en aquellos tiempos, el nombre del que había perdido la bolsa y el premio de veinte onzas que ofrecían por la devolución° del dinero. El hombre le llevó la bolsa al dueño, que era un comerciante° muy rico.

—Aquí está su bolsa —le dijo.

Pero el comerciante, que no quería pagar lo que había prometido, examinó la bolsa, contó el dinero que estaba dentro°, y dijo, fingiendo estar enojado:

—Ésta es mi bolsa, pero yo tenía en ella ciento treinta onzas. Aquí sólo hay cien, y como es claro que robaste el resto, voy a pedir que te castiguen por ladrón.

—Dios sabe que digo la verdad —dijo el hombre.

Los dos fueron conducidos° a la presencia del Rey.

—Hazme, le dijo al pobre hombre —una relación sencilla° de este suceso°.

—Yo, Vuestra Majestad, encontré la bolsa; conté el dinero y sé que sólo contenía cien onzas. Tenía en mi casa una mujer y seis hijos esperando el pan. Pensé en gastar el oro, pero después pensé que tenía dueño, tal vez° con más obligaciones que yo; lo escondí y me fui a trabajar.

—¿Y no has tomado nada, absolutamente nada, de la bolsa?

—No, señor. Y anoche mis hijos no comieron.

—¿Qué dices tú? -le preguntó el Rey al comerciante.

—Señor, que todo lo que dice este hombre es falso, porque mi bolsa tenía ciento treinta onzas y sólo él ha podido robar las que faltan°.

bag
sin... however
firewood
they made public
return
merchant
inside
taken
simple / happening
tal... maybe
are missing

such

deceit

different / pick up

will keep

—Tú, pobre hombre —dijo el Rey— refieres el suceso con tal° naturalidad que no es posible dudar de lo que dices. Además, has podido quedarte con todo... Tú, comerciante, gozas de buena posición y mucho crédito; no podemos presumir de ti un engaño°. Diciendo los dos verdad, es claro que la bolsa con cien onzas que ha hallado este hombre es distinta° de la tuya, que tiene ciento treinta... Recoge°, pues, la bolsa, buen hombre, le dijo al leñador —y llévala a tu casa hasta que aparezca su dueño; y si por casualidad encuentras otra con ciento treinta onzas, llévasela a este honrado comerciante, que entonces cumplirá° su palabra y te dará las veinte onzas que ofreció.

Díganos. . .

1. ¿Cuánto dinero había en la bolsa que encontró el hombre?
2. ¿Cuál fue su primera reacción? ¿Qué pensó después?
3. ¿Qué premio ofrecían por devolver la bolsa?
4. ¿Quién era el dueño de la bolsa?
5. ¿Qué dijo el comerciante para evitar pagar la recompensa?
6. ¿Adónde fueron conducidos los dos hombres?
7. ¿Qué le dijo el Rey al hombre pobre?
8. ¿Qué le pasó al comerciante?

Desde su mundo. En parejas hablen de lo que generalmente sucede cuando alguien encuentra mucho dinero.

Para escribir. Escriba uno o dos párrafos sobre uno de los siguientes temas.

1. La importancia de ser honesto
2. Si yo encontrara mil dólares...

Gustavo Adolfo Bécquer
España
1836–1870

Bécquer representa la transición del romanticismo al simbolismo en España, principalmente en la poesía, pero también en la prosa. La crítica actual lo considera un precursor del modernismo. Las rimas y las leyendas son lo más conocido de la obra de Bécquer. En sus Rimas —poemas sencillos y breves— vemos una poesía desnuda de artificios, una poesía de máxima condensación lírica. Los temas que reaparecen en su obra son tres: el amor, la soledad y el misterio, no solamente del destino humano sino de la poesía misma.

Preparación. Antes de leer el poema tenga en cuenta que dos de los temas de la poesía de Bécquer son el amor y la soledad. Búsquelos en la Rima.

Rima XXX

Asomaba... was coming out from / tear / forgiveness / pride / **se...** dried

Asomaba a° sus ojos una lágrima°
y a mi labio una frase de perdón°;
habló el orgullo° y se enjugó° su llanto,
y la frase en mis labios expiró.

Yo voy por un camino: ella, por otro;
pero al pensar en nuestro mutuo amor,
yo digo aún ¿por qué callé° aquel día?
Y ella dirá ¿por qué no lloré° yo?

(*de* Rimas y leyendas)

didn't speak
no... didn't cry

Díganos. . .

1. Según el poeta, ¿qué lo separó de su amada?
2. ¿Puede Ud. decir cómo se siente ahora el poeta y por qué?
3. ¿Cuál cree Ud. que es el mensaje que nos da el poeta?

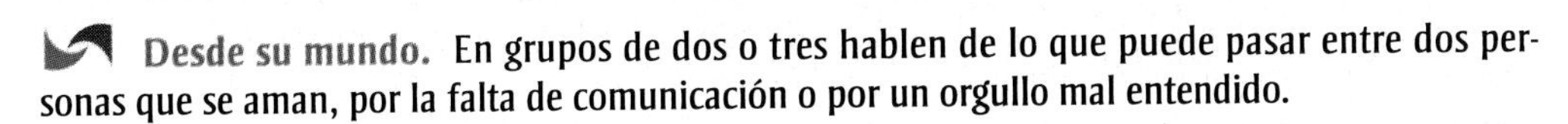

Desde su mundo. En grupos de dos o tres hablen de lo que puede pasar entre dos personas que se aman, por la falta de comunicación o por un orgullo mal entendido.

Para escribir. Escriba uno o dos párrafos sobre uno de los siguientes temas.

1. Me es fácil (difícil) perdonar porque...
2. ¿Por qué me separé de mi primer amor?

Antonio Machado
España
1875–1939

La poesía del sevillano Antonio Machado, que está considerado como el gran poeta de la Generación de 1898, es de profunda espiritualidad. Su obra poética, que no es muy extensa, se concentra en ciertos temas esenciales: los recuerdos de su juventud, el amor, los paisajes de Castilla y Andalucía, España y, sobre todo, el tiempo, la muerte y Dios. Sus obras más importantes son Soledades *(1903),* Soledades, galerías y otros poemas (1907), Campos de Castilla (1912) y Nuevas canciones (1925).

Preparación. Antes de leer el poema, piense en las ideas o imágenes que le sugieren las siguientes palabras.

caminante
huellas
camino

Poema XXIII

Caminante°, son tus huellas°
el camino, y nada más;
caminante, no hay camino,
se hace camino al andar.
Al andar se hace camino,
y al volver la vista atrás°
se ve la senda° que nunca
se ha de volver a pisar°.
Caminante, no hay camino,
sino estelas° en la mar.
(*De* Proverbios y cantares)

Traveller / footprints
al... looking back
path
to set foot on
wakes of a ship

Díganos. . .

1. ¿Qué representa el caminante?
2. ¿Qué representa el camino?
3. ¿A qué se refiere Antonio Machado cuando habla de la "senda que nunca se ha de volver a pisar"?

Desde su mundo. En grupos de dos o tres discutan esta idea: "En la vida no se puede volver atrás".

Para escribir. Escriba uno o dos párrafos sobre uno de los siguientes temas.

1. Cómo ha sido mi camino hasta ahora
2. Las personas que han tenido influencia en mi vida

Ana María Matute
España
1926–

Ana María Matute nació en Barcelona, y está considerada por la crítica como una de las mejores escritoras españolas de la postguerra. Ha recibido varios premios literarios, entre ellos Café Gijón, por su novela Fiesta al noroeste *(1952); Planeta, por* Pequeño teatro; *el Nacional de Literatura, por* Los hijos muertos, *y el Nadal por* Primera memoria. *Además de novelas, es autora de numerosos cuentos. En ellos ha creado un mundo infantil dominado por la sensibilidad. Entre sus mejores colecciones de cuentos merecen mencionarse* Los niños tontos *(1956) e* Historias de la Artámila. *La muerte y la soledad son temas frecuentes en sus obras.*

Preparación. Fíjese en el título de este cuento, "La niña fea". ¿Cómo cree Ud. que la trataban las otras niñas en la escuela? Imagine Ud. cómo se sentía ella. Piense en todo esto antes de leer el cuento.

La niña fea

La niña tenía la cara oscura y los ojos como endrinas°. La niña llevaba el cabello partido en dos mechones, trenzados° a cada lado de la cara. Todos los días iba a la escuela, con su cuaderno lleno de letras y la manzana brillante de la merienda°. Pero las niñas de la escuela le decían: "Niña fea"; y no le daban la mano, ni se querían poner a su lado°, ni en la rueda ni en la comba°: "Tú vete, niña fea". La niña fea se comía su manzana, mirándolas desde lejos, desde las acacias, junto a los rosales silvestres, las abejas de oro, las hormigas malignas y la tierra caliente de sol. Allí nadie le decía: "Vete". Un día, la tierra le dijo: "Tú tienes mi color". A la niña le pusieron flores de espino° en la cabeza, flores de trapo° y de papel rizado en la boca, cintas azules y moradas en las muñecas. Era muy tarde, y todos dijeron: "Qué bonita es". Pero ella se fue a su color caliente, al aroma escondido, al dulce escondite° donde se juega con las sombras° alargadas de los árboles, flores no nacidas y semillas de girasol.

endrinas: wild plums
trenzados: braided
merienda: snack
a... lado: beside her / comba: jump rope
espino: hawthorn / trapo: cloth
escondite: hiding place
sombras: shadows

Díganos. . .

1. ¿Qué aspecto tenía la niña?
2. ¿Qué comía siempre la niña?
3. ¿La aceptaban las otras niñas? ¿Qué le decían?
4. ¿Cómo describe la autora el lugar desde donde la niña miraba a sus compañeras?
5. ¿Qué le dijo la tierra un día?
6. ¿Qué le pusieron a la niña?
7. ¿Dónde está ahora la niña?
8. ¿Qué le pasó?

Desde su mundo. En grupos de tres o cuatro, hablen sobre sus experiencias en la escuela primaria. ¿Fueron positivas? ¿Tuvieron algún problema? ¿Había niños que no eran aceptados por los demás? ¿Por qué?

Para escribir. Escriba Ud. uno o dos párrafos sobre uno de los siguientes temas.

1. ¿Recuerda Ud. el caso de algún niño a quien los demás trataban mal? Cuéntenos.
2. ¿Qué creen Uds. que se debe hacer para enseñarles a los niños a aceptar a todos por igual?

LECCIONES 4-6 Compruebe cuánto sabe

Lección 4 A. *El futuro perfecto*

Diga lo que cada persona habrá hecho antes de que se abra la exposición de pintura.

1. Yo ________________ (limpiar) el local.
2. Mis amigos ________________ (abrir) las puertas y las ventanas.
3. El pintor ________________ (traer) varios de sus dibujos.
4. Uds. ________________ (colocar) los cuadros en las paredes.
5. Mis compañeros y yo ________________ (ponerles) precio a los cuadros.
6. Tú ________________ (preparar) las bebidas que vamos a servir.
7. Ud. ________________ (invitar) a los periodistas a la exposición.

B. El condicional perfecto

Use el condicional perfecto para indicar lo que Ud. y otras personas de su familia habrían hecho antes de salir de viaje.

1. yo / poner dinero en el banco
2. Uds. / comprar cheques de viajero
3. mi familia y yo / hacer reservaciones en el hotel
4. mi hermano / ir a la agencia de viajes
5. tú / conseguir folletos turísticos

C. Los pronombres relativos

Complete lo siguiente, usando el equivalente español de las palabras que aparecen entre paréntesis.

1. Las acuarelas ________________ no son caras. (*that we sell*)
2. El hombre ________________ es un famoso concertista. (*about whom I spoke to you*)
3. Las señoras ________________________ compran muchos cuadros aquí. (*with whom I'm speaking*)
4. El señor ________________ es el dueño de la galería. (*who called*)
5. El pintor ________________________ vive en Costa Rica. (*whose paintings we sell*)
6. El muchacho ________________ es un empleado de la tienda. (*who brought the guitar*)

D. La voz pasiva

Cambie lo siguiente a la voz pasiva.

1. Picasso pintó ese cuadro.
2. Él vende las esculturas.
3. Ellos entrevistaron al pintor.
4. Elvira ha contratado al pianista.
5. Mirta Vargas recitaba los poemas de Lorca.
6. Nosotros pagaríamos las entradas para el concierto.

E. Algunas expresiones idiomáticas

Busque en la columna B las expresiones idiomáticas que corresponden a las afirmaciones que aparecen en la columna A.

	A	B
_____	1. Mi esposo llegó muy tarde anoche.	a. No tiene pelos en la lengua.
_____	2. No sé qué decisión tomar.	b. Se la perdió.
_____	3. La fiesta estuvo magnífica.	c. Me cae muy mal.
_____	4. Elsa siempre dice lo que piensa.	d. Cambió de opinión.
_____	5. En este viaje voy a ver a mis abuelos y a conocer Madrid.	e. Son dignos de verse.
		f. Me dio mucha rabia.
_____	6. Jorge no pudo ir a la fiesta.	g. No veo la hora de estar allí.
_____	7. Los cuadros de Ana son impresionantes.	h. Todo el mundo vino.
		i. Voy a matar dos pájaros de un tiro.
_____	8. No quiero salir con Carlos.	j. Estoy entre la espada y la pared.
_____	9. Este verano voy a viajar a Madrid.	
_____	10. Me dijo que quería ir al cine, pero ahora quiere ir al teatro.	

F. Vocabulario

¿Qué palabra o palabras corresponden a lo siguiente?

1. pintura de agua
2. exposición
3. lo uso para pintar
4. lienzo
5. pintura de aceite
6. exhibir
7. grupo musical de cuatro personas
8. persona que canta
9. instrumento musical que tocan en las iglesias
10. argumento
11. autor teatral
12. lo opuesto de prosa
13. personaje principal en una obra teatral
14. persona que hace estatuas
15. grupo musical de tres personas

Lección 5

A. El subjuntivo usado con verbos y expresiones de voluntad y emoción

Complete lo siguiente usando el infinitivo o el presente de subjuntivo de los verbos entre paréntesis.

1. Mis padres quieren que yo __________ (ir) a Venezuela con ellos, pero yo prefiero __________ (ir) a México con mi hermano. Espero que él también __________ (poder) tomar vacaciones en junio.
2. Mi mamá me aconseja que __________ (estudiar) medicina, pero yo deseo __________ (estudiar) para dentista. Ojalá que yo __________ (ser) capaz de convencerla porque necesito que ella __________ (pagarme) la universidad. Temo que no me __________ (dar) una beca porque mis notas no son muy buenas.
3. Mis abuelos me piden que no __________ (enojarme) con mis hermanos y lamentan que no __________ (llevarnos) bien. Ellos insisten en que __________ (comunicarnos) mejor y yo espero __________ (poder) hacerlo.

B. El subjuntivo para expresar duda, incredulidad y negación

Cambie lo siguiente de acuerdo con la nueva frase inicial.

1. Siempre salimos con una chaperona.
   No es verdad ____.
2. En los pueblos pequeños las chicas tienen más libertad que en las grandes ciudades. Dudamos ____.
3. En Latinoamérica las chicas no asisten a la universidad.
   No creo ____.
4. La mujer tiene los mismos derechos que el hombre.
   Es cierto ____.
5. Las jóvenes de hoy son menos independientes que sus abuelas.
   Negamos ____.

C. El subjuntivo para expresar lo indefinido y lo no existente

Complete con el presente de indicativo o el presente de subjuntivo de los verbos entre paréntesis.

1. Carmen busca un empleo que __________ (pagar) bien. Ahora tiene uno que __________ (pagar) muy poco, pero es difícil que __________ (encontrar) otro porque aquí hay mucho desempleo.
2. No hay nadie aquí que __________ (poder) entrenarme en el uso de las computadoras, pero hay muchas personas que __________ (querer) ayudarme a encontrar otro trabajo.
3. Hay muchos programas que __________ (ayudar) a combatir la deserción escolar, pero no hay muchos que __________ (servir) para buscarles trabajo a los jóvenes.
4. Conozco a varias personas aquí que __________ (estar) interesadas en rehabilitar a los delincuentes, pero no conozco a nadie que __________ (tener) programas especiales para hacerlo. Hay muchas personas que __________ (desear) ayudarlos, pero no hay ninguna que __________ (saber) cómo lograrlo.

D. Expresiones que requieren el subjuntivo o el indicativo

Complete lo siguiente, usando el equivalente español de las palabras que aparecen entre paréntesis.

1. No vas a recibir buenas notas en los exámenes ____________________. *(unless you study more)*
2. Elsa va a hablar con su consejero financiero ____________________. *(as soon as she sees him)*
3. Siempre llamo a mis padres ____________________. *(as soon as I get home)*
4. Necesito comprar unos libros. Voy a llamar a Mirta ____________________. *(so that she brings me the money)*
5. Voy a pagar la hipoteca ____________________. *(when my dad gives me the money)*
6. Hablé con mi profesor ____________________. *(as soon as he arrived)*
7. Vamos a esperar al catedrático ____________________ la clase. *(until he finishes)*
8. Siempre hablo con mis amigos ____________________ a la universidad. *(when I arrive)*

E. El imperativo: Ud. y Uds.

Cambie lo siguiente a órdenes usando las formas del imperativo para Ud. o Uds. según corresponda.

1. Ud. tiene que hacer una lista de seis problemas sociales. Tiene que ver al catedrático y tiene que dársela.
2. Uds. tienen que estar aquí a las tres, tienen que traer los exámenes y tienen que ponerlos en mi mesa.
3. Ud. tiene que hablar con su consejero, tiene que preguntarle qué requisitos debe tomar y después tiene que ir a matricularse.

F. Vocabulario

Busque en la columna B las respuestas a las preguntas que aparecen en la columna A.

	A	B
_____	1. ¿Ana es tu hermanastra?	a. El mes próximo.
_____	2. ¿Que vas a pagar?	b. Sí, pronto van a contraer matrimonio.
_____	3. ¿Te enojaste con ellos?	c. No, porque no estudié mucho.
_____	4. ¿Por qué lo regañó su papá?	d. No, quedó suspendida.
_____	5. ¿Cuándo es la boda?	e. Sí, es catedrático.
_____	6. ¿Héctor es tu yerno?	f. No, tengo una beca.
_____	7. ¿Dónde van a pasar la luna de miel?	g. Es drogadicto.
_____	8. ¿Están comprometidos?	h. Sí, es la hija de mi padrastro.
_____	9. ¿Hay desempleo en ese país?	i. Porque no respeta a su mamá.
_____	10. ¿En qué vas a especializarte?	j. Los impuestos.
_____	11. ¿Tienes que pagar la matrícula?	k. Sí, y mucha pobreza.
_____	12. ¿Esperas recibir buenas notas?	l. No, es mi cuñado.
_____	13. ¿Raúl se gradúa este año?	m. No, el próximo.
_____	14. ¿Tu hijo es profesor?	n. En psicología.
_____	15. ¿Rita aprobó el examen?	o. Sí, porque se llevan mal.
_____	16. ¿Qué problema tiene tu hijastro?	p. En Cancún.

Lección 6

A. El imperativo: tú

Ud. quiere que algunos de sus amigos hagan ciertas cosas. Cambie lo siguiente a órdenes usando la forma imperativa de tú.

1. Esto es lo que va a ordenarle a Rosaura: Ir a la sala y traer el control remoto; encender el televisor y poner el canal que tiene la telenovela. Llamar a su hermana y decirle que grabe el programa de las ocho en el canal 7 porque Ud. no puede verlo a esa hora.
2. A Alicia va a ordenarle lo siguiente: Venir a su casa el lunes y traerle el aparato de video, pero no traerle las cintas.
3. Las órdenes para Carlos son: Invitar a Teresa para la fiesta del sábado, pero no decirle que viene Raúl. Comprar las bebidas para la fiesta, pero no ponerlas en el refrigerador.

B. El imperativo de la primera persona del plural

Conteste las siguientes preguntas usando el imperativo de la primera persona del plural y las palabras que aparecen entre paréntesis.

1. ¿Qué hacemos hoy? (ir al cine)
2. ¿Llevamos a alguien con nosotros? (sí, a Eva)
3. ¿Invitamos a Silvia también? (no)
4. ¿A qué hora salimos para el cine? (a las siete)
5. ¿Qué hacemos después? (ir al restaurante)
6. ¿Dónde nos sentamos en el restaurante? (cerca de la salida)
7. ¿Qué comemos? (comida mexicana)
8. ¿Cuánto le dejamos de propina al mozo? (el diez por ciento)
9. ¿A qué hora regresamos a casa? (a las once)
10. ¿Qué hacemos cuando lleguemos? (mirar televisión)
11. ¿Qué programa vemos? (el telediario)
12. ¿A qué hora nos acostamos? (a las doce)

C. El imperfecto de subjuntivo

Complete los siguientes minidiálogos con el imperfecto de subjuntivo de los verbos dados.

1. — ¿Qué te dijeron tus padres que __________ (hacer) cuando __________ (estar) en España?
   — Me pidieron que les __________ (escribir) todos los días, pero ellos dudaban que yo __________ (poder) hacerlo porque saben que no me gusta escribir.
   — ¿Qué te pidieron entonces?
   — Me pidieron que los __________ (llamar) todas las semanas.
2. — ¿Adónde querían tus amigos que tú __________ (ir) el domingo?
   — Querían que yo __________ (ir) a la iglesia con ellos y que __________ (cantar) en el coro.
   — ¿Fuiste?
   — No, y ellos sintieron mucho que no __________ (poder) hacerlo.
   — ¿Adónde fuiste?
   — A ver una obra navideña porque mi hermana me rogó que la __________ (acompañar).
3. — ¿Vas a ir a Madrid esta Navidad?
   — No, ojalá __________ (tener) dinero para hacer el viaje, pero no tengo.
   — Fue una lástima que no __________ (conseguir) el trabajo que pediste.

D. El imperfecto de subjuntivo en oraciones condicionales

Complete los siguientes minidiálogos, usando el imperfecto de subjuntivo o el presente de indicativo de los verbos dados.

1. — ¿Qué te gustaría hacer este fin de semana?
   — Si __________ (tener) tiempo me gustaría ir a la playa, pero tengo que trabajar.
2. — ¿Dónde pasarás la Nochebuena?
   — Si mis padres no __________ (poder) venir, iré a Colorado a visitarlos.
3. — ¿Compró Elvira muchos regalos para su familia?
   — Sí, gastó dinero como si __________ (ser) millonaria.
   — Si yo __________ (ser) su padre no le permitiría gastar tanto dinero.

4. — ¿A qué hora saldrás para ver la manifestación?
   — Si __________ (terminar) de trabajar temprano, saldré a las cuatro.
5. — ¿Los chicos fueron a la discoteca?
   — Sí, y bailaron muchísimo, como si no __________ (estar) cansados de trabajar todo el día.

E. El presente perfecto y el pluscuamperfecto

Cambie las siguientes oraciones al presente perfecto o al pluscuamperfecto de subjuntivo de acuerdo con la nueva frase inicial.

1. Marisol ha asistido a la rueda de prensa.
   Dudo que ______________________________.
2. Ester habló con el alcalde.
   Ellos esperaban que ______________________________.
3. La campaña de promoción publicitaria ha sido un fracaso.
   No creemos que ______________________________.
4. Ofelia ha ido a ver la manifestación.
   Me alegro de que ______________________________.
5. Alguien ha traído la videocasetera.
   No hay nadie que ______________________________.
6. Mis hijos fueron a votar.
   No creía que ______________________________.
7. Los niños no han visto el programa infantil hoy.
   Sentimos que ______________________________.
8. No pusieron el televisor en la sala.
   Temíamos que no ______________________________.

F. Vocabulario

Complete lo siguiente, usando el vocabulario aprendido en la Lección 6.

1. El programa de Sponge Bob es un programa de dibujos __________. Es un programa __________.
2. Necesito el control __________ para encender el __________.
3. ¿Quién es el __________ del __________ de concursos que presentan el jueves?
4. Elsa Aguirre tiene el __________ principal en la obra.
5. No puedo ver la telenovela ahora, pero la voy a __________ para verla después.
6. Los empleados no vinieron a trabajar hoy porque se declararon en __________.
7. El gobernador va a ofrecer una __________ de prensa que se va a transmitir por todos los __________ de difusión.
8. Las __________ para alcalde son el sábado y ayer terminó la __________ electoral.
9. La Dra. Varela va a __________ para alcaldesa.
10. Hay desastres en muchos estados: En California __________, en la Florida __________ y en Kansas __________.
11. Necesitamos preparar una campaña de __________ publicitaria para aumentar las ventas.
12. Folgers es una __________ de café muy conocida.
13. Jorge Vázquez fue el __________ comercial que diseñó el emblema.
14. La investigación de la __________ pública es muy necesaria.

Apéndices

Apéndice A: Algunas reglas generales

Separación de palabras

A. Vocales

1. A vowel or a vowel combination can constitute a syllable.

   e-ne-ro a-cuer-do Eu-ro-pa ai-re u-no

2. Diphthongs and triphthongs are considered single vowels and cannot be divided.

   vie-ne Dia-na cue-ro es-tu-diáis bui-tre

3. Two strong vowels (**a**, **e**, or **o**) do not form a diphthong and are separated into two syllables.

   em-ple-o le-an ro-e-dor tra-e-mos lo-a

4. A written accent mark on a weak vowel (**i** or **u**) breaks the diphthong; thus the vowels are separated into two syllables.

   rí-o dú-o Ma-rí-a Ra-úl ca-í-mos

B. Consonantes

1. A single consonant forms a syllable with the vowel that follows it.

   mi-nu-to ca-sa-do la-ti-na Re-na-to

¡ATENCIÓN! **ch**, **ll** and **rr** are considered single consonants.

   co-che a-ma-ri-llo ci-ga-rro

2. Consonant clusters composed of **b**, **c**, **d**, **f**, **g**, **p**, or **t** with **l** or **r** are considered single consonants and cannot be separated.

   su-bli-me cre-ma dra-ma flo-res gra-mo te-a-tro

3. When two consonants appear between two vowels, they are separated into two syllables.

   al-fa-be-to mo-les-tia me-ter-se

¡ATENCIÓN! When a consonant cluster composed of **b**, **c**, **d**, **f**, **g**, **p**, or **t** with **l** or **r** appears between two vowels, the cluster joins the following vowel.

   so-bre o-tra ca-ble te-lé-gra-fo

4. When three consonants appear between two vowels, only the last one goes with the following vowel.

   ins-pec-tor trans-por-te trans-for-mar

¡ATENCIÓN! When there is a cluster of three consonants in the combinations described in rule 2, the first consonant joins the preceding vowel and the cluster joins the following vowel.

es-cri-bir im-plo-rar ex-tran-je-ro

El acento ortográfico

In Spanish, all words are stressed according to specific rules. Words that do not follow the rules must have a written accent mark to indicate the change of stress. The basic rules for accentuation are as follows:

1. Words ending in a vowel, **n**, or **s** are stressed on the next to the last syllable.

   ver- de re-**ten**-go ro-**sa**-da es-**tu**-dian co-**no**-ces

2. Words ending in a consonant, except **n** or **s**, are stressed on the last syllable.

   es-pa-**ñol** pro-fe-**sor** pa-**red** tro-pi-**cal** na-**riz**

3. All words that do not follow these rules, and also those that are stressed on the second from the last syllable, must have a written accent mark.

   ca-**fé** co-**mió** ma-**má** sa-**lón** fran-**cés**
   án-gel **lá**-piz **mú**-si-ca de-**mó**-cra-ta

4. The interrogative and exclamatory pronouns and adverbs have a written accent mark to distinguish them from the relative forms.

   ¿Qué comes? **¡Qué** calor hace!

5. Words that have the same spelling but different meanings have a written accent mark to accentuate one from another.

el	*the*	él	*he, him*
mi	*my*	mí	*me*
tu	*your*	tú	*you*
te	*you, yourself*	té	*tea*
si	*if*	sí	*yes*
mas	*but*	más	*more*
solo	*alone*	sólo	*only*

6. The demonstrative pronouns have a written accent mark to distinguish them from the demonstrative adjectives.

éste	ésta	ése	ésa	aquél	aquélla
éstos	éstas	ésos	ésas	aquéllos	aquéllas

7. Affirmative commands with object pronouns have written accent marks if the word has two or more syllables after the stress.

   Tráigamela. Cómpralo. Pídasela.

Uso de las mayúsculas

In Spanish, only proper nouns are capitalized. Nationalities, languages, days of the week, and months of the year are not considered proper nouns.

Jaime Ballesteros es de Buenos Aires, pero sus padres no son argentinos; son de España. El sábado, tres de junio, Jaime y sus padres, el doctor[1] Juan Ballesteros y su esposa, la señora[1] Consuelo Ballesteros, salen para Madrid.

[1]These words are capitalized only when they are abbreviated: **Dr., Sra.**

Puntuación

1. Inverted question marks and exclamation marks must be placed at the beginning of questions and exclamations.

   —¿Tú quieres ir con nosotros?
   —¡Por supuesto!

2. A comma is not used before **y** or **o** at the end of a series.

   Estudio francés, historia, geografía y matemáticas.

3. In a dialogue, a dash is frequently used instead of quotation marks.

   —¿Cómo estás, Pablo?
   —Muy bien, ¿y tú?

Estudio de cognados

A. Cognates

Cognates are words that are the same or similar in two languages. It is extremely valuable to be able to recognize them when learning a foreign language. Following are some principles of cognate recognition in Spanish.

1. Some words are exact cognates; only the pronunciation is different.

general	terrible	musical	central	humor	banana
idea	mineral	horrible	cultural	natural	terror

2. Some cognates are almost the same, except for a written accent mark, a final vowel, or a single consonant in the Spanish word.

región	comercial	arte	México	posible	potente
personal	península	oficial	importante	conversión	imposible

3. Most nouns ending in *-tion* in English end in **-ción** in Spanish.

   conversación   solución   operación   cooperación

4. English words ending in *-ce* and *-ty* end in **-cia, cio, -tad,** and **-dad** in Spanish.

   importancia   precipicio   libertad   ciudad

5. The English ending *-ous* is often equivalent to the Spanish ending **-oso(a)**.

   famoso   amoroso   numeroso   malicioso

6. The English consonant *s-* is often equivalent to the Spanish **es-**.

   escuela   estado   estudio   especial

7. English words ending in *-cle* end in **-culo** in Spanish.

   artículo   círculo   vehículo

8. English words ending in *-y* often end in **-io** in Spanish.

   laboratorio   conservatorio

9. English words beginning with *ph-* begin with **f-** in Spanish.

   farmacia   frase   filosofía

10. There are many other easily recognizable cognates for which no rule can be given.

millón	deliberadamente	estudiar	millonario	mayoría
ingeniero	norte	enemigo	monte	

B. False cognates

False cognates are words that look similar in Spanish and English, but have very different meanings. Some common ones are as follows:

English Word	Spanish Equivalent	False Cognate
actually	realmente	actualmente (*nowadays*)
application	solicitud	aplicación (*diligence*)
card	tarjeta	carta (*letter*)
character (*in lit.*)	personaje	carácter (*personality, nature*)
embarrassed	avergonzado(a)	embarazada (*pregnant*)
exit	salida	éxito (*success*)
library	biblioteca	librería (*bookstore*)
major (*studies*)	especialidad	mayor (*older, major in armed services*)
minor (*studies*)	segunda especialidad	menor (*younger*)
move (*from one home to another*)	mudarse	mover (*move something*)
question	pregunta	cuestión (*matter*)
subject	asunto, tema	sujeto (*subject of a sentence*)

Apéndice B: Verbos

Verbos regulares: Modelos de los verbos que terminan en *-ar, -er, -ir*

Infinitive		
amar (*to love*)	comer (*to eat*)	vivir (*to live*)

Present Participle		
amando (*loving*)	comiendo (*eating*)	viviendo (*living*)

Past Participle		
amado (*loved*)	comido (*eaten*)	vivido (*lived*)

A. Simple Tenses

Indicative Mood

Present		
(I love)	*(I eat)*	*(I live)*
amo	como	vivo
amas	comes	vives
ama	come	vive
amamos	comemos	vivimos
amáis	coméis	vivís
aman	comen	viven

Imperfect		
(I used to love)	*(I used to eat)*	*(I used to live)*
amaba	comía	vivía
amabas	comías	vivías
amaba	comía	vivía
amábamos	comíamos	vivíamos
amabais	comíais	vivíais
amaban	comían	vivían

Preterit		
(I loved)	*(I ate)*	*(I lived)*
amé	comí	viví
amaste	comiste	viviste
amó	comió	vivió
amamos	comimos	vivimos
amasteis	comisteis	vivisteis
amaron	comieron	vivieron

Future		
(I will love)	*(I will eat)*	*(I will live)*
amaré	comeré	viviré
amarás	comerás	vivirás
amará	comerá	vivirá
amaremos	comeremos	viviremos
amaréis	comeréis	viviréis
amarán	comerán	vivirán

Conditional		
(I would love)	*(I would eat)*	*(I would live)*
amaría	comería	viviría
amarías	comerías	vivirías
amaría	comería	viviría
amaríamos	comeríamos	viviríamos
amaríais	comeríais	viviríais
amarían	comerían	vivirían

Subjective Mood

Present		
([that] I [may] love)	*([that] I [may] eat)*	*([that] I [may] live)*
ame	coma	viva
ames	comas	vivas
ame	coma	viva
amemos	comamos	vivamos
améis	comáis	viváis
amen	coman	vivan

Imperfect		
	(two forms: -ra, -se)	
([that] I [might] love)	*([that] I [might] eat)*	*([that] I [might] live)*
amara -ase	comiera -iese	viviera -iese
amaras -ases	comieras -ieses	vivieras -ieses
amara -ase	comiera -iese	viviera -iese
amáramos -ásemos	comiéramos -iésemos	viviéramos -iésemos
amarais -aseis	comierais -ieseis	vivierais -ieseis
amaran -asen	comieran -iesen	vivieran -iesen

Imperative Mood		
(love)	*(eat)*	*(live)*
ama (tú)	come (tú)	vive (tú)
ame (Ud.)	coma (Ud.)	viva (Ud.)
amemos (nosotros)	comamos (nosotros)	vivamos (nosotros)
amad (vosotros)	comed (vosotros)	vivid (vosotros)
amen (Uds.)	coman (Uds.)	vivan (Uds.)

B. Compound Tenses

Perfect Infinitive		
haber amado	haber comido	haber vivido

Perfect Participle		
habiendo amado	habiendo comido	habiendo vivido

Indicative Mood

Present Perfect		
(I have loved)	*(I have eaten)*	*(I have lived)*
he amado	he comido	he vivido
has amado	has comido	has vivido
ha amado	ha comido	ha vivido
hemos amado	hemos comido	hemos vivido
habéis amado	habéis comido	habéis vivido
han amado	han comido	han vivido

Pluperfect		
(I had loved)	*(I had eaten)*	*(I had lived)*
había amado	había comido	había vivido
habías amado	habías comido	habías vivido
había amado	había comido	había vivido
habíamos amado	habíamos comido	habíamos vivido
habíais amado	habíais comido	habíais vivido
habían amado	habían comido	habían vivido

Future Perfect		
(I will have loved)	*(I will have eaten)*	*(I will have lived)*
habré amado	habré comido	habré vivido
habrás amado	habrás comido	habrás vivido
habrá amado	habrá comido	habrá vivido
habremos amado	habremos comido	habremos vivido
habréis amado	habréis comido	habréis vivido
habrán amado	habrán comido	habrán vivido

Conditional Perfect		
(I would have loved)	*(I would have eaten)*	*(I would have lived)*
habría amado	habría comido	habría vivido
habrías amado	habrías comido	habrías vivido
habría amado	habría comido	habría vivido
habríamos amado	habríamos comido	habríamos vivido
habríais amado	habríais comido	habríais vivido
habrían amado	habrían comido	habrían vivido

Subjunctive Mood

Present Perfect		
([that] I [may] have loved)	*([that] I [may] have eaten)*	*([that] I [may] have lived)*
haya amado	haya comido	haya vivido
hayas amado	hayas comido	hayas vivido
haya amado	haya comido	haya vivido
hayamos amado	hayamos comido	hayamos vivido
hayáis amado	hayáis comido	hayáis vivido
hayan amado	hayan comido	hayan vivido

Pluperfect		
	(two forms: -ra, -se)	
([that] I [might] have loved)	*([that] I [might] have eaten)*	*([that] I [might] have lived)*
hubiera -iese amado	hubiera -iese comido	hubiera -iese vivido
hubieras -ieses amado	hubieras -ieses comido	hubieras -ieses vivido
hubiera -iese amado	hubiera -iese comido	hubiera -iese vivido
hubiéramos -iésemos amado	hubiéramos -iésemos comido	hubiéramos -iésemos vivido
hubierais -ieseis amado	hubierais -ieseis comido	hubierais -ieseis vivido
hubieran -iesen amado	hubieran -iesen comido	hubieran -iesen vivido

Verbos de cambios radicales

A. Verbos que terminan en -ar *y* -er

Stem-changing verbs are those that have a change in the root of the verb. Verbs that end in **-ar** and **-er** change the stressed vowel **e** to **ie**, and the stressed **o** to **ue**. These changes occur in all persons except the first- and second-person plural of the present indicative, present subjunctive, and imperative.

The* -ar *and* -er *Stem-changing Verbs

Infinitive	Present Indicative	Imperative	Present Subjunctive
cerrar	cierro	——	cierre
(*to close*)	cierras	cierra	cierres
	cierra	cierre	cierre
	cerramos	cerremos	cerremos
	cerráis	cerrad	cerréis
	cierran	cierren	cierren
perder	pierdo	——	pierda
(*to lose*)	pierdes	pierde	pierdas
	pierde	pierda	pierda
	perdemos	perdamos	perdamos
	perdéis	perded	perdáis
	pierden	pierdan	pierdan
contar	cuento	——	cuente
(*to count,*	cuentas	cuenta	cuentes
to tell)	cuenta	cuente	cuente

Infinitive	Present Indicative	Imperative	Present Subjunctive
	contamos	contemos	contemos
	contáis	contad	contéis
	cuentan	cuenten	cuenten
volver	vuelvo	——	vuelva
(*to return*)	vuelves	vuelve	vuelvas
	vuelve	vuelva	vuelva
	volvemos	volvamos	volvamos
	volvéis	volved	volváis
	vuelven	vuelvan	vuelvan

Verbs that follow the same pattern are:

acordarse	*to remember*	llover	*to rain*
acostar(se)	*to go to bed*	mostrar	*to show*
almorzar	*to have lunch*	mover	*to move*
atravesar	*to go through*	negar	*to deny*
cocer	*to cook*	nevar	*to snow*
colgar	*to hang*	pensar	*to think, to plan*
comenzar	*to begin*	probar	*to prove, to taste*
confesar	*to confess*	recordar	*to remember*
costar	*to cost*	rogar	*to beg*
demostrar	*to demonstrate, to show*	sentar(se)	*to sit down*
despertar(se)	*to wake up*	soler	*to be in the habit of*
empezar	*to begin*	soñar	*to dream*
encender	*to light, to turn on*	tender	*to stretch, to unfold*
encontrar	*to find*	torcer	*to twist*
entender	*to understand*		

B. Verbos que terminan en -ir

There are two types of stem-changing verbs that end in **-ir.**

Type I: The -ir *Stem-changing Verbs*

The verbs of this type change stressed **e** to **ie** in some tenses and to **i** in others, and stressed **o** to **ue** or **u**. These changes occur as follows.

Present Indicative: all persons except the first- and second-persons plural change **e** to **ie** and **o** to **ue.**

Preterit: third-person, singular and plural, changes **e** to **i** and **o** to **u.**

Present Subjunctive: all persons change **e** to **i** and **o** to **ue,** except the first- and second-persons plural, which change **e** to **i** and **o** to **u.**

Imperfect Subjunctive: all persons change **e** to **i** and **o** to **u.**

Imperative: all persons except the second-person plural change **e** to **ie** and **o** to **ue,** and first-person plural changes **e** to **i** and **o** to **u.**

Present Participle: changes **e** to **i** and **o** to **u.**

Infinitive	Indicative		Imperative	Subjunctive	
	Present	Preterit		Present	Imperfect
sentir	siento	sentí	——	sienta	sintiera (-iese)
(to feel)	sientes	sentiste	siente	sientas	sintieras
	siente	sintió	sienta	sienta	sintiera
Present	sentimos	sentimos	sintamos	sintamos	sintiéramos
Participle	sentís	sentisteis	sentid	sintáis	sintierais
sintiendo	sienten	sintieron	sientan	sientan	sintieran
dormir	duermo	dormí	——	duerma	durmiera (-iese)
(to sleep)	duermes	dormiste	duerme	duermas	durmieras
	duerme	durmió	duerma	duerma	durmiera
Present	dormimos	dormimos	durmamos	durmamos	durmiéramos
Participle	dormís	dormisteis	dormid	durmáis	durmierais
durmiendo	duermen	durmieron	duerman	duerman	durmieran

Other verbs that follow the same pattern are:

advertir	*to warn*	mentir	*to lie*
arrepentir(se)	*to repent*	morir	*to die*
consentir	*to consent, to pamper*	preferir	*to prefer*
convertir(se)	*to turn into*	referir	*to refer*
divertir(se)	*to amuse (oneself)*	sugerir	*to suggest*
herir	*to wound, to hurt*		

Type II: The -ir *Stem-changing Verbs*

The verbs in the second category are irregular in the same tenses as those of the first type. The only difference is that they only have one change: **e** to **i** in all irregular persons.

Infinitive	Indicative		Imperative	Subjunctive	
	Present	Preterit		Present	Imperfect
pedir	pido	pedí	——	pida	pidiera (-iese)
(to ask for,	pides	pediste	pide	pidas	pidieras
to request)	pide	pidió	pida	pida	pidiera
Present	pedimos	pedimos	pidamos	pidamos	pidiéramos
Participle	pedís	pedisteis	pedid	pidáis	pidierais
pidiendo	piden	pidieron	pidan	pidan	pidieran

Verbs that follow this pattern are:

competir	*to compete*	reír(se)	*to laugh*
concebir	*to conceive*	reñir	*to fight*
despedir(se)	*to say good-bye*	repetir	*to repeat*
elegir	*to choose*	seguir	*to follow*
impedir	*to prevent*	servir	*to serve*
perseguir	*to pursue*	vestir(se)	*to dress*

Verbos de cambios ortográficos

Some verbs undergo a change in the spelling of the stem in some tenses, in order to keep the sound of the final consonant. The most common ones are those with the consonants **g** and **c**. Remember that **g** and **c** in front of **e** or **i** have a soft sound, and in front of **a, o,** or **u** have a hard sound. In order to keep the soft sound in front of **a, o,** or **u,** we change **g** and **c** to **j** and **z**, respectively. And in order to keep the hard sound of **g** or **c** in front of **e** and **i,** we add a **u** to the **g** (**gu**) and change the **c** to **qu**. The most important verbs of this type that are regular in all the tenses but change in spelling are the following.

1. Verbs ending in **-gar** change **g** to **gu** before **e** in the first-person of the preterit and in all persons of the present subjunctive.

   pagar *to pay*
   Preterit: pagué, pagaste, pagó, etc.
   Imperative: paga, pague, paguemos, pagad, paguen
   Pres. Subj.: pague, pagues, pague, paguemos, paguéis, paguen

Verbs with the same change: **colgar, jugar, llegar, navegar, negar, regar, rogar.**

2. Verbs ending in **-ger** or **-gir** change **g** to **j** before **o** in the first-person of the present indicative and before **a** in all the persons of the present subjunctive.

   proteger *to protect*
   Pres. Ind.: protejo, proteges, protege, etc.
   Imperative: protege, proteja, protejamos, proteged, protejan
   Pres. Subj.: proteja, protejas, proteja, protejamos, protejáis, protejan

Verbs with the same pattern: **coger, corregir, dirigir, escoger, exigir, recoger.**

3. Verbs ending in **-guar** change **gu** to **gü** before **e** in the first person of the preterit and in all persons of the present subjunctive.

   averiguar *to find out*
   Preterit: averigüé, averiguaste, averiguó, etc.
   Imperative: averigua, averigüe, averigüemos, averiguad, averigüen
   Pres. Subj.: averigüe, averigües, averigüe, averigüemos, averigüéis, averigüen

The verb **apaciguar** has the same changes as above.

4. Verbs ending in **-guir** change **gu** to **g** before **o** in the first-person of the present indicative and before **a** in all persons of the present subjunctive.

   conseguir *to get*
   Pres. Ind.: consigo, consigues, consigue, etc.
   Imperative: consigue, consiga, consigamos, conseguid, consigan
   Pres. Subj.: consiga, consigas, consiga, consigamos, consigáis, consigan

Verbs with the same change: **distinguir, perseguir, proseguir, seguir.**

5. Verbs ending in **-car** change **c** to **qu** before **e** in the first-person of the preterit and in all persons of the present subjunctive.

tocar *to touch, to play (a musical instrument)*
Preterit: toqué, tocaste, tocó, etc.
Imperative: toca, toque, toquemos, tocad, toquen
Pres. Subj.: toque, toques, toque, toquemos, toquéis, toquen

Verbs that have the same pattern: **atacar, buscar, comunicar, explicar, indicar, pescar, sacar.**

6. Verbs ending in **-cer** or **-cir** preceded by a consonant change **c** to **z** before **o** in the first-person of the present indicative and before **a** in all persons of the present subjunctive.

torcer *to twist*
Pres. Ind.: tuerzo, tuerces, tuerce, etc.
Imperative: tuerce, tuerza, torzamos, torced, tuerzan
Pres. Subj.: tuerza, tuerzas, tuerza, torzamos, torzáis, tuerzan

Verbs that have the same change: **convencer, esparcir, vencer.**

7. Verbs ending in **-cer** or **-cir** preceded by a vowel change **c** to **zc** before **o** in the first-person of the present indicative and before **a** in all persons of the present subjunctive.

conocer *to know, to be acquainted with*
Pres. Ind.: conozco, conoces, conoce, etc.
Imperative: conoce, conozca, conozcamos, conoced, conozcan
Pres. Subj.: conozca, conozcas, conozca, conozcamos, conozcáis, conozcan

Verbs that follow the same pattern: **agradecer, aparecer, carecer, entristecer** (to sadden), **establecer, lucir, nacer, obedecer, ofrecer, padecer, parecer, pertenecer, reconocer, relucir.**

8. Verbs ending in **-zar** change **z** to **c** before **e** in the first-person of the preterit and in all persons of the present subjunctive.

rezar *to pray*
Preterit: recé, rezaste, rezó, etc.
Imperative: reza, rece, recemos, rezad, recen
Pres. Subj.: rece, reces, rece, recemos, recéis, recen

Verbs that have the same pattern: **abrazar, alcanzar, almorzar, comenzar, cruzar, empezar, forzar, gozar.**

9. Verbs ending in **-eer** change the unstressed **i** to **y** between vowels in the third-person singular and plural of the preterit, in all persons of the imperfect subjunctive, and in the present participle.

creer *to believe*
Preterit: creí, creíste, creyó, creímos, creísteis, creyeron
Imp. Subj.: creyera, creyeras, creyera, creyéramos, creyerais, creyeran
Pres. Part.: creyendo
Past Part.: creído

Leer and **poseer** follow the same pattern.

10. Verbs ending in **-uir** change the unstressed **i** to **y** between vowels (except **-quir,** which has the silent **u**) in the following tenses and persons.

huir *to escape, to flee*
Pres. Ind.: huyo, huyes, huye, huimos, huís, huyen
Preterit: huí, huiste, huyó, huimos, huisteis, huyeron
Imperative: huye, huya, huyamos, huid, huyan
Pres. Subj.: huya, huyas, huya, huyamos, huyáis, huyan
Imp. Subj.: huyera(ese), huyeras, huyera, huyéramos, huyerais, huyeran
Pres. Part: huyendo

Verbs with the same change: **atribuir, concluir, constituir, construir, contribuir, destituir, destruir, disminuir, distribuir, excluir, incluir, influir, instruir, restituir, sustituir.**

11. Verbs ending in **-eír** lose one **e** in the third-person singular and plural of the preterit, in all persons of the imperfect subjunctive, and in the present participle.

reír	*to laugh*
Preterit:	reí, reíste, rio, reímos, reísteis, rieron
Imp. Subj.:	riera(ese), rieras, riera, riéramos, rierais, rieran
Pres. Part.:	riendo

Sonreír and **freír** have the same pattern.

12. Verbs ending in **-iar** add a written accent to the **i**, except in the first- and second-persons plural of the present indicative and subjunctive.

fiar(se)	*to trust*
Pres. Ind.:	(me) fío, (te) fías, (se) fía, (nos) fiamos, (os), fiáis, (se) fían
Pres. Subj.:	(me) fíe, (te) fíes, (se) fíe, (nos) fiemos, (os) fiéis, (se) fíen

Other verbs that follow the same pattern: **ampliar, criar, desviar, enfriar, enviar, guiar, telegrafiar, vaciar, variar.**

13. Verbs ending in **-uar** (except **-guar**) add a written accent to the **u**, except in the first- and second-persons plural of the present indicative and subjunctive.

actuar	*to act*
Pres. Ind.:	actúo, actúas, actúa, actuamos, actuáis, actúan
Pres. Subj.:	actúe, actúes, actúe, actuemos, actuéis, actúen

Verbs with the same pattern: **acentuar, continuar, efectuar, exceptuar, graduar, habituar, insinuar, situar.**

14. Verbs ending in **-ñir** lose the **i** of the diphthongs **ie** and **ió** in the third-person singular and plural of the preterit and all persons of the imperfect subjunctive. They also change the **e** of the stem to **i** in the same persons.

teñir	*to dye*
Preterit:	teñí, teñiste, tiñó, teñimos, teñisteis, tiñeron
Imp. Subj.:	tiñera(ese), tiñeras, tiñera, tiñéramos, tiñerais, tiñeran

Verbs that follow the same pattern: **ceñir, constreñir, desteñir, estreñir, reñir.**

Verbos irregulares de uso frecuente

adquirir	*to acquire*
Pres. Ind.:	adquiero, adquieres, adquiere, adquirimos, adquirís, adquieren
Pres. Subj.:	adquiera, adquieras, adquiera, adquiramos, adquiráis, adquieran
Imperative:	adquiere, adquiera, adquiramos, adquirid, adquieran

andar	*to walk*
Preterit:	anduve, anduviste, anduvo, anduvimos, anduvisteis, anduvieron
Imp. Subj.:	anduviera (anduviese), anduvieras, anduviera, anduviéramos, anduvierais, anduvieran

caber	*to fit, to have enough room*
Pres. Ind.:	quepo, cabes, cabe, cabemos, cabéis, caben
Preterit:	cupe, cupiste, cupo, cupimos, cupisteis, cupieron
Future:	cabré, cabrás, cabrá, cabremos, cabréis, cabrán
Conditional:	cabría, cabrías, cabría, cabríamos, cabríais, cabrían
Imperative:	cabe, quepa, quepamos, cabed, quepan

Pres. Subj.:	quepa, quepas, quepa, quepamos, quepáis, quepan
Imp. Subj.:	cupiera (cupiese), cupieras, cupiera, cupiéramos, cupierais, cupieran

caer *to fall*
Pres. Ind.: caigo, caes, cae, caemos, caéis, caen
Preterit: caí, caíste, cayó, caímos, caísteis, cayeron
Imperative: cae, caiga, caigamos, caed, caigan
Pres. Subj.: caiga, caigas, caiga, caigamos, caigáis, caigan
Imp. Subj.: cayera (cayese), cayeras, cayera, cayéramos, cayerais, cayeran
Past Part.: caído

conducir *to guide, to drive*
Pres. Ind.: conduzco, conduces, conduce, conducimos, conducís, conducen
Preterit: conduje, condujiste, condujo, condujimos, condujisteis, condujeron
Imperative: conduce, conduzca, conduzcamos, conducid, conduzcan
Pres. Subj.: conduzca, conduzcas, conduzca, conduzcamos, conduzcáis, conduzcan
Imp. Subj.: condujera (condujese), condujeras, condujera, condujéramos, condujerais, condujeran
(All verbs ending in **-ducir** *follow this pattern.)*

convenir *to agree* (See **venir**)

dar *to give*
Pres. Ind.: doy, das, da, damos, dais, dan
Preterit: di, diste, dio, dimos, disteis, dieron
Imperative: da, dé, demos, dad, den
Pres. Subj.: dé, des, dé, demos, deis, den
Imp. Subj.: diera (diese), dieras, diera, diéramos, dierais, dieran

decir *to say, to tell*
Pres. Ind.: digo, dices, dice, decimos, decís, dicen
Preterit: dije, dijiste, dijo, dijimos, dijisteis, dijeron
Future: diré, dirás, dirá, diremos, diréis, dirán
Conditional: diría, dirías, diría, diríamos, diríais, dirían
Imperative: di, diga, digamos, decid, digan
Pres. Subj.: diga, digas, diga, digamos, digáis, digan
Imp. Subj.: dijera (dijese), dijeras, dijera, dijéramos, dijerais, dijeran
Pres. Part.: diciendo
Past Part.: dicho

detener *to stop, to hold, to arrest (See* **tener***)*

elegir *to choose*
Pres. Ind. elijo, eliges, elige, elegimos, elegís, eligen
Preterit: eligí, elegiste, eligió, elegimos, elegisteis, eligieron
Imperative: elige, elija, elijamos, elegid, elijan
Pres. Subj.: elija, elijas, elija, elijamos, elijáis, elijan
Imp. Subj.: eligiera (eligiese), eligieras, eligiera, eligiéramos, eligierais, eligieran

entender *to understand*
Pres. Ind.: entiendo, entiendes, entiende, entendemos, entendéis, entienden
Imperative: entiende, entienda, entendamos, entended, entiendan
Pres. Subj.: entienda, entiendas, entienda, entendamos, entendáis, entiendan

entretener *to entertain, to amuse (See* **tener***)*

estar *to be*
Pres. Ind.: estoy, estás, está, estamos, estáis, están

Preterit:	estuve, estuviste, estuvo, estuvimos, estuvisteis, estuvieron
Imperative:	está, esté, estemos, estad, estén
Pres. Subj.:	esté, estés, esté, estemos, estéis, estén
Imp. Subj.:	estuviera (estuviese), estuvieras, estuviera, estuviéramos, estuvierais, estuvieran

extender	*to extend, to stretch out (See* **tender***)*

haber	*to have*
Pres. Ind.:	he, has, ha, hemos, habéis, han
Preterit:	hube, hubiste, hubo, hubimos, hubisteis, hubieron
Future:	habré, habrás, habrá, habremos, habréis, habrán
Conditional:	habría, habrías, habría, habríamos, habríais, habrían
Pres. Subj.:	haya, hayas, haya, hayamos, hayáis, hayan
Imp. Subj.:	hubiera (hubiese), hubieras, hubiera, hubiéramos, hubierais, hubieran

hacer	*to do, to make*
Pres. Ind.:	hago, haces, hace, hacemos, hacéis, hacen
Preterit:	hice, hiciste, hizo, hicimos, hicisteis, hicieron
Future:	haré, harás, hará, haremos, haréis, harán
Conditional:	haría, harías, haría, haríamos, haríais, harían
Imperative:	haz, haga, hagamos, haced, hagan
Pres. Subj.:	haga, hagas, haga, hagamos, hagáis, hagan
Imp. Subj.:	hiciera (hiciese), hicieras, hiciera, hiciéramos, hicierais, hicieran
Past Part.:	hecho

imponer	*to impose, to deposit (See* **poner***)*

introducir	*to introduce, to insert, to gain access (See* **conducir***)*

ir	**to go**
Pres. Ind.:	voy, vas, va, vamos, vais, van
Imp. Ind.:	iba, ibas, iba, íbamos, ibais, iban
Preterit:	fui, fuiste, fue, fuimos, fuisteis, fueron
Imperative:	ve, vaya, vayamos, id, vayan
Pres. Subj.:	vaya, vayas, vaya, vayamos, vayáis, vayan
Imp. Subj.:	fuera (fuese), fueras, fuera, fuéramos, fuerais, fueran

jugar	*to play*
Pres. Ind.:	juego, juegas, juega, jugamos, jugáis, juegan
Imperative:	juega, juegue, juguemos, jugad, jueguen
Pres. Subj.:	juegue, juegues, juegue, juguemos, juguéis, jueguen

obtener	*to obtain (See* **tener***)*

oir	*to hear*
Pres. Ind.:	oigo, oyes, oye, oímos, oís, oyen
Preterit:	oí, oíste, oyó, oímos, oísteis, oyeron
Imperative:	oye, oiga, oigamos, oíd, oigan
Pres. Subj.:	oiga, oigas, oiga, oigamos, oigáis, oigan
Imp. Subj.:	oyera (oyese), oyeras, oyera, oyéramos, oyerais, oyeran
Pres. Part.:	oyendo
Past Part.:	oído

oler	*to smell*
Pres. Ind.:	huelo, hueles, huele, olemos, oléis, huelen
Imperative:	huele, huela, olamos, oled, huelan
Pres. Subj.:	huela, huelas, huela, olamos, oláis, huelan

poder	*to be able*
Pres. Ind.:	puedo, puedes, puede, podemos, podéis, pueden
Preterit:	pude, pudiste, pudo, pudimos, pudisteis, pudieron
Future:	podré, podrás, podrá, podremos, podréis, podrán
Conditional:	podría, podrías, podría, podríamos, podríais, podrían
Imperative:	puede, pueda, podamos, poded, puedan
Pres. Subj.:	pueda, puedas, pueda, podamos, podáis, puedan
Imp. Subj.:	pudiera (pudiese), pudieras, pudiera, pudiéramos, pudierais, pudieran
Pres. Part.:	pudiendo
poner	*to place, to put*
Pres. Ind.:	pongo, pones, pone, ponemos, ponéis, ponen
Preterit:	puse, pusiste, puso, pusimos, pusisteis, pusieron
Future:	pondré, pondrás, pondrá, pondremos, pondréis, pondrán
Conditional:	pondría, pondrías, pondría, pondríamos, pondríais, pondrían
Imperative:	pon, ponga, pongamos, poned, pongan
Pres. Subj.:	ponga, pongas, ponga, pongamos, pongáis, pongan
Imp. Subj.:	pusiera (pusiese), pusieras, pusiera, pusiéramos, pusierais, pusieran
Past Part.:	puesto
querer	*to want, to wish, to love*
Pres. Ind.:	quiero, quieres, quiere, queremos, queréis, quieren
Preterit:	quise, quisiste, quiso, quisimos, quisisteis, quisieron
Future:	querré, querrás, querrá, querremos, querrías, querrán
Conditional:	querría, querrías, querría, querríamos, querríais, querrían
Imperative:	quiere, quiera, queramos, quered, quieran
Pres. Subj.:	quiera, quieras, quiera, queramos, queráis, quieran
Imp. Subj.:	quisiera (quisiese), quisieras, quisiera, quisiéramos, quisierais, quisieran
resolver	*to decide on, to solve*
Pres. Ind.:	resuelvo, resuelves, resuelve, resolvemos, resolvéis, resuelven
Imperative:	resuelve, resuelva, resolvamos, resolved, resuelvan
Pres. Subj.:	resuelva, resuelvas, resuelva, resolvamos, resolváis, resuelvan
Past Part.:	resuelto
saber	*to know*
Pres. Ind.:	sé, sabes, sabe, sabemos, sabéis, saben
Preterit:	supe, supiste, supo, supimos, supisteis, supieron
Future:	sabré, sabrás, sabrá, sabremos, sabréis, sabrán
Conditional:	sabría, sabrías, sabría, sabríamos, sabríais, sabrían
Imperative:	sabe, sepa, sepamos, sabed, sepan
Pres. Subj.:	sepa, sepas, sepa, sepamos, sepáis, sepan
Imp. Subj.:	supiera (supiese), supieras, supiera, supiéramos, supierais, supieran
salir	*to leave, to go out*
Pres. Ind.:	salgo, sales, sale, salimos, salís salen
Future:	saldré, saldrás, saldrá, saldremos, saldréis, saldrán
Conditional:	saldría, saldrías, saldría, saldríamos, saldríais, saldrían
Imperative:	sal, salga, salgamos, salid, salgan
Pres. Subj.:	salga, salgas, salga, salgamos, salgáis, salgan

ser *to be*
Pres. Ind.: soy, eres, es, somos, sois, son
Imp. Ind.: era, eras, era, éramos, erais, eran
Preterit: fui, fuiste, fue, fuimos, fuisteis, fueron
Imperative: sé, sea, seamos, sed, sean
Pres. Subj.: sea, seas, sea, seamos, seáis, sean
Imp. Subj.: fuera (fuese), fueras, fuera, fuéramos, fuerais, fueran

suponer *to assume (See* **poner***)*

tener *to have*
Pres. Ind.: tengo, tienes, tiene, tenemos, tenéis, tienen
Preterit: tuve, tuviste, tuvo, tuvimos, tuvisteis, tuvieron
Future: tendré, tendrás, tendrá, tendremos, tendréis, tendrán
Conditional: tendría, tendrías, tendría, tendríamos, tendríais, tendrían
Imperative: ten, tenga, tengamos, tened, tengan
Pres. Subj.: tenga, tengas, tenga, tengamos, tengáis, tengan
Imp. Subj.: tuviera (tuviese), tuvieras, tuviera, tuviéramos, tuvierais, tuvieran

traer *to bring*
Pres. Ind.: traigo, traes, trae, traemos, traéis, traen
Preterit: traje, trajiste, trajo, trajimos, trajisteis, trajeron
Imperative: trae, traiga, traigamos, traed, traigan
Pres. Subj.: traiga, traigas, traiga, traigamos, traigáis, traigan
Imp. Subj.: trajera (trajese), trajeras, trajera, trajéramos, trajerais, trajeran
Pres. Part.: trayendo
Past Part.: traído

valer *to be worth*
Pres. Ind.: valgo, vales, vale, valemos, valéis, valen
Future: valdré, valdrás, valdrá, valdremos, valdréis, valdrán
Conditional: valdría, valdrías, valdría, valdríamos, valdríais, valdrían
Imperative: vale, valga, valgamos, valed, valgan
Pres. Subj.: valga, valgas, valga, valgamos, valgáis, valgan

venir *to come*
Pres. Ind.: vengo, vienes, viene, venimos, venís, vienen
Preterit: vine, viniste, vino, vinimos, vinisteis, vinieron
Future: vendré, vendrás, vendrá, vendremos, vendréis, vendrán
Conditional: vendría, vendrías, vendría, vendríamos vendríais, vendrían
Imperative: ven, venga, vengamos, venid, vengan
Pres. Subj.: venga, vengas, venga, vengamos, vengáis, vengan
Imp. Subj.: viniera (viniese), vinieras, viniera, viniéramos, vinierais, vinieran
Pres. Part.: viniendo

ver *to see*
Pres. Ind.: veo, ves, ve, vemos, veis, ven
Imp. Ind.: veía, veías, veía, veíamos, veíais, veían
Preterit: vi, viste, vio, vimos, visteis, vieron
Imperative: ve, vea, veamos, ved, vean
Pres. Subj.: vea, veas, vea, veamos, veáis, vean
Imp. Subj.: viera (viese), vieras, viera, viéramos, vierais, vieran
Past Part.: visto

Apéndice C: Respuestas a las secciones Compruebe cuánto sabe

Lección 1

A. 1. está / ser / es muy aburrido 2. es de / está / Es 3. está / estar de vuelta / está muy enferma / está de acuerdo 4. estoy de vacaciones

B. 1. me quejo / me considero 2. no nos atrevemos / encargarse 3. se atrasan / se preocupan 4. sentarte 5. jubilarse (retirarse)

C. 1. me lo dan 2. prestártela 3. nos las trae 4. comprárselas 5. enviárselo 6. Me los van a entregar, Van a entregármelos

D. 1. El Sr. Vigo / la Srta. Varela / los viernes 2. La semana próxima / las siete 3. secretaria / mil 4. Los estudiantes / los profesores 5. los zapatos / media hora 6. otro

E. 1. para / por / por / por / para / por / por / por 2. Para / para / para / por / Por / Para 3. Por / Por / Por / por / por / para

F. 1. letra 2. conocimientos 3. terremotos 4. automóvil 5. acuerdo 6. entero 7. relaciones 8. recomendación / anterior 9. completo 10. archivo / cajón 11. fotocopiadora 12. textos 13. tablilla 14. amistoso(a) 15. trabajadora / puntual

Lección 2

A. Eran / se levantó / Desayunó / se bañó / se vistió / hacía / se puso / salió / Iba / vio / estaba / saludó / preguntó / estaba / dijo / tenía / estaba / llegó / tomó / dolía

B. 1. conociste / La conocí / conocía 2. Me costaron / costaban 3. No pude ir / no quiso 4. Sabía Ud. / lo supe 5. no quería venir

C. 1. Ana es tan alta como Raquel. 2. Rhode Island es (mucho) más pequeño que Texas. [Texas es (mucho) más grande que Rhode Island.] 3. El hotel Marriott es (mucho) mejor que el hotel Gerónimo y, por supuesto, es más caro. 4. Sergio es mayor que Elsa pero menor que Carlos. Elsa es la menor de los tres y Carlos es el mayor. 5. El Sr. Villalobos tiene tanto dinero como el Sr. García.

D. 1. a / a / a / a / de / a / a / de / con / con / a / a / de / en 2. de / de / de / con / con / de / a

E. 1. l 2. p 3. h 4. b 5. n 6. j 7. a 8. o 9. d 10. f 11. c 12. i 13. e 14. g 15. k 16. m 17. r 18. q

Lección 3

A. 1. abiertas / cerrado 2. escritos 3. envueltos / hecha 4. puesta 5. dormidas / despiertas

B. 1. No, yo nunca he estado en Colombia. 2. No, mis amigos y yo no hemos ido a México recientemente. 3. No, mi amigo no ha tenido que trabajar mucho últimamente. 4. No, no he hecho nada interesante últimamente. 5. No, mis padres no han visto a mis (sus) amigos.

C. 1. Yo había limpiado la casa. 2. Tú habías lavado el coche. 3. Nosotros habíamos hecho la comida. 4. Elba había vuelto del supermercado. 5. Los chicos habían ido a la tienda. 6. Uds. habían preparado la ensalada.

D. 1. tendré 2. viajarán 3. sabrás 4. saldremos 5. vendrá 6. hará 7. dirán 8. habrá

E. 1. Yo iría a México. 2. Tú viajarías a Europa. 3. Elba saldría para Colombia el lunes. 4. Nosotros podríamos comprar los billetes. 5. Los muchachos pondrían el dinero en el banco.

F. 1. sería 2. valdrá 3. tendrá 4. estarán trabajando (trabajarán) 5. Querrían

G. 1. asiento 2. vuelta 3. vuelo / escala 4. cancelar 5. pasaporte 6. aduana 7. embarque / abordar 8. cola 9. retraso (atraso) 10. compartimiento 11. fila 12. salvavidas / máscara 13. salida 14. abrocharte / seguridad / aterriza 15. hospedarse 16. desocupar

Lección 4

A. 1. habré limpiado 2. habrán abierto 3. habrá traído 4. habrán colocado 5. les habremos puesto 6. habrás preparado 7. habrá invitado

B. 1. Yo habría puesto dinero en el banco. 2. Uds. habrían comprado cheques de viajero. 3. Mi familia y yo habríamos hecho reservaciones en el hotel. 4. Mi hermano habría ido a la agencia de viajes. 5. Tú habrías conseguido folletos turísticos.

C. 1. que (nosotros) vendemos 2. de quien yo te hablé 3. con quienes hablo (estoy hablando) 4. que llamó 5. cuyos cuadros nosotros vendemos 6. que trajo la guitarra

D. 1. Ese cuadro fue pintado por Picasso. 2. Las esculturas son vendidas por él. 3. El pintor fue entrevistado por ellos. 4. El pianista ha sido contratado por Elvira. 5. Los poemas de Lorca eran recitados por Mirta Vargas. 6. Las entradas para el concierto serían pagadas por nosotros.

E. 1. f 2. j 3. h 4. a 5. i 6. b 7. e 8. c 9. g 10. d

F. 1. acuarela 2. exhibición 3. pincel 4. tela 5. óleo 6. exponer 7. cuarteto 8. cantante 9. órgano 10. trama 11. dramaturgo 12. poesía 13. protagonista 14. escultor 15. trío

Lección 5

A. 1. vaya / ir / pueda 2. estudie / estudiar / sea / me pague / den 3. me enoje / nos llevemos / nos comuniquemos / poder

B. 1. No es verdad que siempre salgamos con una chaperona. 2. Dudamos que en los pueblos pequeños las chicas tengan más libertad que en las grandes ciudades. 3. No creo que en Latinoamérica las chicas no asistan a la universidad. 4. Es cierto que la mujer tiene los mismos derechos que el hombre. 5. Negamos que las jóvenes de hoy sean menos independientes que sus abuelas.

C. 1. pague / paga / encuentre 2. pueda / quieren 3. ayudan / sirvan 4. están / tenga / desean / sepa

D. 1. a menos que estudies más 2. en cuanto (tan pronto como) ella lo vea 3. en cuanto (tan pronto como) llego a casa 4. para que me traiga el dinero 5. cuando mi papá me dé el dinero 6. en cuanto (tan pronto como) él llegó 7. hasta que él termine 8. cuando llego

E. 1. Haga una lista de seis problemas sociales. Vea al catedrático y désela 2. Estén aquí a las tres, traigan los exámenes y pónganlos en mi mesa. 3. Hable con su consejero, pregúntele qué requisitos debe tomar y después vaya a matricularse.

F. 1. h 2. j 3. o 4. i 5. a 6. l 7. p 8. b 9. k 10. n 11. f 12. c 13. m 14. e 15. d 16. g

Lección 6

A. 1. Ve a la sala y trae el control remoto; enciende el televisor y pon el canal que tiene la telenovela. Llama a tu hermana y dile que grabe el programa de las ocho en el canal 7... 2. Ven a mi casa el lunes y tráeme el aparato de video, pero no me traigas las cintas. 3. Invita a Teresa para la fiesta del sábado, pero no le digas que viene Raúl. Compra las bebidas para la fiesta, pero no las pongas en el refrigerador.

B. 1. Vamos al cine. 2. Sí, llevemos a Eva. 3. No, no invitemos a Silvia. (No, no la invitemos.) 4. Salgamos a las siete. 5. Vamos al restaurante. 6. Sentémonos cerca de la salida. 7. Comamos comida mexicana. 8. Dejémosle el diez por ciento. 9. Regresemos a las once. 10. Miremos televisión. 11. Veamos el telediario. 12. Acostémonos a las doce.

C. 1. hicieras / estuvieras / escribiera / pudiera / llamara 2. fueras / fuera / cantara / pudiera / acompañara 3. tuviera / consiguieras

D. 1. tuviera 2. pueden 3. fuera / fuera 4. termino 5. estuvieran

E. 1. Marisol haya asistido a la rueda de prensa. 2. Ester hubiera hablado con el alcalde. 3. la campaña de promoción publicitaria haya sido un fracaso. 4. Ofelia haya ido a ver la manifestación. 5. haya traído la videocasetera. 6. mis hijos hubieran ido a votar. 7. los niños no hayan visto el programa infantil hoy. 8. hubieran puesto el televisor en la sala.

F. 1. animados / infantil 2. remoto / televisor 3. patrocinador / programa 4. papel 5. grabar 6. huelga 7. rueda (conferencia) / medios 8. elecciones / campaña 9. postularse 10. terremotos / huracanes / tornados 11. promoción 12. marca 13. dibujante 14. opinión

Vocabulario

The Spanish-English vocabulary list contains all active and passive vocabulary that appears in the student text. Active vocabulary is identified by lesson number and includes words and expressions that appear in the vocabulary lists that follow the dialogues, and in the charts and word lists that are part of the grammar explanations.

Passive vocabulary consists of words and expressions that are given an English gloss in the text at the beginning of each Paso, and in the readings that make up the *Lecturas Periodísticas, Cruzando Fronteras,* and *Ventana al mundo literario* features. Only the contextual meaning of these words is provided.

The English-Spanish vocabulary list contains only active vocabulary.

The number following vocabulary items indicates the lesson in which it first appears.

The following abbreviations have been used in the preparation of this glossary:

m.	masculine	**adv.**	adverb
f.	feminine	**sing.**	singular
pl.	plural	**inf.**	infinitive
adj.	adjective		

Spanish-English

A

a to; at; in, 2
  —alguna parte somewhere
  —continuación following
  —la larga in the long run, 4
  —la vuelta de la esquina around the corner
  —lo largo along
  —menos que unless, 5
  —propósito by the way
  —secas just
  —tiempo on time
  —todas partes everywhere
  —través de through, throughout
  —ver let's see
abandono de los estudios (*m.*) dropping out, 5
abeja (*f.*) bee
abierto(a) open, 3
abordar to get on
  —el avión to board the plane, 3
aborto (*m.*) miscarriage
abrazar to give a hug, to hug, 5
abrazo (*m.*) hug, 1
abrocharse el cinturón de seguridad to fasten the seatbelt, 3
aburrido(a) bored; boring
aburrirse to be bored, to become bored
  —como una ostra to be bored to death
acabar de + inf. to have just done something, 2
acabársele to run out
acampar to camp, 2
acción (*f.*) stock
aceituna (*f.*) olive, 7
acequia (*f.*) canal
acerca de about
acero (*m.*) steel
acertadamente (*adv.*) appropriately
acierto (*m.*) guess
acogedor(a) inviting
acoger to receive
acomodarse to fix
acompañar a alguien to go with someone, 4
aconsejar to give advice, 5
acontecimiento (*m.*) event, 6
acordarse (de) (o:ue) to remember, 2
acordeón (*m.*) accordion, 4
acostumbrarse (a) to get used to, 2
actividad al aire libre (*f.*) outdoor activity, 2
actor (*m*) actor, 6
actriz (*f.*) actress, 6
actuación (*f.*) acting, 6
actual current, of today
actuar to act, 6; to enact
acuarela (*f.*) watercolor, 4
adelantado(a) advanced
administrador(a) (*m., f.*) administrator, 1
adquirir acquire, 4
aduana (*f.*) customs, 3
aerolínea (*f.*) airline, 3
aeropuerto (*m.*) airport, 3
afear to criticize
afectuosamente affectionately, 1
aficionado(a) (*m., f.*) fan, 2
afilarse to sharpen
afín close
afirmar to assert
afuera outside
agente de relaciones públicas (*m., f.*) public relations agent, 1
  agente de seguros (*m., f.*) insurance agent, 1
agregar to add
aguardar to wait
aislamiento (*m.*) isolation
ajedrez (*m.*) chess, 2
ajetreo (*m.*) busy/hectic time
al
  —contrario on the contrary, 4
  —fin y al cabo after all, 4
  —lado de at the side of, beside
  —revés upside down
ala (*f.*) wing
alabado(a) praised
alacrán (*m.*) scorpion
alba (*f.*) dawn
albergue (*m.*) housing
albóndiga (*f.*) meatball, 7
alcachofa (*f.*) artichoke
alcalde (*m.*) mayor, 6
alcaldesa (*f.*) mayor, 6
alcance (*m.*) reach
aldea (*f.*) village
aldeano(a) (*m., f.*) villager
alegrarse (de) to be glad, 2
alegre happy
alfarería (*f.*) pottery
alforja (*f.*) saddlebag
algarabía noise
algodón (*m.*) cotton
alma (*f.*) soul
alojamiento (*m.*) lodging, 3

alpinismo (*m.*) mountain climbing, 2
altura (*f.*) altitude
alumbrado(a) illuminated
alumbrar to illuminate
alzar to lift up
alzarse to rise
ama de casa (*f.*) housewife
amable polite, kind, 1
amante (*m., f.*) lover, 6
amar to love, 5
amargo(a) bitter
amargura (*f.*) bitterness
ambos(as) both
amenazador(a) threatening
amigable friendly
amigo(a) (*m., f.*) friend, 1
amistad (*f.*) friendship
amistoso (*a*) friendly, 1
amo (*m.*) master
amor (*m.*) love, 5
anciano(a) (*m., f.*) old man (woman)
anciano(a) elderly
andanzas (*f. pl.*) wanderings
andino(a) Andean
ansia (*f.*) longing
antecedentes académicos (*m. pl.*) academic records, 1
anteojos (*m. pl.*) glasses
  —de sol sunglasses, 2
antepasado(a) (*m., f.*) ancestor
antes (de) que before, 5
antiguo(a) former
anunciar to advertise, to announce, 6
anuncio comercial (*m.*) ad, commercial, 6
apagado(a) inactive
apagar to put out, 6
  —el televisor to turn off the T.V., 6
aparato de video (*m.*) V.C.R., 6
aparecer to come out, to appear
apellido de soltera (*m.*) maiden name
apenas barely
apertura (*f.*) opening
apesadumbrado(a) weighed down
aplaudir to applaud, 6
apoderarse to take over
apostar (o:ue) to bet
apoyar to support, to be supportive, 5
apoyo (*m.*) support
aprendiz(za) (*m., f.*) apprentice
aprestarse to get ready
aprobar (o:ue) to pass (a test or class), 5
apuesta (*f.*) bet
árbitro (*m., f.*) referee, 2
árbol (*m.*) tree
  —de Navidad Christmas tree
archivar to file, 1
archivo (*m.*) file cabinet, 1
arena (*f.*) sand
argumento (*m.*) plot, 4
armadura (*f.*) armor
arpa (*f.*) harp, 4
arrancado(a) uprooted
arrastrar to carry away
arreglo (*m.*) arrangement
arrendamiento (*m.*) lease
arrendar (e:ie) to lease
arrojar to throw
arruinar to ruin
arrugado (a) wrinkled
arte por el arte art for art's sake
as (*m.*) ace
ascender (e:ie) to promote
así nomás so-so
asiento (*m.*) seat
  —de pasillo aisle seat, 3
  —de ventanilla window seat, 3
asistir (a) to attend, 2
asomado(a) looking out
asomarse to go out
aspecto personal (*m.*) personal (physical) appearance
áspero(a) harsh
aspirante (*m., f.*) applicant, 1
astilla (*f.*) splinter
asuntos (*m. pl.*) affairs
atado(a) knotted, tied
atañerle to be someone's business
atar to bind
atardecer (*m.*) sunset
atentamente respectfully, 1
aterrizar to land, 3
atleta (*m., f.*) athlete, 2
atrasarse to get behind, 1
atravesar (e:ie) to go through
atreverse (a) to dare (to), 1
atropellar to run into
auge (*m.*) popularity
aun even
aunque even though, even if
autor(a) de obras teatrales (*m., f.*) playwright, 4
autorretrato (*m.*) self-portrait, 4
auxiliar (*asistente*) de vuelo (*m., f.*) flight attendant, 3
avellana (*f.*) hazelnut
averiguar to find out
avión (*m.*) plane
ayudar (a) to help, 2
azafata (*f.*) flight attendant, 3
azafrán (*m.*) saffron
azotea (*f.*) flat roof, terraced roof

B

balanza (*f.*) scale
balneario (*m.*) beach resort
balón (*m.*) ball, 2
  —de playa beach ball, 2
baloncesto (*m.*) basketball, 2
banco (*m.*) bench
bandera (*f.*) flag
barrizal (*m.*) mire
barullo (*m.*) uproar
básquetbol (*m.*) basketball, 2
bastante quite
bastar (con) to be enough, 2
bastardilla (*f.*) italics
bate (*m.*) baseball bat, 2
batería (*f.*) drums, 4
beca (*f.*) scholarship, 5
béisbol (*m.*) baseball, 2
belleza (*f.*) beauty
bendito(a) blessed
  —sea Dios praise the Lord
beso (*m.*) kiss, 1
bicicleta (*f.*) bicycle, 2
bienvenido(a) welcome
billete (*m.*) ticket, 3
  —de ida one-way ticket, 3
  —de ida y vuelta round-trip ticket, 3
bocadillo (*m.*) sandwich (Spain), 7
boda (*f.*) wedding, 5
bolsa (*f.*) bag
bolsa de dormir (*f.*) sleeping bag, 2
bolsillo (*m*) pocket
bolsista (*m., f.*) stockbroker, 1
bombero(a) (*m., f*) firefighter, 6
bondad (*f.*) kindness
bono (*m.*) bond
borrar to erase
bosque (*m.*) forest
  —pluvial rain forest
  —tropical rain forest
bosquejar to sketch, 4
bosquejo (*m.*) sketch, 4
bote de vela (*m.*) sailboat, 2
botín (*m.*) loot
botones (*m. sing.*) bellhop, 3
boxear to box, 2
boxeo (*m.*) boxing, 2
brevemente briefly
brindar to offer
broma (*f.*) joke, fun
bromeando kidding
bronce (*m.*) bronze, 4
bronceador (*m.*) suntan lotion, 2
broncearse to get a tan
bucear to scuba dive, 2
buena parte a great number
bullicioso(a) noisy
busto (*m.*) bust, 4

C

cabalgar to ride
cabalgata (*f.*) horseback riding
caballería (*f.*) chivalry
caballero (*m.*) knight
cabellera (*f.*) hair
caber to fit
cada vez más more and more
cadena (*f.*) chain
cadena (de televisión) (*f.*) (television) network, 6
caer to fall
caerle bien (mal) a uno to like (not like) someone, 4
caída (*f.*) fall
caja (*f.*) box
  —de seguridad safe, safe deposit box, 3
cajero(a) (*m., f.*) cashier, 1
cajón (*m.*) drawer, 1
calamar (*m.*) squid
callar to pass over in silence

callejón (*m.*) alley
camarada (*m.*) comrade
camarón (*m.*) shrimp
cambiar de idea to change one's mind, 4
caminante (*m., f.*) traveller
camino (*m.*) way
camión (*m.*) truck
camionero(a) truck driver
campana (*f.*) bell
campaña electoral (*f.*) campaign
campaña de promoción publicitaria (*f.*) publicity (promotional) campaign, 6
campeón (*m.*) champion, 2
campeona (*f.*) champion, 2
campeonato (*m.*) championship, 2
cana (*f.*) gray hair
canal (*m.*) channel, 6
canasta (*f.*) basket, 2
canastilla (*f.*) small basket
cancelar to cancel, 3
cancha (*f.*) ski slope
candidato(a) (*m., f.*) candidate, 6
cangrejo (*m.*) crab, 7
canicas (*f. pl.*) game of marbles
canoa (*f.*) canoe, 2
cansarse to get tired, 2
cantante (*m., f.*) singer, 4
cantar to sing, 4
cantina (*f.*) bar
caña de pescar (*f.*) fishing rod, 2
cañaveral (*m.*) sugar cane plantation; cane thicket
caparazón (*m.*) shell
capítulo (*m.*) chapter, episode, 6
carcajada (*f.*) laughter
cárcel (*f.*) jail
carecer de to lack
cargar con to put up with
cargo (*m.*) position
caridad (*f.*) charity
cariño (*m.*) love, 1
carnaval (*m.*) Mardi Gras, carnival, 7
carne de res (*f.*) beef
carpeta (*f.*) folder, 1
carrera (*f.*) career, 5
  —de caballos horse race, 2
carroza (*f.*) float, 7
cartas (*f., pl.*) cards, 2
casamiento (*m.*) wedding, 5
casarse (con) to marry, 2
casco (*m.*) helmet, 2
casona (*f.*) mansion
castaña (*f.*) chestnut
castillo (*m.*) castle, 3
castizo(za) pure, genuine
catarata (*f.*) waterfall
catedral (*f.*) cathedral, 3
catedrático(a) (*m., f.*) university professor, 5
cauce (*m.*) river bed
cautela (*f.*) caution
cauteloso(a) cautious
cavilación speculation
cayo (*m.*) islet
Cayo Hueso (*m.*) Key West (Fl.)
cazar to hunt, 2
ceder el paso to yield
celebración (*f.*) celebration
celebrar to be glad about
Cenicienta Cinderella
censura (*f.*) censorship, 6
centavo (*m.*) cent
centinela (*m.*) guard
cera (*f.*) wax
cerca (*f.*) fence
certamen (*m.*) contest
chaleco salvavidas (*m.*) life jacket, 3
chiste (*m.*) joke
chorizo (*m.*) sausage
ciclismo (*m.*) cycling, 2
cielo (*m.*) heaven
¡Cielos! Heavens!
ciencia ficción (*f.*) science fiction, 4
cima (*f.*) top
cine (*m.*) movie theater
clase turista (*f.*) tourist class, 3
clavadista (*m., f.*) cliff diver
clavar to hammer
clave (*adj.*) key
clavo (*m.*) nail
club nocturno (*m.*) night club, 2
cobrar to charge
cobre (*m.*) copper
codo (*m.*) elbow
cojera (*f.*) lameness
colina (*f.*) hill
colmena (*f.*) beehive
colmo (*m.*) utmost
colocado(a) placed
comba (*f.*) jump rope
comandante (*m.*) major
comercial (*m.*) ad, commercial, 6
comerciante (*m., f.*) merchant
como since
  —si as if
¿Cómo así? How is that?
comodidad (*f.*) comfort
cómodo(a) comfortable
compadecer to feel sorry for
compañero(a) pal
compartimiento de equipaje (*m.*) luggage compartment, 3
compartir to share
competencia (*f.*) competition, 6
complejo (*m.*) resort
composición de textos (*f.*) word processing, 1
compositor(a) (*m., f.*) composer, 4
comprador(a) (*m., f.*) buyer, 1
comprenderse to understand each other, 5
comprensivo(a) understanding, 1
comprometerse (con) to get engaged, 2
comprometido(a) engaged, 5
compromiso (*m.*) engagement, 5
comunicarse to communicate, 5
con with
  —tal (de) que provided that, 5
  —vista al mar with an ocean view, 3
concertista (*m., f.*) soloist, 4
concierto (*m.*) concert, 2
concurrido(a) busy
concurso (*m.*) contest
conducir to take, to lead
conejillo de Indias (*m.*) Guinea pig
confiar (en) to trust, 2
confirmar to confirm, 3
conformar to shape
conformarse to be satisfied
confrontar to face
confundido(a) confused, 3
confuso(a) confusing, 3
congregarse to meet
conocer to know, 2; to meet, 2
conocido(a) acquaintance
conocimientos de informática (*m., pl.*) knowledge of computers, 1
consabido(a) widely known
consejero(a) (*m., f.*) advisor, counselor, 5
  —financiero(a) financial consultant
consejo (*m.*) advice
considerarse to consider oneself, 1
consulado (*m.*) consulate, 3
contador(a) (*m., f.*) accountant, 1
contar (o:ue) (con) to count on, 2
contener to hold back, to contain
contrabajo (*m.*) bass, 4
contraer matrimonio to get married, 5
control remoto (*m.*) remote control, 6
convenir (en) to agree, 4
convertirse (e:ie) en to turn into
cooperar to cooperate, 5
copete (*m.*) high social standing
coquetear to flirt
cordialmente cordially, 1
cordillera (*f.*) mountain range
coro (*m.*) choir
correo electrónico (*m.*) email, 1
correr to run
corrida de toros (*f.*) bullfight
cortado(a) divided
cortés courteous, 1
cortesano(a) polite
corto de vista nearsighted
cosecha (*f.*) harvest
cosido(a) sewn
costar (o:ue) to cost, 2
costearse to pay for
costumbre (*f.*) custom
cotidiano(a) daily
crecer to grow
creciente growing
creer to believe
crianza (*f.*) raising, education (of children), 5
criar to raise, 5
crimen (*m.*) crime, 5
crin (*f.*) mane
crisol (*m.*) melting pot
crujir to creak
cuadrado(a) square
cuadro (*m.*) painting, picture

cuando when, 5
cuánto how much
cuarteto (*m.*) quartet, 4
cuarto libre (*m.*) vacant room, 3
cubierto(a) closed, 3
cuento (*m.*) short story, 4
cuerda (*f.*) rope; string
cuero (*m.*) leather
cuerpo (*m.*) body
cuervo (*m.*) crow
cultivo (*m.*) improvement, cultivation
culto(a) educated
cumbre (*f.*) summit
cumplir to fulfill, to keep
cuna (*f.*) cradle, birthplace
cuñada (*f.*) sister-in-law, 5
cuñado (*m.*) brother-in-law, 5
cuyo(a)(os)(as) whose, 4

D

dados (*m., pl.*) dice, 2
dama casera (*f.*) lady of the house
damas (*f. pl.*) checkers, 2
 —chinas Chinese checkers, 2
dar to give
 —consejos to give advice, 5
 —cuerda a to wind up
 —de comer to feed
 —en el clavo to hit the nail on the head, 4
 —un abrazo to give a hug, 5
 —un beso to give a kiss, 5
 —una propina to give a tip, 3
darle rabia a uno to make one furious, 4
darse to give of oneself
 —cuenta (de) to realize, 2
 —prisa to hurry up
 —por vencido to give up
de of; from; about; with; in, 2
 —acuerdo con according to
 —buena gana willingly
 —frente facing
 —habla hispana Spanish speaking
 —hoy en adelante from now on
 —lujo luxury
 —ningún modo no way, 4
 —ninguna manera no way, 4; not at all
 —pocas pulgas bad tempered
 —primer orden first class
 —repente suddenly
 —rigor essential
 —vez en cuando once in a while
¿de quién? whose?
deber (*m.*) duty
deber to owe; to be due
debidamente duly
debido a due to
debido(a) due
debilidad (*f.*) weakness
decano(a) (*m., f.*) dean, 5
declararse en (huelga) to go on (*strike*)
degradado(a) demoted
dejar mucho que desear to leave much to be desired
delincuencia (*f.*) delinquency, 5
 —juvenil juvenile delinquency, 5
delincuente (*m., f.*) delinquent, 5
demás other
demorar to take (time)
dentro inside
deporte (*m.*) sport, 2
 —acuático (*m.*) water sport, 2
derecho (*m.*) right
derrotar to defeat
desafiante defiant
desafío (*m.*) challenge
desamparo (*m.*) neglect
desarrollado(a) developed
desarrollar to develop
desarrollo (*m.*) development
desasosiego (*m.*) restlessness, unrest
desastre (*m.*) disaster, 6
desbocado(a) wildly, uncontrollably
descalzo(a) barefoot
descartar dismiss
descubierto(a) discovered, 3
desempeñar to hold, to carry out, 1
desempleo (*m.*) unemployment, 5
desenlace (*m.*) ending
deserción escolar (*f.*) dropping out, 5
desesperanza (*f.*) despair
desfile (*m.*) parade
deshacer to tear up
desigual different
desinteresado(a) unselfish
desnudarse to take off one's clothes
desnudo(a) naked
desocupar el cuarto to vacate the room, to check out, 3
despacio slowly
despedida (*f.*) good-bye
despegar to take off (a plane), 3
despertado(a) awakened
despiadado(a) merciless
despierto(a) awake, 3
desposeído(a) indigent
despreciar to scorn
desprenderse to fall off
después (de) que after, 5
destacar to stand out
destacarse to be successful
destello (*m.*) flash
destierro (*m.*) exile
desvelarse to stay awake
detector de metales (*m.*) metal detector, 3
detenerse to stop
detrás de behind
deuda (*f.*) debt, 5
devolver to return
devuelto(a) returned, 3
diablo (*m.*) devil
diablillo (*m.*) little devil
diálogo (*m.*) dialogue, 6
diario(a) daily
dibujante comercial (*m., f.*) commercial artist, 6
dibujar to draw, 4
dibujo (*m.*) drawing, 4
dibujos animados (*m. pl.*) cartoons, 6
dicho(a) said
dichoso(a) happy
digno(a) worthy
 —de verse worth seeing, 4
Dios (*m.*) God
director(a) (*m., f.*) conductor, 4
dirigir to conduct (an orchestra), 4
disciplinar to discipline, 5
discoteca (*f.*) discotheque
discurso (*m.*) speech, 6
disfraz (*m.*) costume
disfrutar (de) to enjoy, 2
disgusto annoyance, displeasure
dispensar to excuse
disponerse to get ready, to prepare oneself
disponible available
dispuesto(a) ready
distinguido(a) distinguished, 1
distinto(a) different
divertirse (e:ie) to have a good time, 2
divisas (*f. pl.*) hard currency
doblado(a) bent over
docente educational
doctorado (*m.*) doctorate, 5
dominó (*m.*) dominoes, 2
dominar to master, 1
dorado(a) gold
dotar to endow
dramaturgo (*m.*) playwright, 4
droga (*f.*) drug, 5
drogadicto(a) (*m., f.*) drug addict, 5
duelo (*m.*) mourning
dulce fresh; sweet
dulces (*m., pl.*) candy
dúo (*m.*) duet, duo, 4
durar to last
duro(a) hard

E

echar raíces to settle down
echarse una cerveza to have a beer
economista (*m., f.*) economist, 1
eficiente efficient, 1
ejercer to use
ejercer un cargo to have a position
ejército (*m.*) army
El Destripador (*m.*) Jack the Ripper
elecciones (*f. pl.*) elections, 6
electo(a) elect, 3
elegido(a) elected, 3
elegir (e:ie) to elect, 6
embajada (*f.*) embassy, 3
embajador(a) (*m., f.*) ambassador
embarazo de las adolescentes (*m.*) teen pregnancy, 5
embargar to overwhelm
emblema (*m.*) emblem, 6
empatar to tie (a score), 2
empedrado(a) (*adj.*) cobblestone
empeñar to pawn
empezar (e:ie) to begin
emporcarse to get dirty
emprender a to attack

en at; in; on; inside; over, 2
—**busca** in search
—**caso de que** in case, 5
—**cuanto** as soon as, 5
—**cuanto a** as for
—**el extranjero** abroad, 3
—**la actualidad** nowadays
—**liquidación** on sale
—**lugar de** instead of
—**ninguna otra parte** nowhere else, 4
—**quiebra** bankrupt
—**todo caso** in any case, 4
—**tránsito** in transit, 3
—**vez de** instead of
enamorarse (de) to fall in love (with), 2
encanto (*m.*) charm
encargarse to be in charge, to take charge, 1
encender (e:ie) el televisor to turn on the T.V., 6
encontrar (o:ue) acogida to be welcome
encontrarse (o:ue) (con) to meet (encounter), 2
endrina (*f.*) sloe
enfadarse (*f.*) to get angry, 5
enfermarse to get sick, 1
enfermedad venérea (*f.*) venereal disease, 5
engaño (*m.*) deceit
enjugar to dry, to wipe
enlatado(a) canned
enloquecer to go mad
enojarse (con) to get angry (at), 5
enojo (*m.*) anger
ensayo (*m.*) essay, 4
enterarse (de) to find out, 1
enterrar (e:ie) to bury
entre among
—**la espada y la pared** between a rock and a hard place, 4
—**semana** during the week
entregar to give
entrenador(a) (*m., f.*) coach, trainer, 2
entrenamiento (*m.*) training
entretanto meanwhile
entrevistar to interview
entusiasmado(a) excited
enunciado (*m.*) statement
envanecerse to become conceited
envidia (*f.*) jealousy
envidiar to envy
envoltura (*f.*) wrapper, packaging, 6
envuelto(a) wrapped, 3
época de Navidad (*f.*) Christmas season, 7
equidad (*f.*) equality
equipaje (*m.*) baggage, 3
equipo (*m.*) team, 2
equitación (*f.*) horsemanship, equitation, 2
equivocarse to be wrong
errancia (*f.*) wandering
errante (*adj.*) wandering
es
—**difícil** it is unlikely, 5
—**dudoso** it is doubtful, 5
—**(im)posible** it is (im)possible, 5
—**(im)probable** it is (im)probable, 5
escalar to climb, 2
escalera (*f.*) ladder
escena (*f.*) scene, 6
escenario(*m*) setting
esclavos de galera galley slaves
escoger to choose
escolaridad (*f.*) education
esconder to hide
escondite (*m.*) hiding place
escrito(a) written, 3
escuchar to listen (to), 4
—**música** to listen to music, 2
escuela (*f.*) school
—**elemental (primaria)** (*f.*) grade school, 5
—**secundaria** (*f.*) junior high and high school, 5
esculpir to sculpt, 4
escultor(a) (*m., f.*) sculptor, 4
escultura (*f.*) sculpture, 4
esfumarse to disappear
espanto (*m.*) horror
especializarse (en) to specialize, to major (in), 5
espejuelos (*m., pl.*) glasses
—**de sol** sunglasses, 2
esperanza (*f.*) hope
espeso(a) dense
espino(*m.*) hawthorn
esquí acuático (*m.*) water skiing, 2
esquíar to ski
—**en el agua** to water-ski, 2
esta vez this time
estadio (*m.*) stadium, 2
estado civil (*m.*) marital status, 1
estancia (*f.*) stay
estar to be
—**acostumbrado(a) a** to be used to, 1
—**condicionado(a) a** to be dependent on
—**de acuerdo** to agree, 1
—**de buen (mal) humor** to be in a good (bad) mood, 1
—**de vacaciones** to be on vacation, 1
—**de vuelta** to be back, 1
—**dispuesto(a) a** to be willing to, 1
estatua (*f.*) statue, 4
estela (*f.*) wake of a ship
estilo (*m.*) style, 4
estimado(a) dear, 1
estirar to stretch
estratagema (*f.*) trick
estrechar to embrace
estrecho(a) narrow
estrella (*f.*) star, 3
estremecer to shudder; to shake
estrofa (*f.*) stanza
estropear to ruin
estupendo(a) great
etapa (*f.*) period
evitar to avoid
examen (*m.*) exam(ination)
—**de ingreso** entrance examination, 5
—**final** final examination, 5
—**parcial (de mitad de curso)** midterm examination, 5
exceso de equipaje (*m.*) excess luggage, 3
excomulgar to excommunicate
excursión (*f.*) excursion, tour, 3
excursionista (*m., f.*) hiker, 2
exhibición (*f.*) exhibition, 4
exhibir to exhibit, 4
exigir to demand
éxito (*m.*) success
—**laboral** (*m.*) career success
exponer to exhibit, 4
exposición (*f.*) exhibition, 4
extranjero(a) foreign
extremadamente very, extremely

F

fabricar to make
fábula (*f.*) fable, 4
facturar el equipaje to check the luggage, 3
facultad (*f.*) school (i.e., school of medicine, engineering, etc.), 5
fallecer to pass away
fallido(a) unfulfilled
falta (*f.*) lack
faltar to be missing
faz (*f.*) face
fe (*f.*) faith, 2
felicitar to congratulate, 1
feria (*f.*) fair, 7
ferroviario(a) (adj.) railroad
festividades festivities, 7
fiarse to trust
fiel faithful
fiel (*m.*) pointer
fijarse (en) to notice, 2
fila (*f.*) row, 3
final (*m.*) end
firmar el registro to sign the register, to check in
flaco(a) skinny
flauta (*f.*) flute, 4
florecer to flourish
floreciente flourishing
florería (*f.*) flower shop
fluir to flow
folleto (*m.*) brochure, 3
fonda (*f.*) inn
fondos (*m. pl.*) funds
fortaleza (*f.*) fortress
fotocopiadora (*f.*) photocopy machine, 1
frotar to rub
fuego (*m.*) fire, 6
fuegos artificiales (*m. pl.*) fireworks
fuente (*f.*) source
—**de ingresos** source of income
fuerza laboral (*f.*) workforce
fugaz fleeting
fumar to smoke, 3
fundado(a) founded
fundirse to melt
fusilado(a) executed
fútbol (*m.*) soccer, 2
—**americano** football

G

gafas (*f., pl.*) glasses
—de sol sunglasses, 2
galán (*m.*) suitor
galera (*f.*) galley
galería de arte *(f.)* art gallery, 4
gallego(a) from Galicia
gamba (*f.*) shrimp
ganadería (*f.*) cattle raising
ganar to win, 2
garganta (*f.*) throat
gasto (*m.*) expense, 5
gato (*m.*) cat
gaveta (*f.*) drawer
género literario (*m.*) literary genre, 4
gerente (*m., f.*) manager, 1
gimnasia (*f.*) gymnastics, 2
gobernador(a) (*m., f.*) governor, 6
gobierno (*m.*) government, 6
gozar de to enjoy
grabar to tape, to record, 6
grado (*m.*) degree
graduarse to graduate, 5
grapadora (*f.*) stapler, 1
gritar to scream
grito (*m.*) shout
guante de pelota (*m.*) baseball glove, 2
guardar to keep
guardia de seguridad (*m.*) security guard, 3
guerra (*f.*) war
guía (*m., f.*) guide, 3
—de televisión (*f.*) T.V. guide, 6
guijarro (*m.*) pebble
guión (*m.*) script, 6
guitarra (*f.*) guitar, 4

H

habitación doble (sencilla) *(f.)* double (single) room, 3
hacer to do; to make
—énfasis to emphasize
—escala to make a stopover, 3
—una caminata to hike, 2
—una fogata to build a bonfire, 2
—una llamada de larga distancia to make a long distance call, 1
—una pregunta to ask a question, 4
—surfing to surf, 2
hacer frente to face
hacerse ilusiones to dream, 1
hasta que until, 5
hazaña (*f.*) feat, exploit
hecho (*m.*) fact
hecho(a) done; made
herido(a) wounded
herir (e:ie) to wound
hermanastra (*f.*) stepsister, 5
hermanastro (*m.*) stepbrother, 5
herramienta (*f.*) tool
hiel (*f.*) gall
hierba (*f.*) grass
hijastra (*f.*) stepdaughter, 5
hijastro (*m.*) stepson, 5
hipódromo (*m.*) race track, 2
hipoteca (*f.*) mortgage, 5
hogar (*m.*) hearth
hoja (*f.*) sheet of paper, leaf, petal
—de cálculo spreadsheet, 1
hojalata (*f.*) tin
hojear to leaf through
hombro (*m.*) shoulder
honda (*f.*) sling
hondo(a) profound
honduras (*f., pl*) depths
honesto(a) honest, 1
honradez (*f.*) honesty
hospedarse to stay (*i.e.,* at a hotel), 3
hoy en día nowadays
huelga (*f.*) strike, 6
huellas (*f., pl.*) tracks
huerto (*m.*) orchard
huésped (*m., f.*) guest
huir to flee, to run away
humilde (*m. f.*) humble
huracán (*m.*) hurricane, 6

I

idolatrar to worship
iglesia (*f.*) church
ilusionado(a) excited
impartir to give
importar to matter
impuesto (*m.*) tax, 5
incapacitado(a) disabled
incendio (*m.*) fire, 6
incertidumbre (*f.*) uncertainty
inesperado(a) unexpected
inevitable unavoidable
infancia (*f.*) childhood
infortunio (*m.*) misfortune
ingreso (*m.*) income
ingresos (*m., pl.*) revenues
inmerecido(a) undeserved
inquietud (*f.*) restlessness
inquilino(a) (*m., f.*) tenant
inscribirse to enroll (i.e., in a class), 5
inscripción (*f.*) tuition, 5
insistir (en) to insist (on), 2
inundación (*f.*) flood, 6
inversión (*f.*) investment
inversionista (*m., f.*) investor
investigación de la opinión pública *(f.)* public opinion survey, 6
invitado(a) *(m., f.)* guest
ir to go
—al grano to get to the point
—de vacaciones to go on vacation, 3
—por partes one thing at a time

J

jefe(a) (*m., f.*) head (of the department)
—anterior former boss (employer), 1
jinete (*m.*) rider
joya (*f.*) jewel
jubilarse to retire, 1
juego (*m.*) match, game, 2
—de dardos dart game, 2
juez(a) judge
jugador(a) *(m., f.)* player, 2
jugar (*u:ue*) (a) to play, 2
juguete (*m.*) toy
junta (*f.*) meeting
junto a next to
jurar to swear
juventud (*f.*) youth

L

ladrido (*m.*) bark(ing)
lagartija (*f.*) lizard
lago (*m.*) lake
laguna (*f.*) lake
lancha (*f.*) motor boat
langosta (*f.*) lobster, 7
lanzarse to leave
lástima (*f.*) pity
lastimarse to hurt oneself
laurel (*m.*) laurel
lavadero (*m.*) washing place
lazo (*m.*) tie
leche en polvo (*f.*) powdered milk
lejano(a) distant
lema (*m.*) slogan, 6
leña (*f.*) firewood
letra de molde (*f.*) printing, 1
levantar ancla to weigh anchor
leve slight
ley (*f.*) law
libre off (free)
libremente freely
lienzo (*m.*) canvas, 4
lindo great
lista de espera (*f.*) waiting list, 3
listo(a) smart, ready
llamada (*f.*) call
llameante flaming
llanura (*f.*) plain
llegada (*f.*) arrival, 3
llegar a ser to become
llevar a cabo carry out
llevarse bien to get along, 5
llorar to cry
llover a cántaros to rain cats and dogs
lo extraño the strange thing
lo mismo the same thing
lo único the only thing
locutor(a) (*m., f.*) announcer, anchor person
lodo (*m.*) mud
loro (*m.*) parrot
los (las) más *(m., f.)* the majority
lozanías (*f., pl.*) youth
lucha (*f.*) fight
—libre wrestling, 2
lucir to show off
lugar histórico (*m.*) historic site, 3
lujo (*m.*) luxury
lujosamente luxuriously
luna de miel (*f.*) honeymoon, 5
lunar (*m.*) mole

M

madera (*f.*) wood, 4
maderero(a) (adj.) timber, lumber
madrastra (*f.*) stepmother, 5
madrileño(a) from Madrid
maestría (*f.*) master's degree, 5
majadero(a) (*m., f.*) fool
malcriar to spoil, 5
malo(a) bad (mean), sick
manantial (*m.*) spring
mancillar to stain
mandar to order, to command
mandón(ona) bossy
manejar to operate, 1
manga (*f.*) sleeve
manifestación (*f.*) demonstration, 6
mano de obra (*f.*) labor
manojo (*m.*) bunch
mantener to support (financially); to maintain (e.g. a GPA)
mantequilla de maní (*m.*) peanut butter
mañana mismo no later than tomorrow
máquina de escribir (*f.*) typewriter, 1
mar (*m.*) sea, ocean, 2
marca (*f.*) brand, 6
marcar to mark
  —un gol to score a goal, 2
  —una pauta to set a standard
marchito(a) withered, faded
marina (*f.*) navy
mariscos (*m., pl.*) shellfish, 7; seafood
mármol (*m.*) marble, 4
martillar to hammer
martillo (*m.*) hammer
mas but
más more
más allá beyond
más que more than, 2
máscara de oxígeno (*f.*) oxygen mask, 3
matar to kill
  —dos pájaros de un tiro to kill two birds with one stone
matrícula (*f.*) tuition, 5
matricularse to register, 5
matrimonio (*m.*) marriage; married couple, 5
matutino(a) (adj.) morning
mayor biggest
media hora (*f.*) half an hour
medio día (medio tiempo) part-time, 1
medios de difusión (*m., pl.*) media
mendigo(a) (*m., f.*) beggar
menos except
  —que less than, 2
¡Menos mal! Thank goodness!
mercado (*m.*) market, 6
mercancía (*f.*) merchandise
merecer to deserve
  —la pena to be worth it
merienda (*f.*) picnic
mérito (*m.*) worthy deed
meseta (*f.*) plateau
mesita (*f.*) tray table (on a plane), 3
meterse to meddle, 5
mezclado(a) mixed
miel (*f.*) honey
milagro (*m.*) miracle
milicia (*f.*) military
mimar to pamper, 5
ministro(a) (*m., f.*) secretary
mirar la tele to watch T.V., 6
mismo(a) same; itself
mitad (*f.*) half
mochila (*f.*) backpack, 2
modelo (*m., f.*) model, 4
mojada wet
molestar to bother, 5
molino (*m.*) windmill
Monopolio (*m.*) Monopoly, 2
montar a caballo to ride a horse, 2
montar en bicicleta to ride a bicycle, 2
monumento (*m.*) monument, 3
mostrador (*m.*) counter, 3
mostrar (o:ue) to show
muchedumbre (*f.*) crowd
muerto(a) dead, 3
muestra (*f.*) sample
muñeca (*f.*) doll
murallón (*m.*) wall
museo de arte (*m.*) art museum, 4
músico (*m.*) musician, 4
muy very, extremely
  —señor(a) mío(a) dear sir (madam), 1

N

nacido(a) born
nadar to swim, 2
naipes (*m., pl.*) cards, 2
natación (*f.*) swimming, 2
natal native
naturaleza muerta (*f.*) still life, 4
navegar to sail, 2
necrología (*f.*) obituary
negar (e:ie) to deny
negarse (e:ie) (a) to refuse, 2
negocio (*m.*) business, 6
nene(a) (*m., f.*) baby, child
niño(a) de sus ojos (*m., f.*) apple of one's eye
nivel (*m.*) level
  —del mar sea level
no no
  —fumar no smoking, 3
  —importar to not matter
  —más que only
  —poder menos to not be able to help
  —querer (e:ie) to refuse
  —ser para tanto not to be that important
  —tener pelos en la lengua to be outspoken, 4
  —tener salida al mar to be landlocked
  —ver la hora de to be unable to wait, 4
Nochebuena (*f.*) Christmas Eve
nota (*f.*) grade, 5
noticias (*f., pl.*) news
noticiero (*m.*) news program, 6
novela (*f.*) novel, 4
novia (*f.*) bride, 5
novio (*m.*) groom, 5
nube (*f.*) cloud
nudo (*m.*) knot
nuera (*f.*) daughter-in-law, 5
nuez (*f.*) nut

O

obra (*f.*) work
  —maestra masterpiece
  —teatral play, 2
obús (*m.*) type of cannon
ocaso (*m.*) setting sun
océano (*m.*) ocean, sea, 2
oculto(a) hidden
oficinista (*m., f.*) office clerk, 1
ola (*f.*) wave, 2
óleo (*m.*) oil (paint), 4
olfatear to sniff
olor (*m.*) aroma
olvidarse (de) to forget, 2
onda (*f.*) wave
onza (*f.*) gold coin
oprimido oppressed
oración (*f.*) prayer
organizado(a) organized, 1
órgano (*m.*) organ, 4
orgullo (*m.*) pride
orgulloso(a) proud
orilla (*f.*) shore
oriundo(a) (de) native (to)
orquesta (*f.*) orchestra, 4
  —sinfónica symphony orchestra, 4
oscuro(a) dark
ostra (*f.*) oyster
OTAN (*f.*) NATO
oveja (*f.*) sheep

P

padrastro (*m.*) stepfather, 5
pagar to pay
  —derechos de aduana to pay customs duty, 3
  —por adelantado to pay in advance, 3
página deportiva (*f.*) sports page, 2
pago (*m.*) payment, 5
paisaje (*m.*) landscape, 4
pájaro (*m.*) bird
palco (*m.*) box (at the theatre)
paleta (*f.*) palette, 4
palo de escoba (*m.*) broomstick
palo de golf (*m.*) golf club, 2
paloma mensajera (*f.*) carrier pigeon
pantano (*m.*) swamp
pantorrilla (*f.*) calf
pañuelo (*m.*) handkerchief
papel (*m.*) role, 6
  —principal leading role, 6
par (*m.*) equal

para for; by; in order to; considering, 1
  —colmo to top it all
  —eso for that (sarcastically), 1
  —que in order that, so that, 5
  —qué what for, 1
  —siempre forever, 1
paracaídas (*m.*) parachute
parar to stop
parecer to seem
  —mentira to seem incredible, 4
pareja (*f.*) couple, 5
pares peers
pariente (*m., f.*) relative, 5
parientes políticos (*m.*) in-laws, 5
parrillada (*f.*) barbecue
parsimonia calmness
partido (*m.*) match, game, 2
partir to leave, to depart
pasaje (*m.*) ticket, 3
  —de ida one-way ticket, 3
  —de ida y vuelta round-trip ticket, 3
pasaporte (*m.*) passport, 3
pasar to happen
  —a ser to become
  —la voz to spread the word
pasarlo bien (mal) to (not) have a good time, 2
pasear go around, tour
paseo en coche (*m.*) ride, 2
patín acuático (*m.*) surfboard, 2
patinar to skate, 2
patria (*f.*) fatherland
patrocinado(a) sponsored
patrocinador(a) (*m., f.*) sponsor
paz (*f.*) peace
pecado (*m.*) sin
pecar to sin
pedir (*e:i*) **prestado(a)** to borrow
pedrada (*f.*) blow with a stone
pelear to fight
película (*f.*) movie, 2
peligroso(a) dangerous
pellejo (*m.*) skin
pelota (*f.*) ball, 2
  —de playa beach ball, 2
pena (*f.*) sorrow
pensar (e:ie) (en) to think (about), 2
perder (e:ie) to lose, 2; to miss
perderse (e:ie) algo to miss out on something, 4
pérdida (*f.*) loss
perdón (*m.*) forgiveness
perenne constant
perezoso(a) lazy
pérfido(a) evil
periodista (*m., f.*) journalist
periodístico(a) journalistic
periquito (*m.*) parakeet
perro (*m.*) dog
persiana (*f.*) shutter
personaje (*m.*) character, 4
pertenecer to belong
pesadilla (*f.*) nightmare
pesadumbre (*f.*) grief
pesar to be heavy
  —las maletas to weigh the suitcases, 3
pesar (*m.*) grief
pescar to fish, to catch (a fish), 2
pesebre (*m.*) nativity scene
peso (*m.*) weight
pesquero(a) (adj.) fishing
petición (*f.*) appeal
pez de colores (*m.*) goldfish
piano (*m.*) piano, 4
picado(a) scarred
piedra (*f.*) stone, 4
pieza (*f.*) piece
pilote (*m.*) stake
piloto (*m.*) pilot, 3
pincel (*m.*) brush, 4
pintar to paint, 4
pintura (*f.*) painting, 4
pisar to set foot on
pista (*f.*) trail
plagar to burden
planilla (*f.*) form, 1
planta alta (*f.*) upper floor
plata (*f.*) money; silver
plazo (*m.*) installment
pobreza (*f.*) poverty, 5
poder (*m.*) power
  —adquisitivo buying power, 6
poder (o:ue) to be able to; to manage, to succeed, 2
poemario (*m.*) book of poems
poesía (*f.*) poetry, 4
política (*f.*) politics, 6
polvo (*m.*) dust
poner to put
  —el televisor to turn on the T.V., 6
ponerse en la cola to stand in line, 3
por during; in; for; by; per; because of, on account of, on behalf of; in search of; in exchange for; through; around, along, 1
  —aquí around here, 1
  —completo completely, 1
  —debajo beneath
  —desgracia unfortunately, 1
  —encima above
  —encima de todo above all
  —eso for that reason, that's why, 1
  —lo menos at least, 1
  —otro lado on the other hand, 4
  —suerte luckily, fortunately, 1
  —supuesto of course, 1
  —tanto so, therefore, 1
portal (*m.*) porch
portero (*m.*) doorman
portillo (*m.*) gap (in a wall)
posterior later
postularse (para) to run (for), 6
potencia (*f.*) power
pozo (*m.*) well
practicar to practice, 2
  —deportes to practice (play) sports, 2
predicar to preach
preferido(a) favorite
pregonar to proclaim, to announce publicly
prendido(a) arrested, 3
prensa (*f.*) press, 6
presa (*f.*) dam
presentador(a) (*m., f.*) announcer, anchor person, 6
presentar to introduce
presentimiento (*m.*) hunch
presilladora (*f.*) stapler, 1
preso(a) under arrest
presupuesto (*m.*) budget, 5
previsto(a) expected
primera actriz (*f.*) leading lady
primera clase (*f.*) first class, 3
principio (*m.*) beginning
prisa (*f.*) haste
probar (o:ue) to try
procesión (*f.*) procession
producto (*m.*) product, 6
profesional professional, 1
profesionalismo (*m.*) professionalism, 1
programa (*m.*) program
  —de concursos game show, 6
  —de hoja de cálculo spreadsheet program, 1
  —infantil children's program, 6
  —para la composición de textos word-processing program, 1
programación (*f.*) programming, 6
promedio (*m.*) average
propaganda (*f.*) advertising, 6
propietario landlord
propio(a) one's own
proporcionar to provide, to furnish
prosa (*f.*) prose, 4
proscrito(a) prohibited
protagonista (*m., f.*) main character, 4
protector(a) (*m., f.*) keeper
provenir (de) to come (from)
publicidad (*f.*) publicity
puede ser it may be
puente (*m.*) bridge
puerta de salida (*f.*) gate, 3
puesto (*m.*) position, job, 1
  —desempeñado position held, 1
puesto(a) put, 3
pulgada (*f.*) inch
pulpo (*m.*) octopus
puntería (*f.*) aim
punto de vista (*m.*) point of view
puntual punctual, 1
puntualidad (*f.*) punctuality, 1
puñal (*m.*) dagger

Q

que that, who, which, 4
que Dios te guarde may God be with you
qué which, what, how
¿qué hay? how's it going?
¿qué hubo? what's up?

quedar to be (located)
—**en segundo lugar** to finish in second place
—**suspendido(a) (en)** to fail (a test or class), 5
quedarle to be left over
quedarse(con) to keep, 5
quehaceres de la casa (*m., pl.*) housework
quejarse to complain
quemar to burn
querer (e:ie) to want, 2; to love, 5
querido(a) dear, 1
quicio (*m.*) door jamb
quiebra (*f.*) bankruptcy
quien whom, who, 4
quiosco (*m.*) booth
quizás perhaps, 5

R

ramo (*m.*) bouquet
raqueta (*f.*) racket, 2
rayo (*m.*) bolt of lightning
razón (*f.*) mind
realizaciones (*m., pl.*) accomplishments
recepción (*f.*) lobby, 3
rechazar to reject
rechazo (*m.*) rejection
recién recently
—**casados** (*m., pl.*) newlyweds, 5
recoger to pick up
recomendar (e:ie) to recommend, 1
recorrido (*m.*) journey
rector (*m.*) president of a university, 5
red (*f.*) net, 2
redondo(a) round
referencia (*f.*) reference, 1
refrigerios (*m., pl.*) refreshments
regañar to scold, 5
registrarse to check in, 3
regla (*f.*) rule
reino (*m.*) kingdom
reír to laugh
relampaguear to flash
relicario (*m.*) locket
remar to row, 2
remontar a to go back to
remorder (o:ue) to fill with remorse
remunerado(a) paid
rendir pleitesía to pay tribute
repartir to distribute; to divide
repleto(a) full
reportero(a) (*m., f.*) reporter, 6
reprender to reprimand
representar to perform, 6
requisito (*m.*) requirement, 5
rescoldos (*m., pl.*) embers, hot ashes
reservar to reserve, 3
resolver (o:ue) to solve, 5
respetar to respect, 5
respetuoso(a) respectful, 1
responsable responsible, 1
respuesta muy terminante cutting answer
restos (*m., pl.*) remains
retirarse to retire, 1
retozar to frolick
retrato (*m.*) portrait, 4
reunión (*f.*) meeting
reventarle (e:ie) to not be able to stand something
rey (*m.*) king
Reyes Magos (*m. pl.*) Three Wise Men
rezongar to grumble
ribera (*f.*) shore
rincón (*m.*) corner
riquezas naturales (*f. pl.*) natural resources
risa (*f.*) laughter
risotada (*f.*) boisterous laughter
rizar to curl
rizo (*m.*) curl
rocín (*m.*) old horse, nag
rodeado(a) (de) surrounded (by)
rodilla (*f.*) knee
rogar (o:ue) to beg, 5
ropaje (*m.*) clothing
rositas (*palomitas*) de maíz (*f., pl.*) popcorn
rostro (*m.*) face
roto(a) broken, 3
rudo(a) rough
rueda (conferencia) de prensa (*f.*) press conference, 6
ruido (*m.*) noise
rumbo (*m.*) direction

S

sábana (*f.*) sheet
saber to know; to find out, to learn, 2
sabio(a) wise
sabor (*m.*) flavor
sacacopias (*m.*) photocopy machine, 1
sacarle partido to take advantage
saco (*m.*) coat
—**de dormir** sleeping bag, 2
salario (*m.*) salary, 1
salida (*f.*) departure, 3
—**de emergencia** emergency exit, 3
salir (de) to leave (a place), 2
—**bien** to turn out well
saltar to jump
salvavidas (*m.*) lifeguard, 2
sangrante bleeding
sano(a) healthy
santa patrona (*f.*) patron saint
santo patrón (*m.*) patron saint
saxofón (*m.*) saxophone, 4
sección de (no) fumar (*f.*) (non) smoking section, 3
seda (*f.*) silk
Segunda Guerra Mundial (*f.*) Second World War
seguro (*m.*) insurance, 1
—**contra incendios** fire insurance, 1
—**contra inundaciones** flood insurance, 1
—**contra terremotos** earthquake insurance, 1
—**de accidentes de trabajo** worker's compensation insurance, 1
—**de automóviles** car insurance, 1
—**de grupo (colectivo)** (*m.*) group insurance, 1
—**de la casa** homeowner's insurance, 1
—**de salud** health insurance, 1
—**de vida** life insurance, 1
selva (*f.*) jungle
Semana santa (*f.*) Holy Week
semejante (*m.*) fellow man
semejanza (*f.*) similarity
sencillo(a) simple
senda (*f.*) path
seno (*m.*) bosom
sensibilidad (*f.*) sensitivity
sentido (*m.*) meaning
sentir (e:ie) to feel
señal (*f.*) sign
señas (*f., pl.*) address
señorona (*f.*) great lady
ser unidos(as) to be close, 5
ser (humano) (*m.*) (human) being
servicio de habitación (de cuarto) (*m.*) room service, 3
servidor(a) de usted at your service
servidumbre (*f.*) servants
si if
SIDA (*m.*) AIDS, 5
siglas (*f., pl.*) initials, acronym
siglo (*m.*) century
sin without
—**embargo** nevertheless, however
—**falta** without fail
—**que** without, 5
—**rumbo cierto** without knowing one's way
sinvergüenza (*m., f.*) scoundrel
sistema educativo (*m.*) educational system, 5
sistema telefónico (*m.*) telephone (telecommunication) system, 1
sobre about, on
—**todo** above all
sobresalir to stand out
soldado (*m.*) soldier
solicitante (*m., f.*) applicant
solicitar to apply, 1
solicitud (*f.*) application, 1
soltado(a) let loose
soltar (o:ue) to let go (loose)
solucionar to solve
sombra (*f.*) shadow
sonreír (e:i) to smile
soñar (o:ue) (con) to dream (about), 2
subasta (*f.*) auction
subempleo (*m.*) underemployment
subsistir to survive
suceso (*m.*) event, happening
suegra (*f.*) mother-in-law, 5
suegro (*m.*) father-in-law, 5
sueldo (*m.*) salary, 1
suelto(a) loose, 3

sueño (*m.*) dream
sumamente very, extremely
sumiso(a) meek
superficie (*f.*) area
surgir to come up
surtido (*m.*) selection
sustituido(a) substituted, 3
sustituto(a) (*m., f.*) substitute, 3
susto (*m.*) fright, fear
susurrar to whisper

T

tabla de mar (*f.*) surfboard, 2
tablilla de avisos (*f.*) bulletin board, 1
tal such
tal vez perhaps
tales such
tallar to carve, 4
tallo (*m.*) stem
tamaño (*m.*) size
tan...como as...as, 2
tan pronto como as soon as, 5
tanto (*adv.*) so much
tanto como as much as, 2
tanto(a) so much
tanto(a)...como as much...as, 2
tantos(as) so many
tantos(as)...como as many...as, 2
tarjeta de embarque (embarco) *(f.)* boarding pass, 3
tarjeta de turista *(f.)* tourist card, 3
teatro (*m.*) theater, 2
tela (*f.*) canvas, 4
tejer to weave, to knit
telediario (*m.*) news program, 6
telenovela (*f.*) soap opera, 6
televidente (*m., f.*) T.V. viewer, 6
televisor (*m.*) T.V. set, 6
tema (*m.*) topic, 4
tembloroso(a) trembling
temer to be afraid of
temeroso(a) fearful
temor (*m.*) fear
temporal temporary
tendero(a) (*m., f.*) shopkeeper
tenderse (e:ie) to stretch
tenedor(a) de libros *(m., f.)* bookkeeper, 1
tener to have
 —en cuenta to keep in mind
 —entendido to understand
 —la culpa to be one's fault, 4
 —lugar to take place
 —(mucho) cuidado to be (very) careful
 —retraso (atraso) to be behind schedule, 3
terremoto (*m.*) earthquake, 6
tertulia (*f.*) conversation
tesorito (*m.*) little treasure
tesoro (*m.*) treasure
testigo (*m., f.*) witness
tiburón (*m.*) shark
tiempo completo full time, 1
tienda de campaña (*f.*) tent, 2
tierra (*f.*) land
 —baja lowland
Tierra (*f.*) Earth
tieso(a) stiff
timbre (*m.*) doorbell
timorato(a) fearful
tirar to throw, to pull
tiro al blanco (*m.*) target shooting
titulares (*m., pl.*) headlines, 6
título (*m.*) degree, 1
 —universitario college degree, 5
tocar to play (a musical instrument), 4
todo el mundo everybody, 4
tomar to take
 —el fresco to get some air
 —el sol to sunbathe, 2
tomarle el pelo a alguien to pull somebody's leg, 4
tonto(a) stupid
torero (*m.*) bullfighter
tornado (*m.*) tornado, 6
tornarse to become
toro (*m.*) bull
tortilla (*f.*) omelette
toscamente cosidas coarsely sewn
toser to cough
trabajador(a) hardworking, 1
trabajar to work, 1
 —medio día (medio tiempo) to work part time, 1
 —por cuenta propia to be self-employed, 1
 —tiempo completo to work full time, 1
 —tiempo extra to work overtime, 1
traer to bring
traición *(f.)* treason
traje (*m.*) suit
 —de hombre man's suit
 —de luces bullfighter's garb
 —regional typical costume
trama *(f.)* plot, 4
transmitir to broadcast, 6
trapo (*m.*) rag, cloth
tras behind
trasladarse to move
tratar (de) to try, 2
travesura (*f.*) prank
tregua (*f.*) truce
trémulo(a) trembling
trenzado(a) braided
trío (*m.*) trio, 4
trombón (*m.*) trombone, 4
trompeta (*f.*) trumpet, 4
trulla (*f.*) crowd
tumba (*f.*) grave
turbar to upset; to disturb
turbio(a) cloudy
turnarse to take turns

U

último(a) latter
un tiempo más a while longer
una especie de a type of
unirse to unite
usurero(a) (*m., f.*) money lender
uva (*f.*) grape

V

vacío (*m.*) emptiness
vagar to wander
vago(a) (*m., f.*) slacker
valla (*f.*) hedge
valor (*m.*) value; courage
vaquero (*m.*) cowboy
vecindad (*f.*) neighborhood
velar to watch
velero (*m.*) sailboat, 2
vencedor(a) (*m., f.*) winner
vencer to defeat
vendedor(a) (*m., f.*) salesperson, 1
venirle corto to be too short
venta *(f.)* inn
ventura *(f.)* happiness
verde green (color); unripe
verso (*m.*) verse, line of a poem, 4
vestíbulo (*m.*) lobby, 3
vida nocturna (*f.*) night life, 2
videocasetera (*f.*) V.C.R., 6
vigilar to watch
villancico (*m.*) Christmas carol
violencia (*f.*) violence, 5
violín (*m.*) violin, 4
viruela (*f.*) smallpox
virrey (*m.*) viceroy
visa (*f.*) visa, 3
víspera (*f.*) eve
visto(a) seen, 3
viudo(a) (*m., f.*) widower (widow)
vivo(a) live
vocecita little voice
voleibol (*m.*) volleyball, 2
volver la vista atrás to look back
volverse (o:ue) to become
 —loco(a) to go crazy, 4
vuelo (*m.*) flight, 3
 —directo (sin escalas) direct (nonstop) flight, 3
vuelta (*f.*) lap; ride
vuelto(a) returned

Y

¡Ya lo creo! I'll say!
ya no andar to no longer work
ya que since
yacer to lay
yerba (*f.*) grass
yerno (*m.*) son-in-law, 5

Z

zanja (*f.*) ditch
zona de estacionamiento (*f.*) parking lot, 3

English-Spanish

A

about sobre, de, acerca de
abroad en el extranjero, 3
academic records antecedentes académicos (*m., pl.*), 1
accordion acordeón (*m.*), 4
accountant contador(a) (*m., f.*), 1
accustom oneself acostumbrarse (a), 2
acquire adquirir, 4
act actuar, 6
acting actuación (*f.*), 6
actor actor (*m.*), 6
actress actriz (*f.*), 6
ad anuncio comercial (*m.*), comercial (*m.*), 6
administrator administrador(a) (*m., f.*), 1
advertise anunciar, 6
advertising propaganda (*f.*), 6
advisor consejero(a) (*m., f.*), 5
affectionately afectuosamente, 1
after después (de) que, 5
 —all al fin y al cabo, 4
agree estar de acuerdo, 1; convenir (en), 4
AIDS SIDA (*m.*), 5
airline aerolínea (*f.*), 3
aisle seat asiento de pasillo (*m.*), 3
along por, 2
anchor person locutor(a) (*m., f.*), presentador(a) (*m., f.*), 6
announce anunciar, 6
announcer locutor(a) (*m., f.*), presentador(a) (*m., f.*), 6
applaud aplaudir, 6
applicant aspirante (*m., f.*), 1
application solicitud (*f.*), 1
apply solicitar, 1
around por, 1
 —here por aquí, 1
arrested prendido(a), 3
arrival llegada (*f.*), 3
art gallery galería de arte (*f.*), 4
art museum museo de arte (*m.*), 4
as tan, 2
 —as tan...como
 — if como si
 —many...as tantos(as)...como, 2
 —much...as tanto(a)...como, 2
 —soon as en cuanto, tan pronto como, 5
ask a question hacer una pregunta
at a, en, 2
 —least por lo menos, 1
athlete atleta (*m., f.*), 2
attend asistir (a), 2
awake despierto(a), 3
awakened despertado(a)

B

Baby Jesus Niño Jesús (*m.*)
backpack mochila (*f.*), 2
bad (mean) malo(a)
ball pelota (*f.*), balón (*m.*), 2
baseball béisbol (*m.*), 2
 —bat bate (*m.*), 2
 —glove guante de pelota (*m.*), 2
basket canasta (*f.*), 2
basketball básquetbol (*m.*), baloncesto (*m.*), 2
bass contrabajo (*m.*), 4
bat bate (*m.*), 2
be ser, estar
 —able to poder (o:ue), 2
 —back estar de vuelta, 1
 —behind schedule tener retraso (atraso), 3
 —close ser unidos(as), 5
 —enough bastar (con), 2
 —glad alegrarse (de), 2
 —in a good (bad) mood estar de buen (mal) humor, 1
 —in charge encargarse, 1
 —on vacation estar de vacaciones, 1
 —one's fault tener la culpa, 4
 —outspoken no tener pelos en la lengua, 4
 —self-employed trabajar por cuenta propia, 1
 —supportive apoyar, 5
 —unable to wait no ver la hora de, 4
 —used to estar acostumbrado(a) a, 1
 — willing to estar dispuesto(a) a, 1
be(come) bored aburrirse
beach ball pelota de playa (*f.*), balón de playa (*m.*), 2
because of por, 1
before antes (de) que, 5
beg rogar (o:ue), 5
bellhop botones (*m., sing.*), 3
between a rock and a hard place entre la espada y la pared, 4
bicycle bicicleta (*f.*), 2
board the plane abordar el avión, 3
boarding pass tarjeta de embarque (embarco) (*f.*), 3
bookkeeper tenedor(a) de libros (*m., f.*), 1
booth quiosco (*m.*)
bored aburrido(a)
boring aburrido(a)
bother molestar, 5
box boxear, 2
boxing boxeo (*m.*), 2
brand marca (*f.*), 6
bride novia (*f.*), 5
broadcast transmitir, 6
brochure folleto (*m.*), 3
broken roto(a), 3
bronze bronce (*m.*), 4
brother-in-law cuñado (*m.*), 5
brush pincel (*m.*), 4
bull toro (*m.*)
bulletin board tablilla de avisos (*f.*), 1
bullfight corrida de toros (*f.*)
bullfighter torero (*m.*), matador (*m.*)
 —'s garb traje de luces (*m.*)
business negocio (*m.*), 6
bust bronce (*m.*), busto(*m.*), 4
buyer comprador(a) (*m., f.*), 1
buying power poder adquisitivo (*m.*), 6
by por, 1; para, 1

C

camp acampar, 2
campaign campaña electoral (*f.*)
cancel cancelar, 3
candidate candidato (*m., f.*), 6
canoe canoa (*f.*), 2
canvas tela (*f.*), lienzo (*m.*), 4
car insurance seguro de automóviles, 1
career carrera (*f.*), 5
cards cartas (*f., pl.*), naipes (*m., pl.*), 2
carnival carnaval (*m.*)
carry out desempeñar, 1
cartoons dibujos animados (*m., pl.*), 6
carve tallar, 4
cashier cajero(a) (*m., f.*), 1
castle castillo (*m.*), 3
catch (a fish) pescar, 2
cathedral catedral (*f.*), 3
celebration celebración (*f.*)
censorship censura (*f.*), 6
champion campeón (*m.*), campeona (*f.*), 2
championship campeonato (*m.*), 2
change one's mind cambiar de idea, 4
channel canal (*m.*), 6
chapter capítulo (*m.*), 6
character personaje (*m.*), 4
check in registrarse, 3
check out desocupar el cuarto, 3
check the luggage facturar el equipaje, 3
chess ajedrez, (*m.*), 2
children's program programa infantil (*m.*), 6
chinese (checkers) (damas) chinas (*f., pl.*), 2
choir coro (*m.*)
Christmas Navidad (*f.*)
 —carol villancico (*m.*)
 —Eve Nochebuena (*f.*)
 —tree árbol de Navidad (*m.*)
 —season época de Navidad (*f.*)
climb escalar, 2
closed cubierto(a), 3
coach entrenador(a) (*m., f.*), 2
college degree título universitario (*m.*), 5
command mandar
commercial anuncio comercial (*m.*), comercial (*m.*), 6
 —designer dibujante comercial (*m., f.*), 6
communicate comunicarse, 5
competition competencia (*f.*), 6

complain quejarse
completely por completo, 1
composer compositor(a) (*m., f.*), 4
concert concierto (*m.*), 2
conduct (an orchestra) dirigir, 4
conductor director(a) (*m., f.*), 4
confirm confirmar, 3
confused confundido(a), 3
confusing confuso(a), 3
congratulate felicitar, 1
consulate consulado (*m.*), 3
cooperate cooperar, 5
cordially cordialmente, 1
cost costar (o:ue), 2
costume disfraz (*m.*)
counselor consejero(a) (*m., f.*), 5
count (on) contar (o:ue) (con), 2
counter mostrador (*m.*), 3
couple pareja (*f.*), 5
courteous cortés, 1
crab cangrejo (*m.*)
crime crimen (*m.*), 5
customs aduana (*f.*), 3
cycling ciclismo (*m.*), 2

D

dare (to) atreverse (a), 1
dart game juego de dardos (*m.*)
daughter-in-law nuera (*f.*), 5
dead muerto(a), 3
dean decano(a) (*m., f.*), 5
dear estimado(a), querido(a), 1
  —sir (madam) muy señor(a) mío(a), 1
degree título (*m.*), 1
delinquency delincuencia (*f.*), 5
delinquent delincuente (*m., f.*), 5
demand exigir
demonstration manifestación (*f.*), 6
departure salida (*f.*), 3
dialogue diálogo (*m.*), 6
dice dados (*m., pl.*), 2
direct (nonstop) flight vuelo directo (sin escalas) (*m.*), 3
disaster desastre (*m.*), 6
discipline disciplinar, 5
discotheque discoteca (*f.*), 2
discovered descubierto(a), 3
distinguished distinguido(a), 1
doctorate doctorado (*m.*), 5
dominoes dominó (*m.*), 2
done hecho(a)
double room habitación doble (*f.*), 3
draw dibujar, 4
drawer cajón (*m.*), gaveta (*f.*)
drawing dibujo (*m.*), 4
dream hacerse ilusiones, 1; (about) soñar (o:ue) (con), 2
dropping out deserción escolar (*f.*), abandono de los estudios (*m.*), 5
drug droga (*f.*), 5
  —addict drogadicto(a) (*m., f.*), 5
drums batería (*f.*), 4
duet dúo (*m.*), 4
duo dúo (*m.*), 4
during por, 1

E

earthquake terremoto (*m.*), 6
  —insurance seguro contra terremotos, 1
economist economista (*m., f.*), 1
education (of children) crianza (*f.*), 5
educational system sistema educativo (*m.*), 5
efficient eficiente, 1
elect electo(a), 3; elegir (e:i), 6
elected elegido(a), 3
elections elecciones (*f., pl.*), 6
embassy embajada (*f.*), 3
emblem emblema (*m.*), 6
emergency exit salida de emergencia (*f.*), 3
email correo electrónico (*m.*), 1
engaged comprometido(a), 5
engagement compromiso (*m.*), 5
enjoy disfrutar (de), 2
enroll (i.e., in a class) inscribirse, 5
entrance examination examen de ingreso (*m.*), 5
episode capítulo (*m.*), 6
equitation equitación (*f.*), 2
essay ensayo (*m.*), 4
essential de rigor
even though (if) aunque
event acontecimiento (*m.*), 6
everybody todo el mundo
excess luggage exceso de equipaje (*m.*), 3
excursion excursión (*f.*), 3
exhibit exhibir, exponer, 4
exhibition exposición (*f.*), exhibición (*f.*), 4
extremely muy, sumamente, extremadamente

F

fable fábula (*f.*), 4
fail (a test or class) quedar suspendido(a) (en), 5
fair feria (*f.*)
fall in love (with) enamorarse (de), 2
fan aficionado(a) (*m., f.*), 2
fasten the seatbelt abrocharse el cinturón de seguridad, 3
father-in-law suegro (*m.*), 5
festivities festividades
file archivar, 1
file cabinet archivo (*m.*), 1
final examination examen final (*m.*), 5
find out enterarse (de), 1
fire incendio (*m.*), fuego (*m.*), 6
  —insurance seguro contra incendios, 1
first class primera clase (*f.*), 3
fish pescar, 2
fishing rod caña de pescar (*f.*), 2
flight vuelo (*m.*), 3
  —attendant azafata (*f.*), auxiliar (asistente) de vuelo (*m., f.*), 3
float carroza (*f.*)
flood inundación (*f.*), 6
  —insurance seguro contra inundaciones, 1
flute flauta (*f.*), 4
folder carpeta (*f.*), 1
football fútbol americano (*m.*), 2
for por, 1; para, 1
  —that (sarcastically) para eso, 1
  —that reason por eso, 1
forever para siempre, 1
forget olvidarse (de), 2
form planilla (*f.*), 1
former boss (employer) jefe(a) anterior (*m., f.*), 1
fortunately por suerte, 1
friend amigo(a) (*m., f.*), 1
friendly amigable, amistoso(a), 1
from de, 2
full time tiempo completo, 1

G

game partido (*m.*), juego (*m.*), 2
  —show programa de concursos (*m.*), 6
gate puerta de salida (*f.*), 3
get obtener
  —along llevarse bien, 5
  —angry (at) enojarse (con), 5
  —behind atrasarse, 1
  —engaged comprometerse (con), 2
  —married contraer matrimonio, 5
  —sick enfermarse, 1
  —tired cansarse, 2
give dar, 5
  —a hug dar un abrazo, 5
  —a kiss dar un beso, 5
  —a tip dar una propina, 3
  —advice dar consejos, aconsejar, 5
go ir
  —crazy volverse loco(a), 4
  —on vacation ir de vacaciones, 3
  —with someone acompañar a alguien, 4
golf club palo de golf (*m.*), 2
government gobierno (*m.*), 6
governor gobernador(a) (*m., f.*), 6
grade nota (*f.*), 5
  —school escuela elemental (primaria) (*f.*), 5
graduate graduarse, 5
green verde, 1
groom novio (*m.*), 5
group insurance seguro de grupo (colectivo) (*m.*), 1
guide guía (*m.*), 3
guitar guitarra (*f.*), 4
gymnastics gimnasia (*f.*), 2

H

hardworking trabajador(a), 1
harp arpa (*f.*), 4
have a good time divertirse (e:ie), pasarlo bien, 2
have just done something acabar de + inf., 2
headlines titulares (*m., pl.*), 6

health insurance seguro de salud, 1
helmet casco (*m.*), 2
help ayudar (a), 2
hike hacer una caminata, 2
hiker excursionista (*m., f.*), 2
historic site lugar histórico (*m.*), 3
hit the nail on the head dar en el clavo, 4
hold (a job) desempeñar, 1
Holy Week Semana Santa (*f.*)
homeowner's insurance seguro de la casa (*m.*), 1
honest honesto(a), 1
honeymoon luna de miel (*f.*), 5
horse race carrera de caballos (*f.*), 2
horsemanship equitación (*f.*), 2
hug abrazo (*m.*), 1
hunt cazar, 2
hurricane huracán (*m.*), 6

H

if si
in por, 1; a; de; en, 2
  —any case en todo caso, 4
  —case en caso de que, 5
  — exchange for por, 1
  —order that para que, 5
  —order to para, 1
  —search of por, 1
  —the long run a la larga, 4
  —transit en tránsito, 3
in-laws parientes políticos (*m.*), 5
inside en, 2
insist (on) insistir (en), 2
insurance seguro (*m.*), 1
  —agent agente de seguros (*m., f.*), 1
it may be puede ser
it is es, 5
  —doubtful es dudoso, 5
  —(im)possible es (im)posible, 5
  —(im)probable es (im)probable, 5
  —unlikely es difícil, 5

J

job puesto (*m.*), 1
junior high and high school escuela secundaria (*f.*), 5
juvenile delinquency delincuencia juvenil (*f.*), 5

K

kill two birds with one stone matar dos pájaros de un tiro
kind amable, 1
kiss beso (*m.*), 1
know saber; conocer, 2
knowledge of computers conocimientos de informática (*m., pl.*), 1

L

land aterrizar, 3
leading role papel principal (*m.*), 6
learn saber, 2
leave (a place) salir (de), 2
less than menos que, 2
let loose soltar (o:ue)
life insurance seguro de vida (*m.*), 1
life jacket chaleco salvavidas (*m.*), 3
lifeguard salvavidas (*m.*), 2
light a bonfire hacer una fogata, 2
like (not like) someone caerle bien (mal) a uno, 4
line of a poem verso (*m.*), 4
listen escuchar, 4
  —to music escuchar música, 2
literary genre género literario (*m.*), 4
lobby vestíbulo (*m.*), recepción (*f.*), 3
lobster langosta (*f.*)
lodging alojamiento (*m.*), 3
loose suelto(a), 3
lose perder (e:ie), 2
love querer (e:ie), amar, 5; amor (*m.*), cariño (*m.*), 5
lover amante (*m., f.*), 6
luckily por suerte, 1
luggage equipaje (*m.*), 3
  —compartment compartimiento de equipaje (*m.*), 3

M

made hecho(a)
main character protagonista (*m., f.*), 4
major (in) especializarse (en), 5
make a long distance call hacer una llamada de larga distancia, 1
make a stopover hacer escala, 3
make one furious darle rabia a uno, 4
manage poder (o:ue), 2
manager gerente (*m., f.*), 1
marble mármol (*m.*), 4
Mardi Gras carnaval (*m.*)
marital status estado civil (*m.*), 1
market mercado (*m.*), 6
marriage matrimonio (*m.*), 5
married couple matrimonio (*m.*), 5
marry casarse (con), 4
master dominar, 1
master's degree maestría (*f.*), 5
match partido (m.), juego (*m.*), 2
mayor alcalde (*m.*), alcaldesa (*f.*), 6
meatball albóndiga (*f.*)
meddle meterse, 5
media medios de difusión (*m., pl.*), 6
meet conocer, 2; (encounter) encontrarse (o:ue) (con), 2
metal detector detector de metales (*m.*), 3
Midnight Mass Misa de gallo (*f.*)
midterm examination examen parcial (de mitad de curso) (*m.*), 5
miss out on something perderse (e:ie) algo, 4
model modelo (*m., f.*), 4
Monopoly Monopolio (*m.*), 2
monument monumento (*m.*), 3
more than más que, 2
mother-in-law suegra (*f.*), 5
mountain climbing alpinismo (*m.*), 2
movie película (*f.*), 2
  —theater cine (*m.*)
musician músico (*m.*), 4

N

nativity scene nacimiento (*m.*), pesebre (*m.*)
net red (*f.*), 2
newlyweds recién casados (*m., pl.*), 5
news program noticiero (*m.*), telediario (*m.*), 6
night club club nocturno (*m.*), 2
night life vida nocturna (*f.*), 2
no smoking no fumar, 3
(non) smoking section sección de (no) fumar (*f.*), 3
no way de ninguna manera, de ningún modo, 4
not to be that important no ser para tanto
not to have a good time pasarlo mal, 2
notice fijarse (en), 2
novel novela (*f.*), 4
nowhere else en ninguna otra parte, 4

O

ocean mar, océano (*m.*), 2
octopus pulpo (*m.*)
of de, 2
  —course por supuesto, 1
office clerk oficinista (*m., f.*), 1
oil (paint) óleo (*m.*), 4
olive aceituna (*f.*)
omelette tortilla (*f.*)
on sobre, en, 2
  —account of por, 1
  —behalf of por, 1
  —the contrary al contrario, 4
  —the other hand por otro lado, 4
one-way ticket pasaje de ida (*m.*), billete de ida (*m.*), 3
only no más que
open abierto(a), 3
operate manejar, 1
orchestra orquesta (*f.*), 4
order mandar
organ órgano (*m.*), 4
organized organizado(a), 1
outdoor activity actividad al aire libre (*f.*), 2
over en, 2
oxygen mask máscara de oxígeno (*f.*), 3
oyster ostra (*f.*)

P

packaging envoltura (*f.*), 6
paint pintar, 4
painting cuadro (*m.*), pintura (*f.*), 4
palette paleta (*f.*), 4
pamper mimar, 5
parade desfile (*m.*)
parking lot zona de estacionamiento (*f.*), 3
part-time medio tiempo, medio día, 1
pass (a test or class) aprobar (o:ue), 5
passport pasaporte (*m.*), 3

patron saint santo patrón (*m.*), santa patrona (*f.*)
pay in advance pagar por adelantado, 3
pay customs duties pagar derechos de aduana, 3
per por, 1
perform representar, 6
perhaps quizás, tal vez, 5
personal (physical) appearance aspecto personal (*m.*), 1
photocopy machine fotocopiadora (*f.*), sacacopias (*m.*), 1
piano piano (*m.*), 4
picture cuadro (*m.*), 4
pilot piloto (*m.*), 3
play jugar (u:ue) (a), 2; (a musical instrument) tocar, 4; obra teatral (*f.*), 2
player jugador(a) (*m., f.*), 2
playwright dramaturgo (*m.*), autor(a) de obras teatrales (*m., f.*), 4
plot argumento (*m.*), trama (*f.*), 4
poetry poesía (*f.*), 4
polite amable, 1
politics política (*f.*), 6
portrait retrato (*m.*), 4
position puesto (*m.*), 1
  —held puesto desempeñado (*m.*), 1
poverty pobreza (*f.*), 5
practice practicar, 2
  —(play) sports practicar deportes, 2
president of a university rector (*m.*), 5
press prensa (*f.*), 6
  —conference rueda (conferencia) de prensa (*f.*), 6
printing letra de molde (*f.*), 1
procession procesión (*f.*)
product producto (*m.*), 6
professional profesional, 1
professionalism profesionalismo (*m.*), 1
programming programación (*f.*), 6
prose prosa (*f.*), 4
provided that con tal (de) que, 5
public opinion survey investigación de la opinión pública (*f.*), 6
public relations agent agente de relaciones públicas (*m., f.*), 1
publicity publicidad (*f.*), 6
publicity (promotional) campaign campaña de promoción publicitaria (*f.*), 6
pull somebody's leg tomarle el pelo a alguien, 4
punctual puntual, 1
punctuality puntualidad (*f.*), 1
put puesto(a), 3

Q

quartet cuarteto (*m.*), 4

R

race track hipódromo (*m.*), 2
racket raqueta (*f.*), 2
raise criar, 5
raising crianza (*f.*), 5
ready listo(a)
realize darse cuenta (de), 2
recommend recomendar (e:ie), 1
record grabar, 6
referee árbitro (*m., f.*), 2
reference referencia (*f.*), 1
refuse no querer (e:ie), 2; negarse (e:ie) (a), 2
register matricularse, 5
relative pariente (*m., f.*), 5
remember acordarse (o:ue) (de), 2
remote control control remoto (*m.*), 6
reporter reportero(a) (*m., f.*), 6
requirement requisito (*m.*), 5
reserve reservar, 3
respect respetar, 5
respectful respetuoso(a), 1
respectfully atentamente, 1
responsible responsable, 1
retire jubilarse, retirarse, 1
returned vuelto(a), devuelto(a), 3
ride paseo en coche (*m.*), 2
  —a bicycle montar en bicicleta, 2
  —a horse montar a caballo, 2
role papel (*m.*), 6
room service servicio de habitación (de cuarto) (*m.*), 3
round-trip ticket pasaje (billete) de ida y vuelta (*m.*), 3
row remar, 2; fila (*f.*), 3
run correr, 2
  —(for) postularse (para), 6

S

safe caja de seguridad (*f.*), 3
  —deposit box caja de seguridad (*f.*), 3
said dicho(a)
sail navegar, 2
sailboat bote de vela (*m.*), velero (*m.*), 2
salary sueldo (*m.*), salario (*m.*), 1
salesperson vendedor(a) (*m., f.*), 1
sandwich (Spain) bocadillo (*m.*)
sausage chorizo (*m.*)
saxophone saxofón (*m.*), 4
scene escena (*f.*), 6
scholarship beca (*f.*), 5
school (i.e., school of medicine, engineering, etc.) facultad (*f.*), 5
science fiction ciencia ficción (*f.*), 4
scold regañar, 5
score a goal marcar un gol, 2
script guión (*m.*), 6
scuba dive bucear, 2
sculpt esculpir, 4
sculptor escultor(a) (*m., f.*), 4
sculpture escultura (*f.*), 4
sea mar, océano (*m.*), 2
seat asiento (*m.*)
security guard guardia de seguridad (*m.*), 3
seem incredible parecer mentira, 4
seen visto(a), 3
self-portrait autorretrato (*m.*), 4
shellfish mariscos (*m., pl.*)
short story cuento (*m.*), 4
shrimp camarón (*m.*), gamba (*f.*)
sick malo(a)
sign the register firmar el registro, 3
sing cantar, 4
singer cantante (*m., f.*), 4
single room habitación sencilla (*f.*), 3
sister-in-law cuñada (*f.*), 5
skate patinar, 2
sketch bosquejo (*m.*), bosquejar, 4
sleeping bag bolsa de dormir (*f.*), saco de dormir (*m.*), 2
slogan lema (*m.*), 6
smart listo(a), 1
smoke fumar, 3
so that para que, 5
soap opera telenovela (*f.*), 6
soccer fútbol (*m.*), 2
soloist concertista (*m., f.*), 4
son-in-law yerno (*m.*), 5
specialize especializarse (en), 1
speech discurso (*m.*), 6
spoil malcriar, 5
sport deporte (*m.*), 2
sports page página deportiva (*f.*), 2
spreadsheet hoja de cálculo (*f.*), 1
  —program programa de hoja de cálculo (*m.*), 1
squid calamar (*m.*)
stadium estadio (*m.*), 2
stand in line ponerse en la cola, 3
stapler grapadora (*f.*), presilladora (*f.*), 1
star estrella (*f.*), 3
statue estatua (*f.*), 4
stay (i.e., at a hotel) hospedarse, 3
stepbrother hermanastro (*m.*), 5
stepdaughter hijastra (*f.*), 5
stepfather padrastro (*m.*), 5
stepmother madrastra (*f.*), 5
stepsister hermanastra (*f.*), 5
stepson hijastro (m.), 5
still life naturaleza muerta (*f.*), 4
stockbroker bolsista (*m., f.*), 1
stone piedra (*f.*), 4
strike huelga (*f.*), 6
style estilo (*m.*), 4
substitute sustituto(a), 3
substituted sustituido(a), 3
succeed poder (o:ue), 2
sunbathe tomar el sol, 2
sunglasses anteojos (espejuelos) de sol (*m., pl.*), gafas de sol (*f., pl.*), 2
suntan lotion bronceador, (*m.*), 2
support apoyar, 5; (financially) mantener, 5
surf hacer surfing, 2
surfboard tabla de mar (*f.*), patín acuático (*m.*), 2
swim nadar, 2
swimming natación (*f.*), 2
symphony orchestra orquesta sinfónica, 4

T

T.V. (set) televisor (*m.*), 6
  —guide guía de televisión (*f.*), 6
  —viewer televidente (*m.*, *f.*), 6
take charge encargarse, 1
take off (a plane) despegar, 3
tape grabar, 6
team equipo (*m.*), 2
teen pregnancy embarazo de las adolescentes (*m.*), 5
telephone (telecommunication) system sistema telefónico (*m.*), 1
(television) network cadena (de televisión) (*f.*), 6
tent tienda de campaña (*f.*), 2
that quien, 4; que, 4
that's why por eso, 2
theater teatro (*m.*), 2
think (about) pensar (e:ie) (en), 2
Three Wise Men Reyes Magos (*m.*, *pl.*)
through por, 1
ticket pasaje (*m.*), billete (*m.*), 3
tie (a score) empatar, 2
to a, 2
topic tema (*m.*), 4
tornado tornado (*m.*), 6
tour excursión (*f.*), 3
tourist card tarjeta de turista (*f.*), 3
tourist class clase turista (*f.*), 3
trainer entrenador(a) (*m.*, *f.*), 2
tray table mesita (*f.*), 3
trio trío (*m.*), 4
trombone trombón (*m.*), 4
trumpet trompeta (*f.*), 4
trust confiar (en), 2
try tratar (de), 2
tuition inscripción (*f.*), matrícula (*f.*), 5
turn off the T.V. apagar el televisor, 6
turn on the T.V. poner el televisor, encender (e:ie) el televisor, 6
typewriter máquina de escribir (*f.*), 1
typical costume traje regional (*m.*)

U

under arrest preso(a), 3
underemployment subempleo (*m.*)
understand each other comprenderse, 5
understanding comprensivo(a), 1
unemployment desempleo (*m.*), 5
unfortunately por desgracia, 1
university professor catedrático(a) (*m.*, *f.*), 5
unless a menos que, 5
until hasta que, 5
upper floor planta alta

V

V.C.R. aparato de video (*m.*), videocasetera (*f.*), 6
vacant room cuarto libre (*m.*), 3
vacate the room desocupar el cuarto, 3
venereal disease enfermedad venérea (*f.*), 5
verse verso (*m.*), 4
very muy, sumamente, extremadamente
violence violencia (*f.*), 5
violin violín (*m.*), 4
visa visa (*f.*), 3
volleyball voleibol (*m.*), 2

W

waiting list lista de espera (*f.*), 3
want querer (e:ie), 2
watch T.V mirar la tele, 6
water skiing esquí acuático (*m.*), 2
water-ski esquiar en el agua, 2
watercolor acuarela (*f.*), 4
water sport deporte acuático (*m.*), 2
wave ola (*f.*), 2
wedding boda (*f.*), 5, casamiento (*m.*), 5
weigh the suitcases pesar las maletas, 3
what for para qué, 1
when cuando, 5
which que, 4
who quien, que, 4
whom quien, 4
whose cuyo(a)(os)(as), 4
whose? ¿de quién?
win ganar, 2
window seat asiento de ventanilla (*m.*), 3
with con
  —an ocean view con vista al mar, 3
without sin que, 5
wood madera (*f.*), 4
word processing composición de textos (*f.*), 1
  —program programa para la composición de textos (*m.*), 1
work trabajar, 1
  —full time tiempo completo, 1
  —overtime tiempo extra, 1
  —part time medio día (medio tiempo), 1
worker's compensation insurance seguro de accidentes de trabajo, 1
worth seeing digno(a) de verse, 4
wrapped envuelto(a), 3
wrapper envoltura (*f.*), 6
wrestling lucha libre (*f.*), 2
written escrito(a), 3

Créditos

p. 32, Copyright © Mario Beneditti. Reprinted with permission.; p. 66, "Camino de Imperfección: Diario de Mi Vida," by Rufino Blanco-Fombona. Copyright © by Editorial Televisa. Reprinted by permission; p. 94, Reprinted with permission; p. 95, María Teresa Babin, "Día de reyes," from *Fantsi boricua: estampas de mi tierra,* © 1966, Instituto de Cultura Puertorriqueña, pp. 34–7; p. 97, Reprinted by permission of Bertalicia Peralta; p. 127, Reprinted by permission of the author; p. 129, Nery Alexis Gaytan, *El Reclamo De Las Horas,* First Edition. Copyright © Editorial Universitaria. Reprinted by permission of the author; p. 154, *Eva en el mundo de los jaguares.* Santiago: Aguilar, 1998. Reprinted by permission of the author; p. 161, Jose B. Fernández and Nasario García, *Nuevos Horizontes.* Copyright © 1982 by D. C. Heath and Company. Reprinted by permission of Houghton Mifflin Company; p. 163, Julia de Burgos, "A Julia de Burgos," *Ediciones Torremozas SL,* April 1964, pp 19–20; p. 164, Reprinted by permission of Josefina Valde's-Hurtado; p. 192, Reprinted by permission of Ediciones Destino from Ana María Matute, *Los Niños Tontos.*

Índice

(References are to page numbers)